Office XP

Catherine Szaibrum

Publié par CampusPress
47 bis, rue des Vinaigriers
75010 PARIS
Tél : 01 72 74 90 00

Mise en pages : Andassa

ISBN : 2-7440-1179-7

Table des matières

Partie VI. Office 2002 et Internet

Introduction

Office 2002

Non, ne levez pas les bras au ciel en vous exclamant : "Encore une nouvelle version d'Office de Microsoft !" Sachez que cette version n'est pas la énième d'une longue série, mais bel et bien une nouvelle mouture qui atteint presque la perfection. En effet, elle est plus stable et plus en adéquation avec vos désirs grâce à son extrême flexibilité. Elle est également plus performante puisqu'elle intègre une multitude de fonctionnalités qui permettent de publier sur le Web, de naviguer, etc. Nous pouvons donc affirmer qu'elle constitue l'outil parfait pour travailler le plus rapidement possible.

Cet ouvrage permet de se familiariser avec Office 2002 et d'en découvrir toutes les nouveautés. Les profanes verront aussi comment utiliser les fonctions classiques des différentes applications. Sachez que, profane ou utilisateur averti, ce livre est fait pour vous, car il explique toutes les procédures proposées par Microsoft pour travailler rapidement et aisément, et donne toutes les astuces pour être le plus efficace possible.

Comment lire cet ouvrage ?

Rien ne vous oblige à respecter l'ordre des parties, puisque celles-ci sont indépendantes les unes des autres. Vous pouvez donc commencer par la Partie II, puis vous plonger dans la Partie I. Même si l'index constitue l'outil idéal pour rechercher précisément une commande, nous vous proposons cependant de découvrir l'articulation des différentes parties du livre ainsi que le contenu de chacune :

- La Partie I est une introduction rapide à Office 2002. Vous découvrirez les différents éléments de l'interface, les nouveautés ainsi que les commandes communes à toutes les applications.
- La Partie II aborde la majorité des fonctions de Word.
- La Partie III explique comment devenir le roi du calcul avec Excel.
- La Partie IV montre à quel point la création de présentations avec PowerPoint est simple.
- La Partie V traite d'Outlook.
- La Partie VI démontre qu'Office 2002 propose tous les outils pour Internet : enregistrement HTML, envoi de messages, publication, etc.
- Enfin, l'Annexe recense la totalité des raccourcis clavier d'Office.

Les conventions adoptées

Vous trouverez de nombreuses remarques qui mettent en avant un point de terminologie, un détail technique, et qui indiquent des raccourcis clavier ou donnent des conseils d'utilisation.

Voici le type d'information que chacune de ces remarques propose :

Ces rubriques proposent un supplément d'information en relation avec le sujet traité.

Ces rubriques avertissent des risques inhérents à telle ou telle manipulation et indiquent, le cas échéant, comment éviter le piège.

Partie I

Découverte d'Office 2002

La nouvelle version d'Office de Microsoft vient de sortir, et le moins que l'on puisse dire c'est qu'elle est réussie. Appelée 2002, elle est aussi surnommée XP, du mot eXPérience, tant il est vrai que les désirs des utilisateurs ont été pris en compte. La nouvelle version constitue une avancée appréciable au niveau professionnel. En effet, tout est fait pour faciliter et accélérer le travail, et ce à la fois pour les personnes travaillant en équipe et celles faisant cavalier seul.

Vous l'avez achetée. Vous voilà donc de retour chez, le pack Office XP sous le bras, et vous n'avez qu'une hâte : installer le nouvel Office sur votre PC. Ensuite, il ne vous restera plus qu'à découvrir toutes les nouveautés de la version 2002 si vous êtes un fidèle utilisateur ou, si vous êtes profane, à apprendre l'utilisation des nombreux logiciels d'Office. Présumant que vous n'avez guère envie de vous lancer dans une lecture approfondie du manuel d'utilisation, nous avons conçu cette Partie I comme un guide utile et efficace. Elle permettra aux novices d'appréhender l'interface utilisateur d'Office 2002 et d'obtenir rapidement une aide efficace lors de leurs découvertes. Quant aux initiés, ils y trouveront, outre une mise en lumière des nouveautés, de multiples astuces pour une utilisation plus rapide et plus aisée.

Chapitre 1

L'interface et la gestion des fichiers

Au sommaire de ce chapitre

- Lancer/quitter les applications
- Bien utiliser la souris
- Les points cruciaux de l'interface
- Une bonne gestion des fichiers
- L'impression

Que les initiés ne s'impatientent pas : ils savent déjà comment ouvrir une application, dérouler un menu, activer une commande, etc. Les joies du clic n'ont plus aucun secret pour eux. Cependant, les petits nouveaux n'ont pas cette chance, et il est indispensable que nous leur enseignions brièvement toutes les manipulations.

Si vous êtes un utilisateur averti, nous vous conseillons tout de même de lire ce chapitre : tandis que les novices apprendront les rudiments, vous découvrirez quelques astuces d'utilisation que vous ne connaissiez peut-être pas, et vous pourrez rafraîchir vos connaissances, ce qui ne peut pas faire de mal.

Lancer/quitter les applications

Lorsque vous avez installé Office, les noms des différentes applications se sont placées dans le menu Démarrer, Programmes, accessible à partir de la barre des tâches.

Lancer une application

Pour lancer une application, cliquez sur **Démarrer**, **Programmes**, **Nom de l'application**.

L'autre solution est de créer des icônes de raccourci sur le bureau. Il suffira alors de double-cliquer sur une icône pour lancer le programme. Pour créer une icône de raccourci de programme, cliquez sur Démarrer, Programmes. Dans le menu qui se déroule, cliquez du bouton droit sur le logiciel voulu puis, tout en maintenant le bouton enfoncé, faites glisser sur le bureau. Dans le menu contextuel qui s'affiche, sélectionnez Créer un ou des raccourci(s) ici. L'icône de raccourci du logiciel apparaît sur le bureau.

Quitter une application

Pour quitter un programme, plusieurs solutions s'offrent à vous :

- Cliquez sur **Fichier**, **Quitter**. Si un fichier est ouvert, il vous sera demandé si vous souhaitez, ou non, l'enregistrer. Répondez en cliquant sur **Oui** ou **Non** selon le cas.

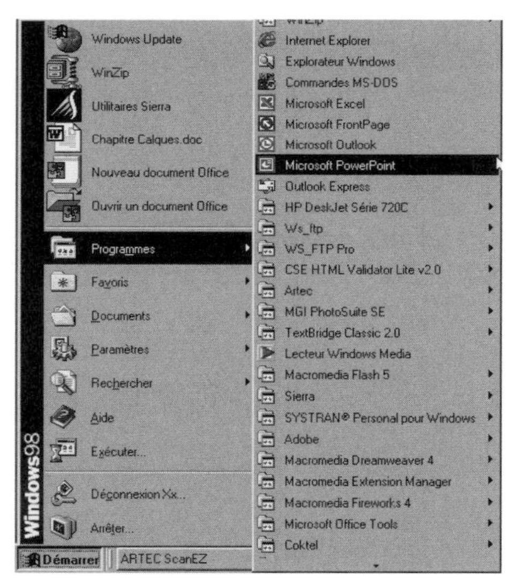

Figure 1.1 : Les logiciels se lancent tous à partir du menu Programmes du bouton Démarrer.

- Cliquez sur le bouton système situé en haut à gauche de la fenêtre (symbole du logiciel), puis sur **Fermeture**.
- Pressez les touches **Alt+F4**.

Bien utiliser la souris

Voici un bref rappel des différentes utilisations de la souris :

- **Cliquer.** Consiste, après avoir pointé l'élément concerné, à presser le bouton gauche de la souris.
- **Double-cliquer.** Consiste, après avoir pointé l'élément concerné, à appuyer deux fois distinctement et rapidement sur le bouton gauche de la souris.

- **Cliquer du bouton droit.** Consiste, après avoir pointé l'élément concerné, à presser le bouton droit de la souris. Un menu contextuel s'affiche, à partir duquel vous pouvez sélectionnez une commande.
- **Faire glisser du bouton droit.** Permet, lorsque vous relâchez le bouton, d'ouvrir un menu déroulant qui propose des options pour gérer l'objet que vous avez fait glisser (copier, coller, lien hypertexte, etc.).
- **Document bribe.** Consiste, en faisant glisser le texte sélectionné vers un emplacement vierge du bureau Windows, à créer un document intermédiaire que vous pouvez insérer dans un autre document.
- **Rectangle de sélection.** Consiste à entourer un ou plusieurs objets afin de les déplacer, les redimensionner, etc.

Les points cruciaux de l'interface

Tous les éléments qui sont présentés sous cette rubrique sont communs à tous les logiciels fonctionnant sous Windows 95, 98 et 2000. Bien que n'ayant pas pour vocation de vous indiquer les procédures d'utilisation du système d'exploitation, nous pensons indispensable de vous remémorer, ou de vous apprendre, quelques principes fondamentaux.

Désormais, les logiciels d'Office supportent Microsoft Active Accessibility 2.0. Celui-ci augmente l'efficacité des options d'accessibilité : lecteur et agrandisseur d'écran, utilisations de la souris, etc.

Sachez que la symbolique des sélections de boutons a changé. En effet, désormais, lorsque vous pointez sur un bouton dans une barre d'outils, il devient bleuté. Lorsqu'il est activé, il s'entoure d'un cadre bleu.

Pour commencer, voyons un peu en quoi et comment l'interface des logiciels d'Office a été modifiée. Ensuite, vous en verrez les points principaux.

Les balises actives

Les balises actives permettent de gagner un temps précieux, car elles aident à l'exécution rapide d'actions. Si elles ne s'affichent pas, cliquez sur **Affichage**, **Balise**.

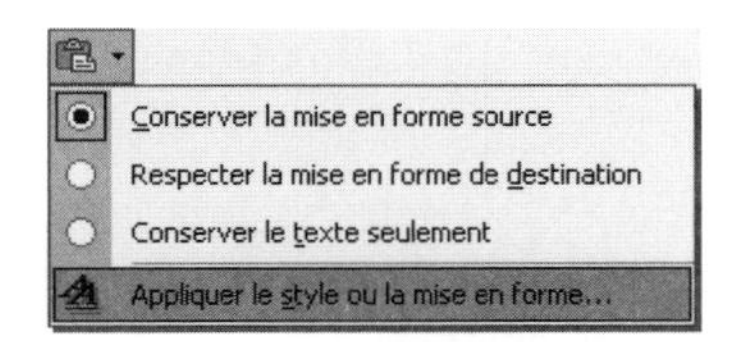

Figure 1.2 : Les balises permettent de travailler plus rapidement. Dans cet exemple, la balise correspond au collage d'un objet.

Dès que vous réalisez une action telle que la copie d'un objet, une mise en forme, la création d'une liste, etc., une balise s'affiche. Vous devez cliquer dessus pour ouvrir un menu déroulant dans lequel vous devez effectuer un choix.

Le volet Office

Auparavant, pour ouvrir un document, en créer un nouveau, choisir un modèle, etc., vous deviez utiliser les différentes boîtes de dialogue correspondant à ces commandes. Désormais, afin de vous faciliter le travail, toutes ces commandes basiques sont regroupées dans le volet Office. Vous l'affichez en cliquant sur **Affichage**, **Volet Office**.

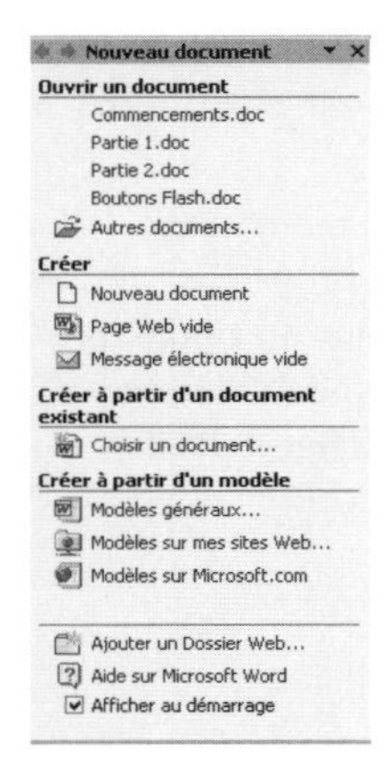

Figure 1.3 : Le volet Office permet un accès plus rapide aux fonctions les plus fréquemment utilisées en les regroupant en un seul et même endroit.

La barre de titre

La barre de titre, située tout en haut de la fenêtre, affiche le nom du logiciel dans lequel vous travaillez ; le bouton système est situé à droite et les cases système sont situées à l'extrémité gauche. Elles permettent une gestion rapide de l'affichage des fenêtres.

Ferme l'application ou la fenêtre active.

Affiche l'application, ou la fenêtre active, à sa taille maximale.

Réduit l'application, ou la fenêtre active, à un bouton dans la barre des tâches.

Affiche l'application, ou la fenêtre active, à sa taille antérieure.

Figure 1.4 : La barre de titre de Word.

La barre de menus

La barre de menus est située au-dessous de la barre de titre. Chaque menu (Fichier, Affichage, etc.) ouvre une liste déroulante qui propose un certain nombre de commandes (voir Figure 1.5). Les menus respectent un certain nombre de principes :

- Les commandes grisées sont indisponibles ; les commandes en noir sont accessibles.
- Une pointe de flèche apparaissant en regard d'une commande indique que celle-ci propose un sous-menu.
- Trois points de suspension à la suite d'une commande indiquent qu'elle propose une boîte de dialogue qui permet de sélectionner certaines options, de définir certains choix, etc.
- Un bouton devant une commande précise qu'elle est proposée sous forme de raccourci dans l'une des barres d'outils.
- Les combinaisons de touches, telles que Ctrl ou Alt suivies d'une lettre s'affichant en regard d'une commande, stipulent que cette dernière possède un raccourci clavier. Presser ces touches déclenche automatiquement la commande ou ouvre la boîte de dialogue lui correspondant (par exemple, en pressant les touches **Ctrl+P**, vous ouvrez la boîte de dialogue Impression).

Figure 1.5 : La barre des menus de Word.

Vous venez de voir que de nombreux raccourcis clavier sont proposés pour les principales commandes des logiciels. Dans l'Annexe de cet ouvrage, vous trouverez la liste complète de la totalité des raccourcis clavier des différents logiciels étudiés.

Sachez que vous pouvez personnaliser les raccourcis clavier. A cette fin, cliquez du bouton droit sur l'une des barres d'outils et sélectionnez Personnaliser. Dans l'onglet Commandes, cliquez sur le bouton Clavier. Dans la liste gauche, sélectionnez le menu, puis la commande dans la liste droite. Indiquez le raccourci clavier actuel, saisissez ensuite vos touches de raccourci personnel. Cliquez sur Attribuer, puis fermez la boîte de dialogue.

Depuis la version 2000, afin de vous faciliter la tâche, les menus se personnalisent automatiquement. De ce fait, à mesure que vous travaillez, les menus s'adaptent à vos choix et affichent uniquement les commandes que vous utilisez. Pour visualiser la totalité d'un menu, il suffit de cliquer sur les deux têtes de flèche, en bas du menu, ou bien de double-cliquer sur le nom du menu (par exemple, double-cliquez sur **Fichier** pour voir la totalité du menu).

Les boîtes de dialogue

Dans les boîtes de dialogue, vous indiquez des informations supplémentaires pour optimiser la commande, activer ou désactiver des choix, etc. Les boîtes de dialogue proposent un certain nombre de méthodes pour indiquer vos préférences (voir Figure 1.6) :

- **Onglets.** Apparaissent lorsque la boîte de dialogue propose plusieurs pages où les options sont regroupées par thèmes. En cliquant sur un onglet, vous l'affichez au premier plan et accédez ainsi au thème de votre choix.

- **Cases à cocher.** Permettent de préciser un choix. Elles sont indépendantes les unes des autres. Une case cochée est active, une case vide est inactive.
- **Cases d'option.** Forment un groupe d'options. Elles sont exclusives : un clic sur une option désactive automatiquement l'option activée au préalable.
- **Zones de texte.** Servent à saisir une information (par exemple le nom d'un fichier).
- **Zones de liste.** Affichent une liste d'éléments à partir desquels vous pouvez faire un choix.
- **Listes déroulantes.** S'ouvrent en cliquant sur la flèche. Elles contiennent une liste de choix.
- **Boutons de commande.** Permettent de confirmer ou d'annuler les choix définis dans la boîte de dialogue. Les boutons de commande les plus courants sont OK, Annuler et Appliquer.

Depuis la version 2000, dans les boîtes de dialogue Ouvrir et Enregistrer, a été ajoutée la barre Emplacement qui ressemble en tout point à la barre Outlook. Elle permet un accès rapide aux dossiers et aux documents le plus souvent utilisés. Par ailleurs, les boîtes de dialogue ont été agrandies pour une meilleure visualisation. Enfin, certaines boîtes de dialogue proposent un bouton qui permet de revenir rapidement aux dossiers ou fichiers récemment utilisés. Ce bouton est facilement reconnaissable : il est représenté par une flèche dirigée vers la gauche.

Le bouton Précédent est le même que celui utilisé dans les navigateurs (Internet Explorer, par exemple).

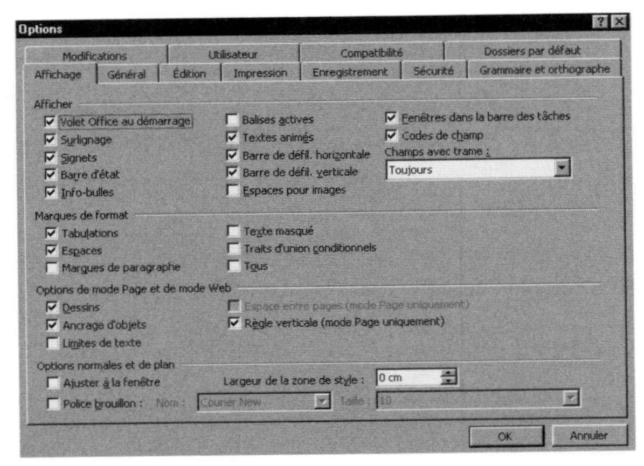

Figure 1.6 : Quelques éléments des boîtes de dialogue.

Les barres d'outils

Situées au-dessous de la barre des menus, les barres d'outils permettent un accès rapide aux commandes les plus courantes. Ainsi, au lieu d'ouvrir un menu, il suffit de cliquer sur l'un de ses boutons pour activer la commande lui correspondant.

Par défaut, les logiciels affichent en général deux barres d'outils : Standard et Mise en forme. Mais vous pouvez afficher de nombreuses autres barres d'outils. Pour cela, cliquez du bouton droit sur une barre d'outils, et sélectionnez la barre d'outils que vous souhaitez.

Pour masquer une barre d'outils, il suffit de cliquer du bouton droit sur une barre d'outils et de cliquer en regard de celle à masquer.

Auparavant fixes et quelque peu envahissantes, depuis la version 2000, les barres d'outils sont désormais "à la carte", ce qui signifie qu'elles prennent un minimum d'espace à l'écran en s'affichant les unes à côté des autres et en se modifiant en fonc-

tion de vos utilisations. Pour voir la totalité d'une barre d'outils, il suffit de cliquer sur les deux têtes de flèche orientées vers la droite situées à son extrémité droite.

Les options de personnalisation des barres d'outils sont d'un usage très simple. Pour personnaliser une barre d'outils, après l'avoir affichée à l'écran, cliquez dessus du bouton droit et sélectionnez **Personnaliser**. Dans la boîte de dialogue **Personnaliser**, l'onglet **Options** permet de définir précisément l'affichage (grandes icônes, liste des polices, info-bulles, etc.), de réinitialiser les menus et de gérer l'affichage automatique de certaines barres d'outils ; l'onglet **Barres d'outils** permet d'activer une barre d'outils.

Dans l'onglet **Commandes** sont recensées les différentes catégories de barres d'outils ainsi que leurs boutons. Vous pouvez aussi y gérer le contenu des barres d'outils.

Pour ajouter une icône à une barre d'outils, sélectionnez la catégorie de votre choix dans la liste gauche, puis cliquez sur le bouton correspondant dans la liste droite et faites-le glisser dans la barre d'outils concernée. Cliquez sur **Fermer** pour valider.

Pour supprimer un bouton, après avoir ouvert l'onglet **Commandes**, cliquez sur le bouton à supprimer dans la barre d'outils, puis faites-le glisser en dehors de celle-ci. Validez.

Une bonne gestion des fichiers

La notion de fichier vous est familière si vous êtes un utilisateur averti. En revanche, si vous êtes novice, vous avez besoin de quelques explications : dans Windows, lorsque vous créez un document, un tableau, une présentation, etc., vous créez un *fichier*. Les fichiers sont "rangés" dans des dossiers. Vous pouvez voir tous les fichiers de votre ordinateur dans l'Explorateur (**Démarrer**, **Programme**, **Explorateur Windows**).

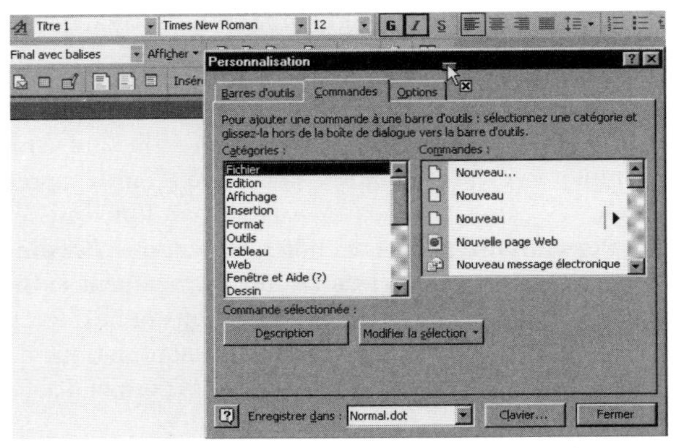

Figure 1.7 : Vous pouvez supprimer ou ajouter un bouton dans une barre d'outils.

Nouveau fichier

Par défaut, lorsque vous lancez une application, un document vierge s'affiche.

Pour ouvrir un nouveau document vierge, cliquez sur **Nouveau document (classeur, présentation, etc.)** dans le volet Office. Ou cliquez sur **Fichier**, **Nouveau**, puis, dans la boîte de dialogue, double-cliquez sur le choix **Document vide**.

Enregistrer un fichier

Pour enregistrer un document, une feuille de calcul ou encore une diapositive, il suffit de cliquer sur le bouton **Enregistrer** dans la barre d'outils Standard de l'application, ou bien de cliquer sur **Fichier**, **Enregistrer**. Selon que vous enregistrez le fichier pour la première ou la énième fois, la procédure n'est pas tout à fait la même.

Pour enregistrer un fichier pour la première fois, procédez de la façon suivante :

1. Cliquez sur le bouton **Enregistrer** dans la barre d'outils Standard.

   La boîte de dialogue **Enregistrer sous** s'affiche (Figure 1.8).

2. Sélectionnez un dossier dans la zone **Enregistrer dans** ou utilisez la barre Emplacement en cliquant sur le dossier de votre choix (par exemple **Mes documents**).

3. Saisissez le nom du fichier à enregistrer dans la zone **Nom de fichier** (ne saisissez pas l'extension, elle est automatiquement générée par l'application à partir de laquelle vous enregistrez). Cliquez sur le bouton **Enregistrer**.

Vous souhaitez effectuer la copie d'un fichier ? Il suffit d'enregistrer à nouveau le fichier en lui donnant un nouveau nom. Pour cela, cliquez sur Fichier, Enregistrer sous. Renommez le fichier. Le tour est joué !

Pour définir les options d'enregistrement des fichiers, cliquez sur Outils, Options, Onglet Enregistrement.

Pour les enregistrements suivants, il suffit de cliquer sur le bouton **Enregistrer** dans la barre d'outils Standard.

Pour les fichiers que vous souhaitez publier sur le Web, reportez-vous à la fin de cet ouvrage.

Ouvrir des fichiers

Pour ouvrir un fichier, cliquez sur le bouton **Ouvrir** dans la barre d'outils Standard, ou sur **Fichier**, **Ouvrir** (voir Figure 1.9). Sélectionnez le dossier contenant le fichier recherché dans la zone **Chercher dans**, ou utilisez la barre Emplacement. Ensuite, vous n'avez plus qu'à double-cliquer sur le fichier.

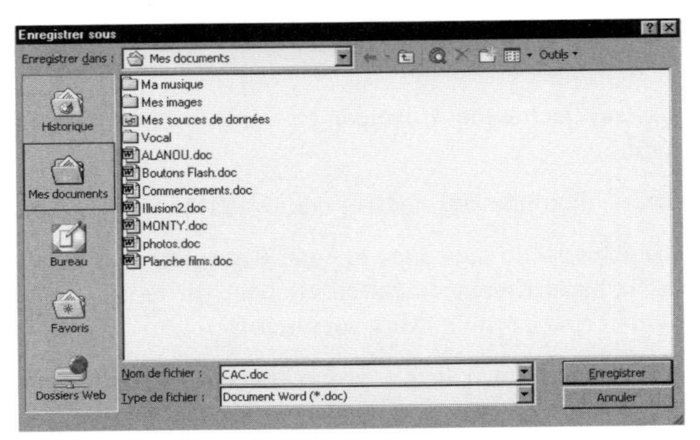

Figure 1.8 : La boîte de dialogue Enregistrer sous.

Vous pouvez aussi cliquer sur **Autres documents** dans le volet Office puis sélectionner le fichier à ouvrir.

Pour ouvrir un fichier récemment ouvert, cliquez sur Fichier : il s'affiche en bas du menu. Il suffit alors de cliquer dessus pour l'ouvrir. Vous pouvez aussi, si le logiciel n'est pas ouvert, cliquer sur Démarrer, Documents. La liste des quinze derniers fichiers utilisés s'affiche. Sélectionnez celui que vous souhaitez ouvrir. Enfin, à partir du volet Office, les derniers documents ouverts sont listés dans la zone Ouvrir un document.

Si vous le souhaitez, vous pouvez ouvrir plusieurs documents à la fois puis naviguer entre eux ou les afficher en même temps à l'écran. Pour naviguer entre plusieurs documents, après les avoir ouverts, utilisez les boutons de fichiers dans la barre des tâches, ou cliquez sur le menu Fenêtre puis sélectionnez le fichier à afficher au premier plan. Pour visualiser simultanément plusieurs documents à l'écran, cliquez sur Fenêtre, Réorganiser tout.

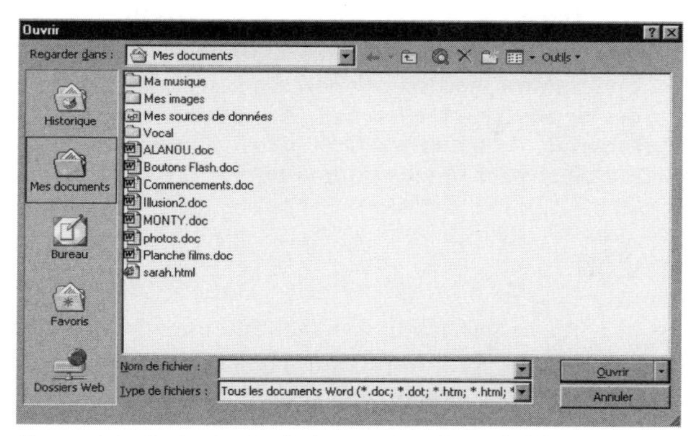

Figure 1.9 : La boîte de dialogue Ouvrir un fichier.

Fermer des fichiers

Pour fermer un fichier, deux procédures s'offrent à vous : cliquez sur le bouton système **Fermer** de la fenêtre, ou cliquez sur **Fichier**, **Fermer**.

Supprimer des fichiers

Pour supprimer un fichier, cliquez sur le bouton **Ouvrir**. Dans la boîte de dialogue, cliquez du bouton droit sur le fichier concerné, et sélectionnez **Supprimer**. Cliquez sur **Oui** pour confirmer la suppression.

Renommer des fichiers

Nul n'étant à l'abri d'une erreur, il est bien sûr possible de renommer un fichier. Pour renommer un fichier, cliquez sur le bouton **Ouvrir**. Dans la boîte de dialogue, cliquez du bouton droit sur le fichier concerné, et sélectionnez **Renommer**. Saisissez le nouveau nom et pressez la touche **Entrée** pour valider.

Pour rechercher un fichier, dans l'Explorateur, cliquez sur Outils, Rechercher, Fichiers ou dossiers. Dans la zone Nommé, saisissez le nom du fichier, puis cliquez sur le bouton Rechercher. Au bout de quelques secondes, le fichier s'affiche dans le volet inférieur. Double-cliquez dessus pour l'ouvrir.

L'impression

Nous ne sommes pas habilités à vous enseigner la façon de faire fonctionner votre imprimante tant les modèles proposés sont différents et nombreux. Disons simplement que, avant de lancer une impression, l'imprimante doit être sous tension, approvisionnée en papier et en toner (ou en cartouche d'encre), etc.

Ensuite, à partir de n'importe quelle application, cliquez sur le bouton **Imprimer** dans la barre d'outils Standard. L'impression est lancée.

Si vous souhaitez spécifier certains choix tels que l'imprimante utilisée, le nombre de copies, etc., vous devez cliquer sur **Fichier**, **Imprimer**, puis indiquer vos préférences dans la boîte de dialogue Impression. Cliquez sur **OK** pour valider vos choix et lancer l'impression.

Pour définir des options d'impression plus pointues, cliquez sur Outils, Options, Onglet Impression.

Si vous souhaitez juger de l'aspect de votre fichier avant de l'imprimer, recourez à la fonction d'aperçu avant impression. Pour cela, cliquez sur **Aperçu avant impression** dans la barre d'outils Standard. Le fichier s'affiche. Auparavant proposé uniquement dans Word et Excel, cet outil est désormais disponible dans PowerPoint. Les fonctions de l'aperçu avant impression seront étudiées plus précisément dans la Partie II.

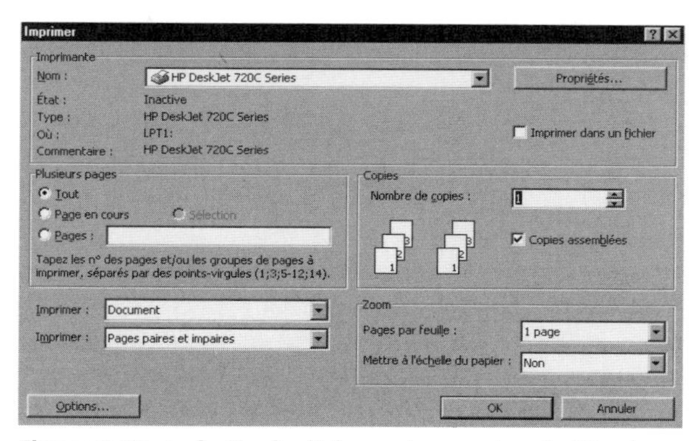

Figure 1.10 : La boîte de dialogue Impression de Word.

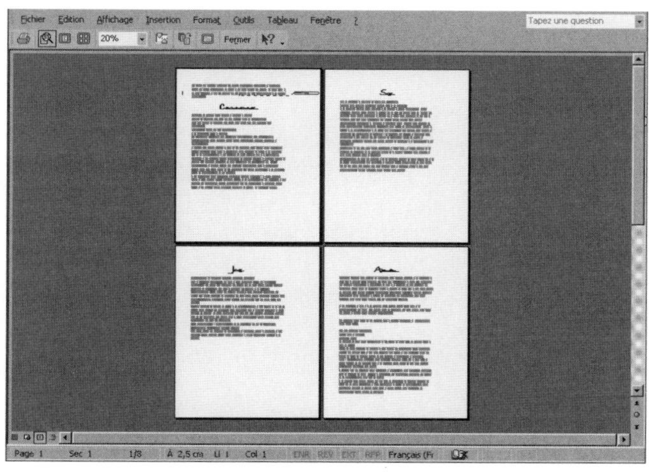

Figure 1.11 : L'aperçu avant impression permet de visualiser le document exactement tel qu'il sera imprimé.

Chapitre 2

L'aide, l'assistance, les outils de vérification et la sécurité

Au sommaire de ce chapitre

- Obtenir de l'aide
- Les assistants et les modèles
- La correction automatique
- La relecture automatique
- Les fonctions de recherche assistée
- Le Presse-papiers à la carte
- Reproduire une mise en forme
- Des documents dans toutes les langues

- L'insertion de texte stylisé, d'images, de diagrammes, etc.
- Annuler/rétablir une action
- Travailler en équipe
- La sécurité

Ce chapitre est important, voire primordial. Non seulement il vous enseigne les différentes méthodes pour obtenir de l'aide rapidement, mais il décrit aussi les différents outils qui vous assisteront au cours de votre travail et vous feront gagner un temps précieux. Vous allez le voir, la totalité des fonctionnalités décrites sont communes à tous les logiciels. Lorsqu'elles diffèrent, elles sont décrites plus précisément dans les différentes applications.

Obtenir de l'aide

Il est bien évident que nous ne pouvons pas, compte tenu du format de l'ouvrage, couvrir la totalité des fonctions d'Office. De ce fait, il nous semble primordial que vous preniez connaissance des procédures à utiliser pour obtenir de l'aide. Dès que vous aurez un doute, que vous vous poserez une question, recourez à l'une des méthodes d'aide. Vous allez voir que plusieurs possibilités vous sont offertes.

L'aide intuitive

Tapez une question

Vous avez désormais à votre disposition une zone de texte qui permet de rédiger une question afin d'accéder directement à une rubrique d'aide. C'est très pratique et surtout rapide puisque vous n'avez plus besoin d'ouvrir les fonctions d'aide et de naviguer entre les onglets.

Pour utiliser l'aide intuitive, dans la zone de texte de l'option, saisissez la question, puis pressez la touche **Entrée**. Une liste de rubriques relatives à votre question s'affiche. Cliquez sur celle qui correspond à votre recherche (voir Figure 2.1). L'aide s'ouvre, et la réponse à votre question s'affiche dans le volet droit.

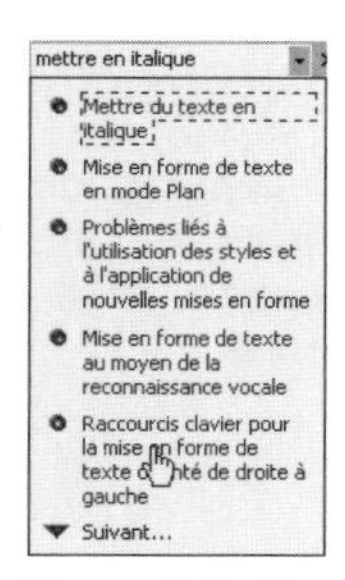

Figure 2.1 : Une fois que vous avez posé votre question, différentes réponses vous sont proposées sous forme de liste.

Le Compagnon Office : efficace et attentionné

Vous l'avez sans doute remarqué, le Compagnon Office fonctionne de concert avec l'aide intuitive. A son sujet, il semblerait que les concepteurs d'Office soient un peu comme nous : prévoyants et attentionnés. Afin que vous ne vous sentiez plus jamais seul devant votre écran, mordillant votre stylo en tentant de vous remémorer ce que permettent les différentes options de la synthèse de document ou la façon de réaliser rapidement un mailing pour tous vos prospects, le Compagnon Office existe depuis la version 97. Vous ne connaissez pas la version 97 ? Alors voici en quelques lignes à quoi sert le Compagnon Office. Imaginez un petit trombone qui gigote, fait du bruit ; vous commencez déjà à avoir une vision un peu plus claire de ce petit compagnon électronique. Maintenant, dites-vous qu'il sera présent lors de toutes vos réalisations, qu'il se précipitera pour vous donner un conseil dès que vous en aurez besoin. On l'a tous rêvé, Microsoft l'a fait : il a mis au monde un petit compagnon fidèle, efficace, attentionné et érudit qui ne vous abandonnera jamais. Bien sûr, il est électronique, mais à voir la bouille qu'il prend par moment, on jurerait qu'il est vivant.

Lorsque vous lancez une application d'Office, le Compagnon Office est actif par défaut (voir Figure 2.2).

Si, au lancement de l'application, le Compagnon Office n'apparaît pas, cliquez sur ?, Afficher le Compagnon Office. Pour masquer le Compagnon Office, cliquez sur ?, Masquer le Compagnon Office.

Figure 2.2 : Le Compagnon Office s'affiche à l'ouverture de l'application.

Pour poser une question au Compagnon Office, après l'avoir éventuellement activé, cliquez dessus. Une bulle s'affiche. Saisissez votre question dans la zone de texte appropriée, puis cliquez sur **Rechercher** (voir Figure 2.3). Une liste de rubriques s'affiche. Cliquez sur la rubrique correspondant à votre recherche. La rubrique d'aide apparaît. Une fois que vous avez terminé, cliquez sur le bouton **Fermeture**. Il est possible que les rubriques d'aide qui correspondent à votre recherche soient nombreuses ; dans ce cas, cliquez sur **Suivant** dans le Compagnon Office pour en visualiser la liste.

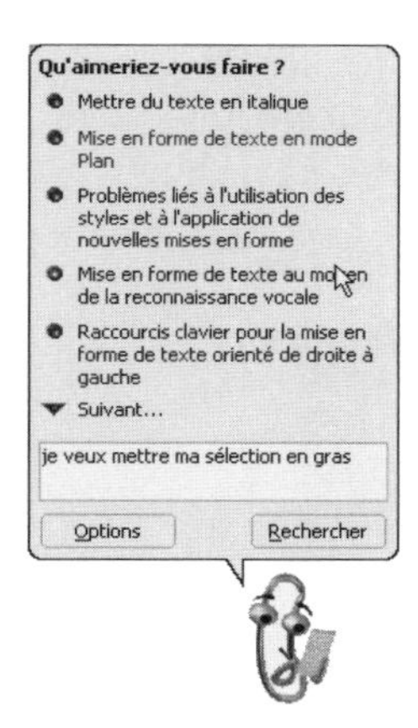

Figure 2.3 : Il suffit de poser une question au Compagnon pour qu'il affiche immédiatement une liste de rubriques.

Au cours de vos différentes tâches, le Compagnon Office peut s'activer spontanément. Dans ce cas de figure, il affiche dans sa fenêtre une ampoule. Il suffit de cliquer dessus pour afficher la rubrique d'aide qu'il propose.

Choisir l'icône du Compagnon Office

Microsoft offre le choix de plusieurs physionomies pour le Compagnon Office. Si le petit trombone ne vous plaît pas particulièrement, vous pouvez en changer et choisir un autre compagnon. Cliquez du bouton droit sur le Compagnon, puis sélectionnez **Choisir un compagnon**. La boîte de dialogue Compagnon Office s'affiche. Dans l'onglet Présentation, faites défiler les différents choix de Compagnon proposés en cliquant sur le bouton **Suivant** ou sur le bouton **Précédent**. Les différents choix s'affichent dans la fenêtre ainsi que leur description textuelle. Il est possible qu'il soit nécessaire d'insérer le CD d'Office 2002 dans le lecteur pour faire défiler les différentes possibilités.

En cliquant sur l'onglet **Options**, vous accédez aux commandes qui permettent de configurer son comportement (animation, son, etc.). Une fois que vous avez défini vos choix, cliquez sur **OK** pour les valider.

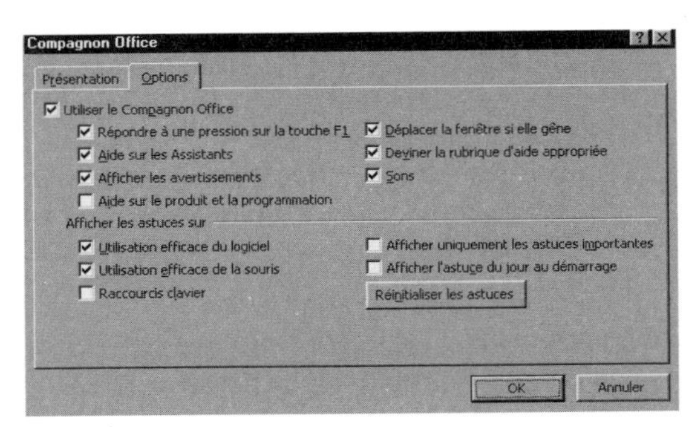

Figure 2.4 : L'onglet Options de la boîte de dialogue Compagnon Office permet de modifier les paramètres du Compagnon.

Les options que vous définissez pour le Compagnon Office ainsi que sa physionomie s'appliquent à tous les logiciels d'Office. Par exemple, si vous avez choisi d'utiliser Tifauve à partir de Word, c'est Tifauve qui sera actif quand vous lancerez PowerPoint ou Outlook.

L'aide contextuelle

L'aide contextuelle est une aide qui s'adapte au contexte dans lequel vous travaillez : vous pouvez ainsi obtenir une aide sur une commande, un bouton, etc.

Pour activer l'aide contextuelle, cliquez sur ?, **Qu'est-ce que c'est**. Le pointeur se transforme alors en point d'interrogation. Pointez le bouton (ou la commande) concerné, puis cliquez.

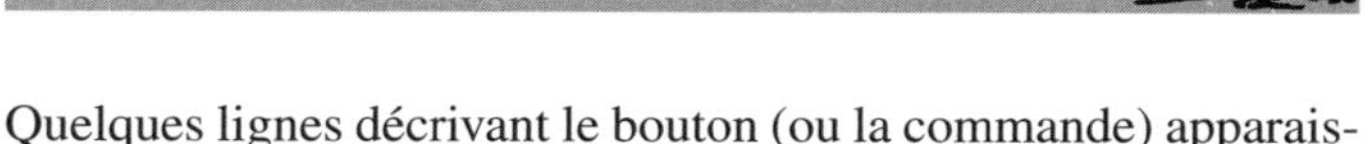

Quelques lignes décrivant le bouton (ou la commande) apparaissent dans une info-bulle. Pour ne plus afficher cette aide, cliquez en dehors du cadre.

Ce type d'aide appelée "contextuelle" est aussi accessible à partir des boîtes de dialogue.

Pour obtenir une aide contextuelle à partir d'une boîte de dialogue, cliquez sur le ? dans la boîte de dialogue, puis sur le bouton (ou la commande) pour lequel vous souhaitez obtenir de l'aide.

Les info-bulles sont idéales pour obtenir rapidement le descriptif d'une commande. Pour afficher l'info-bulle, laissez le pointeur reposer sur le bouton pour lequel vous souhaitez obtenir un descriptif. Si l'info-bulle n'apparaît pas, cliquez sur Outils, Options, Onglet Affichage. Activez l'option Info-bulle dans la zone Afficher, et validez.

L'onglet Sommaire

Pour ouvrir le sommaire de l'aide, cliquez sur ?, **Aide sur Microsoft** (suivi du nom du logiciel dans lequel vous travaillez). Cliquez sur l'onglet **Sommaire**.

Voici les différentes procédures ainsi que les différents symboles du Sommaire de l'aide :

- Double-cliquez sur un thème pour afficher son contenu, ou cliquez dessus pour le sélectionner, puis cliquez sur le bouton **Afficher**.
- Un livre fermé à côté d'un thème indique qu'il contient une liste de rubriques détaillées. Double-cliquez dessus pour ouvrir la liste.
- Un livre ouvert à côté d'un thème indique qu'il est sélectionné. Double-cliquez dessus pour fermer le thème.

- Un point d'interrogation en regard d'une rubrique indique qu'il existe un texte détaillé la concernant. Pour l'ouvrir, il suffit de double-cliquer sur le point d'interrogation ou sur le libellé de la rubrique.

A l'intérieur d'une rubrique d'aide, en plus du texte décrivant la commande ou la fonction, certains boutons ou symboles apparaissent. Voici comment les utiliser :

- Cliquez sur les boutons pour afficher de l'aide sur une rubrique voisine ou apparentée.
- Cliquez sur un mot souligné en continu pour afficher une rubrique voisine.
- Cliquez sur un mot souligné en pointillé pour afficher la définition d'un terme.
- Cliquez sur les icônes représentant un bouton ou d'autres éléments d'écran pour obtenir leur description.

Lorsque vous naviguez dans les rubriques d'aide, vous pouvez vous perdre. Pour revenir en arrière, cliquez sur le bouton **En arrière** (représenté par une flèche dirigée vers la gauche) dans la barre d'outils.

L'onglet Aide intuitive

L'aide intuitive est sans doute la méthode la plus pratique pour trouver une rubrique d'aide. Pour l'afficher, cliquez sur l'onglet **Aide intuitive** (voir Figure 2.5).

Alors que le Sommaire propose une recherche par titre de rubriques relativement globale, l'aide intuitive permet de poser une question. Dans la zone **Qu'aimeriez-vous faire ?**, saisissez le texte correspondant à l'aide que vous recherchez. Ensuite, cliquez sur **Rechercher**. La zone **Sélectionnez une rubrique à afficher** liste des rubriques en relation avec la question posée.

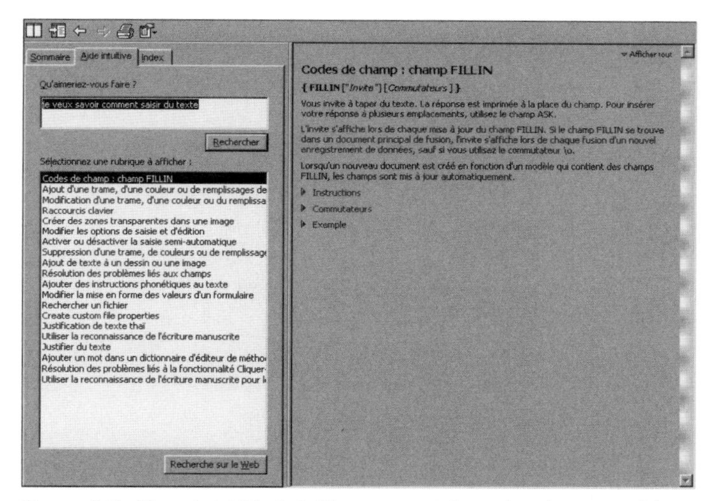

Figure 2.5 : L'onglet Aide intuitive permet de rechercher une aide précise.

Pour afficher la rubrique qui correspond à votre recherche, cliquez dessus.

L'onglet Index

Rechercher à l'aide du Sommaire et de l'aide intuitive est idéal lorsque vous savez exactement ce que vous souhaitez trouver. Cependant, il peut arriver que vous ne connaissiez pas exactement le nom de la commande ou de la rubrique voulue. Dans ce cas, vous devez utiliser la fonction de recherche.

Pour rechercher dans les rubriques d'aide, cliquez sur l'onglet **Index** (voir Figure 2.6) dans la boîte de dialogue Microsoft Nom du logiciel : Aide.

Pour utiliser ce type de recherche, saisissez un mot correspondant à votre recherche dans la zone **Tapez des mots clés**.

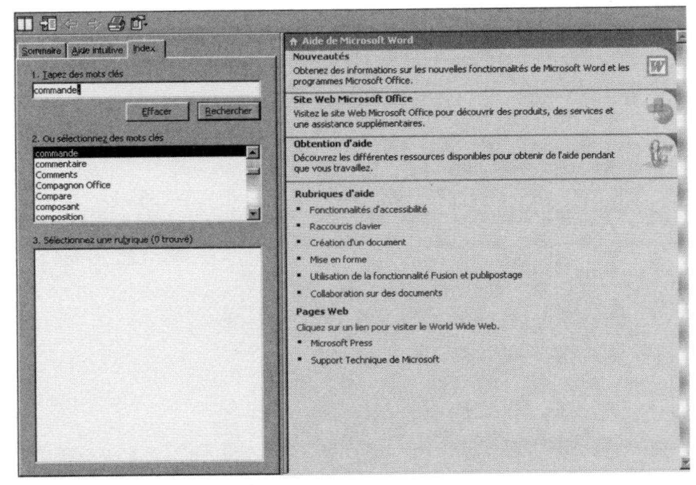

Figure 2.6 : L'onglet Index permet d'explorer la base de données de l'aide.

A mesure de votre saisie, une liste de rubriques s'affiche dans la zone **Sélectionnez une rubrique**. Double-cliquez sur la rubrique de votre choix pour l'afficher.

Pour imprimer une rubrique, affichez-la, puis cliquez sur Imprimer dans la barre d'outils.

Les assistants et les modèles

Office 2002 met à votre disposition, et ce, dans chaque application, un certain nombre d'assistants et de modèles que vous pouvez utiliser pour accélérer la réalisation de vos différents travaux.

Les modèles proposés

Un modèle (extension .dot) est un document prédéfini dans lequel vous n'avez plus qu'à insérer le texte, les images, les données ; etc. Office propose de nouveaux modèles tout à fait performants.

Pour sélectionner un modèle, cliquez sur **Modèles généraux** dans le volet Office. Les différents onglets de la boîte de dialogue Modèles proposent plusieurs modèles. Cliquez sur l'onglet correspondant à votre recherche, puis double-cliquez sur le modèle que vous souhaitez utiliser.

Pour travailler avec un modèle, il suffit la plupart du temps de modifier les différentes zones de texte. Par exemple, dans la zone **Cliquer ici et tapez le nom**, cliquez, puis saisissez le nom voulu. Avant d'imprimer le modèle, vous n'avez qu'à réaliser la totalité des instructions proposées. Bien sûr, les zones d'instruction ne s'impriment pas !

Dans la zone Créer à partir d'un modèle du volet Office, le choix Modèles sur mes sites Web permet de sélectionner des modèles en relation avec un site Web que vous avez créé, tandis que le choix Modèles sur Microsoft.com permet d'accéder au site de Microsoft qui propose de télécharger de nombreux autres modèles.

Les assistants

Un assistant (extension .wiz) est une succession de boîtes de dialogue dans lesquelles vous définissez des choix correspondant à l'élaboration d'un document personnel.

Pour sélectionner un assistant, cliquez sur **Modèles généraux** dans le volet Office. Les différents onglets de la boîte de dialogue Modèles proposent plusieurs assistants. Cliquez sur

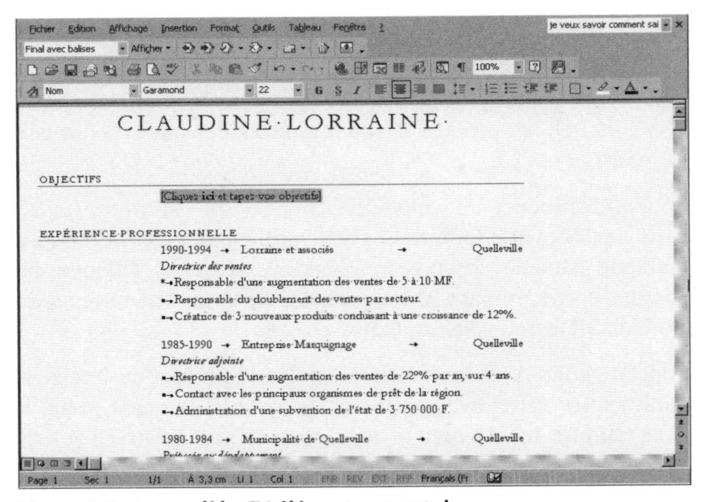

Figure 2.7 : Le modèle CV élégant permet de créer rapidement un curriculum vitae parfait.

l'onglet correspondant à votre recherche, puis double-cliquez sur l'assistant que vous souhaitez utiliser. Après avoir complété la première étape, cliquez sur le bouton **Suivant** pour passer à la deuxième, et ainsi de suite. Suivez les différentes procédures, puis cliquez sur le bouton **Terminer** lorsque vous avez fini. Vous avez fait une erreur ou vous souhaitez modifier l'un de vos choix ? Pas de panique, cliquez sur le bouton **Précédent** pour revenir aux étapes déjà renseignées, et modifiez votre choix. Une fois les procédures terminées, le document s'affiche à l'écran. Vous pouvez, bien sûr, effectuer des mises en forme personnalisées en suivant les procédures décrites dans les autres parties.

Lorsque, dans un assistant, vous avez cliqué sur le bouton Terminer, vous ne pouvez plus revenir en arrière.

La création d'un modèle

Bien que le nombre de modèles proposés soit fort important, il est possible que vous n'ayez pas trouvé "chaussure à votre pied". Si vous souhaitez que plusieurs documents utilisent un modèle que vous aurez défini, vous devez enregistrer les différentes mises en forme, les marges, etc., en tant que modèle.

Pour créer un modèle, créez le fichier à convertir en modèle. Lorsque vous avez terminé, cliquez sur **Fichier**, **Enregistrer sous**. Nommez le modèle, cliquez sur la flèche de l'option Type et sélectionnez **Modèle de document (*.dot)**. Cliquez sur **Enregistrer**.

La correction automatique

Lors de la saisie d'un texte, vous remarquerez que certains mots mal orthographiés sont immédiatement corrigés. Par exemple, si vous avez saisi "recomandé", il a été automatiquement remplacé par "recommandé". De plus, si vous oubliez de mettre une majuscule au début d'une phrase, elle s'affiche d'elle-même. Le logiciel est magicien ! En fait, une liste de mots a été créée ; elle indique au logiciel qu'un terme mal orthographié doit être remplacé par un autre.

Le logiciel n'a pas affiché automatiquement une majuscule en début de phrase ou n'a pas remplacé "recomandé" ? Les fonctions de correction automatique sont désactivées. Pour les activer, cliquez sur Outils, Options de correction automatique. Dans l'onglet Correction automatique, cochez les options voulues, puis cliquez sur OK pour valider vos choix.

Personnaliser la correction automatique

La liste des mots mal orthographiés avec leur mot de remplacement n'est pas fixe : vous pouvez parfaitement ajouter vos propres corrections. Par exemple, vous faites systématiquement une faute sur le nom de votre dirigeant, vous saisissez Dupond au lieu de Dupont. Vous allez donc créer une correction automatique pour ce nom. Pour ajouter ce nom à la liste, cliquez sur **Outils**, **Outils de correction automatique** (voir Figure 2.8). Dans la boîte de dialogue Correction automatique, saisissez le mot mal orthographié dans la zone Remplacer (dans notre exemple *Dupond*). Pressez la touche Tab pour passer dans la zone Par, puis saisissez le mot de remplacement (dans notre exemple *Dupont*). Cliquez sur **Ajouter** pour valider cette création. Cliquez sur **OK** pour fermer la boîte de dialogue. Vous pouvez créer autant de corrections automatiques que vous le souhaitez.

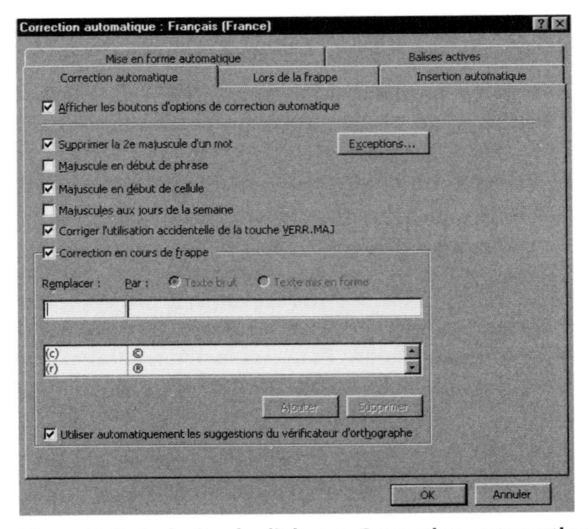

Figure 2.8 : La boîte de dialogue Correction automatique permet de définir les paramètres de la correction.

Pour supprimer une correction automatique, ouvrez la boîte de dialogue Correction automatique comme indiqué plus haut, sélectionnez le mot à supprimer dans la liste, puis cliquez sur le bouton **Supprimer**. Cliquez ensuite sur **OK** pour fermer la boîte de dialogue.

Le bouton Exceptions de la boîte de dialogue Correction automatique permet de définir des exceptions pour certaines des corrections.

La relecture automatique

Lorsque vous saisissez un texte, certains mots apparaissent soulignés d'un trait ondulé rouge, tandis que d'autres sont soulignés d'un trait ondulé vert. Les traits rouges signalent les fautes d'orthographe ou les mots inconnus du dictionnaire du logiciel, et les traits verts indiquent les erreurs grammaticales. Vous verrez plus loin comment procéder à la correction ; cela étant, sachez que vous pouvez parfaitement ignorer ces "fautes" : les traits n'apparaîtront pas lorsque vous imprimerez votre document.

Si aucun mot de votre document n'est souligné, il est probable que les vérifications orthographique et grammaticale soient désactivées. Pour les activer, cliquez sur Outils, Options. Dans la boîte de dialogue Options, cliquez sur l'onglet Grammaire et orthographe. Cochez les options voulues dans les zones Orthographe et Grammaire, puis cliquez sur OK pour valider vos choix.

La correction des fautes d'orthographe

Pour corriger une faute d'orthographe signalée par le logiciel (soulignement rouge), cliquez du bouton droit sur le mot concerné (voir Figure 2.9), puis suivez l'une des procédures suivantes :

- Cliquez sur l'une des suggestions qui s'affichent dans le menu contextuel pour que celle-ci remplace le mot souligné.
- Pointez sur **Correction automatique**, puis sélectionnez l'orthographe correcte du mot.
- Cliquez sur **Orthographe** pour afficher la boîte de dialogue Orthographe.
- Cliquez sur **Ignorer toujours** pour que le logiciel ne souligne plus jamais ce mot dans le document.
- Cliquez sur **Ajouter** pour que le logiciel insère ce mot dans son dictionnaire orthographique (voir Chapitre 4).
- Pointez sur **Langue** et sélectionnez le langage adéquat.

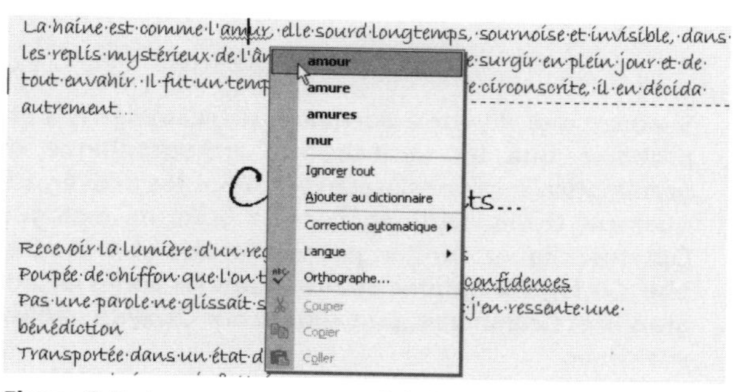

Figure 2.9 : Le menu contextuel de la correction orthographique propose plusieurs options.

La correction des erreurs grammaticales

Pour corriger une erreur grammaticale signalée par le logiciel (soulignement vert), cliquez du bouton droit sur le mot souligné, puis suivez l'une des procédures suivantes :

- Cliquez sur la correction qui s'affiche dans le menu contextuel pour que celle-ci remplace les mots soulignés.
- **Ignorer la phrase** permet de ne plus souligner cette erreur dans le document.
- **Grammaire** affiche la boîte de dialogue Grammaire.

Les fonctions de recherche assistée

Les différents logiciels d'Office proposent plusieurs fonctions de recherche.

Rechercher des synonymes

A la relecture d'un document, il arrive fréquemment que l'on s'aperçoive qu'un mot revient trop souvent. Par exemple, vous avez écrit : *Il est nécessaire de saisir le mot de remplacement avant de lancer la fonction de recherche et remplacement et d'indiquer au logiciel de remplacer le mot.* Au moment où vous l'écrivez, rien ne vous choque, mais à la relecture, particulièrement à haute voix, l'effet est désastreux !

L'idéal serait donc de trouver un synonyme du mot "remplacement" pour que votre texte soit plus clair et plus agréable à lire. Là encore, Office vous assiste en proposant un dictionnaire des synonymes.

Pour rechercher le synonyme d'un mot, sélectionnez le mot concerné, puis ouvrez le menu **Outils**, **Langue**. Dans le menu en cascade, sélectionnez **Dictionnaire des synonymes**. La boîte de dialogue Dictionnaire des synonymes s'affiche. Dans la zone **Remplacer par** apparaît une liste de mots ou d'expressions proposés comme synonymes du mot sélectionné dans votre texte. Dans la zone **Significations** apparaissent les différents sens du mot sélectionné. Si la signification convient, cliquez sur le mot dans la liste **Remplacer par**, puis sur le bouton **Remplacer**. Si la signification ne convient pas, cliquez sur celle qui vous sied le mieux. Dans le cas, fort improbable, où la liste proposée dans la zone **Remplacer par** ne suffirait pas, cliquez sur le bouton **Rechercher** pour afficher une nouvelle liste de mots.

Rechercher et remplacer des mots, des données, du HTML, etc.

Il arrive qu'un mot soit mal orthographié du début à la fin d'un document. Par exemple, sûr de vous, vous avez saisi HO_2 dans tout votre mémoire que vous tendez fièrement à votre ami pour qu'il admire votre travail. Un sourire narquois aux lèvres, il vous signale que le symbole scientifique de l'eau n'est pas HO_2, mais H_2O. Bien sûr, vous pouvez relire la totalité de votre document puis, patiemment, remplacer ligne après ligne le symbole incorrectement saisi. Mais imaginez votre état de nerf si votre mémoire contient 200 pages. Office propose une solution à ce type de problème : les fonctions Rechercher et Remplacer. La première permet de rechercher dans tout le document un mot que vous lui indiquez, tandis que la seconde remplace le mot recherché par un mot que vous saisissez dans la boîte de dialogue.

Pour rechercher un mot, une donnée, etc., procédez comme suit :

1. Placez-vous au début de votre document en pressant les touches **Ctrl+Home** ou **Origine**.
2. Cliquez sur **Edition**, **Rechercher**. La boîte de dialogue Rechercher et remplacer s'affiche sur l'onglet Rechercher.

3. Saisissez le mot à rechercher, puis cliquez sur **Suivant**. Le curseur se place sur le premier mot trouvé dans le document et l'affiche en surbrillance.
4. Modifiez ou supprimez le mot. Pour trouver l'occurrence suivante du même mot, cliquez sur **Suivant**. Cliquez sur **Annuler** pour fermer la boîte de dialogue Rechercher et remplacer.

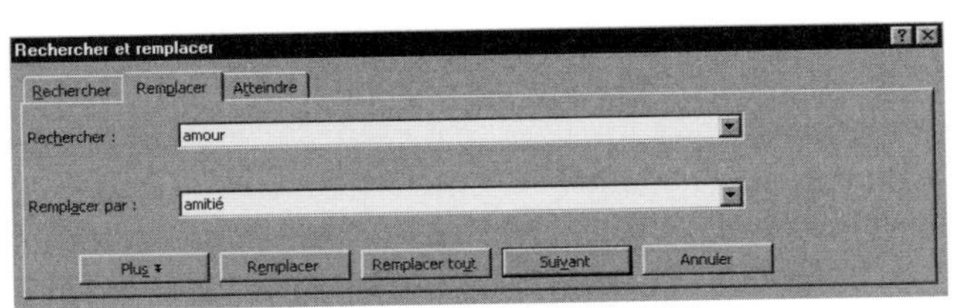

Figure 2.10 : A partir de la boîte de dialogue Rechercher et remplacer, vous pouvez rapidement rechercher un mot, des données, etc.

Pour remplacer un mot, une donnée, etc., procédez comme suit :

1. Placez-vous au début de votre document en pressant les touches **Ctrl+Home** ou **Origine**.
2. Ouvrez le menu **Edition**, puis sélectionnez **Remplacer**. La boîte de dialogue Rechercher et remplacer s'affiche sur l'onglet Remplacer.
3. Saisissez le mot ou le groupe de mots que vous souhaitez remplacer dans la zone de texte Rechercher. Saisissez le mot ou le groupe de mots en remplacement dans la zone de texte Remplacer par. Pour affiner le remplacement, cliquez sur le bouton **Plus** et modifiez les options suivantes :
   - **Respecter la casse.** Indique au logiciel qu'il ne doit retenir que les occurrences écrites exactement de la même façon (en tenant compte des majuscules et minuscules).

Par exemple, vous souhaitez remplacer "Ecole" par "Collège", mais conserver "école".

- **Mot entier.** Indique au logiciel qu'il ne doit retenir que les occurrences entières et non partielles. Par exemple, vous souhaitez remplacer "rouge" par "bleu", mais pas "rougeoyant" par "bleuoyant".
- **Format.** Ouvre un menu de mise en forme des caractères et des paragraphes (italique, gras, souligné, centré, gauche, etc.) que vous pouvez sélectionner pour les modifier dans l'occurrence existante. Par exemple, le gras passe en italique.
- **Utiliser les caractères génériques.** Permet de rechercher les caractères spéciaux (tabulation, retrait, espace, etc.) que vous pouvez sélectionner pour les supprimer ou les remplacer. Par exemple, si vous avez inséré une double tabulation, Word la remplace par une unique tabulation.
- **Rechercher phonétique.** Permet de remplacer un mot par rapport à sa prononciation.

4. Pour lancer le remplacement, cliquez sur le bouton **Suivant**.

   La première occurrence s'affiche en surbrillance. Vous pouvez soit la remplacer, soit passer à la suivante.

5. Cliquez sur l'un des boutons suivants pour indiquer la marche à suivre à Word :

   - **Suivant.** Passe à l'occurrence suivante et ignore celle sélectionnée.
   - **Remplacer.** Remplace cette occurrence puis passe à la suivante.
   - **Remplacer tout.** Remplace toutes les occurrences du texte recherché par le texte de remplacement.
   - **Annuler.** Interrompt la recherche des occurrences.

Le Presse-papiers à la carte

Lorsque, dans un document, vous copiez ou coupez une portion de texte, un objet, etc., à l'aide des commandes Edition, Copier ou Edition, Couper, l'élément est placé dans le Presse-papiers, lequel constitue en quelque sorte une salle d'attente. Ensuite, dans un autre document ou une autre page, vous pouvez coller le contenu de ce Presse-papiers.

Dans la version 2000, vous pouviez stocker jusqu'à douze éléments dans le Presse-papiers. Lorsque vous souhaitiez coller un élément, il suffisait de le sélectionner dans le Presse-papiers. Dès que vous coupiez et/ou copiiez plusieurs éléments, la barre d'outils Presse-papiers s'affichait automatiquement, vous vous placiez à l'endroit où vous souhaitiez insérer l'un de ces éléments, puis cliquiez sur l'élément de votre choix dans la barre d'outils Presse-papiers : il s'insérait dans le document. Désormais, c'est à partir du volet Office que vous réalisez ces procédures. Le nouveau Presse papiers peut contenir jusqu'à 24 éléments.

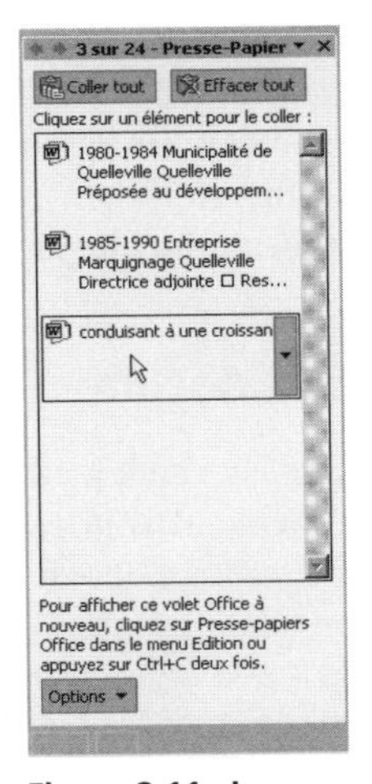

Figure 2.11 : Le contenu du Presse-papiers s'affiche dans le volet Office.

Pour utiliser le Presse-papiers, procédez de la façon suivante :

1. Sélectionnez un élément et cliquez sur **Edition**, **Copier**.
2. Sélectionnez un second élément et cliquez sur **Edition**, **Couper**.
3. Placez-vous à l'endroit où vous souhaitez insérer ce que vous avez copié. Une balise s'affiche. Cliquez dessus puis, dans le menu qui se déroule, sélectionnez le type de collage que vous souhaitez réaliser.

Reproduire une mise en forme

Office fait vraiment bien les choses : non seulement les mises en forme sont rapides et aisées à réaliser, mais il est de plus possible de reproduire les différents choix de mise en forme en deux temps, trois mouvements.

Pour reproduire une mise en forme, sélectionnez le mot (ou la phrase) dont vous souhaitez copier la mise en forme, puis cliquez sur le bouton **Reproduire la mise en forme**. Le pointeur se transforme en pinceau. Faites ensuite glisser le pointeur sur le mot (ou la phrase) qui doit recevoir la mise en forme. Relâchez le bouton. Cliquez sur le bouton **Reproduire la mise en forme** pour le désactiver.

Des documents dans toutes les langues

Dans la version 2002 d'Office, par défaut, le français, l'anglais et l'allemand sont reconnus par les correcteurs orthographiques. De ce fait, lorsque vous souhaitez corriger un texte écrit en anglais, par exemple, tous les mots ne seront pas soulignés en tant que faute comme ils l'étaient auparavant. Seules les véritables fautes le seront et le menu contextuel de correction proposera la bonne orthographe.

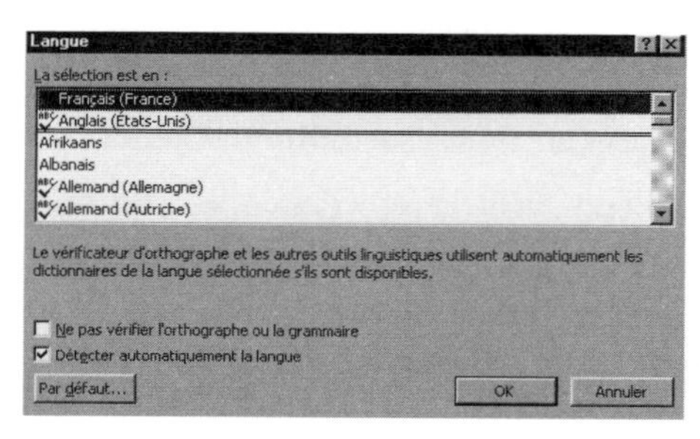

Figure 2.12 : Désormais, le correcteur orthographique reconnaît l'anglais.

Vous pouvez activer le correcteur orthographique dans d'autres langues : dans les applications Word et PowerPoint, ouvrez le menu **Outils**, **Langue**, **Langue**. Sélectionnez la langue à ajouter dans la liste et cliquez sur **OK**.

Lorsque vous activez des langues dans un logiciel, elles le sont uniquement pour le document en cours. Si vous souhaitez que ces langues soient automatiquement proposées dans toutes les applications d'Office, cliquez sur Démarrer, Programmes, Outils Microsoft Office, Paramètres linguistiques Microsoft Office XP. Dans la boîte de dialogue qui s'affiche, cliquez sur la flèche Langue disponible, et sélectionnez la langue à ajouter. Ensuite, cliquez sur le bouton Ajouter, puis validez.

L'insertion de texte stylisé, d'images, de diagrammes

Chaque logiciel permet d'insérer de multiples éléments pour améliorer vos documents.

Le texte stylisé

Avec WordArt, vous pouvez créer des textes qui se déforment, se courbent, forment des angles, ou encore afficher des lettres en 3 D.

Pour insérer un objet texte WordArt, procédez comme suit :

1. Cliquez à l'endroit où vous souhaitez placer l'objet, puis sur **Insertion**, **Image**, **WordArt**, ou sur le bouton **WordArt** dans la barre d'outils Dessin.
2. Cliquez sur le style, puis validez en cliquant sur **OK**.

3. Une nouvelle boîte de dialogue s'affiche, dans laquelle vous devez saisir le texte auquel s'appliquera le style sélectionné. Faites les différents choix de mise en forme tels que police, taille, attributs, etc., puis cliquez sur **OK**.

   Le texte est inséré dans le document (voir Figure 2.13).

Figure 2.13 : Insérez un texte WordArt pour parfaire un document.

Un texte créé avec WordArt correspond à un objet graphique : lorsque vous le sélectionnez, il s'entoure de petits carrés nommés *poignées*, qui permettent de redimensionner l'objet, de le déplacer, etc.

Pour redimensionner l'objet WordArt, cliquez sur l'une de ses poignées et faites-la glisser dans le sens de votre choix.

Pour déplacer un objet WordArt, cliquez dessus, puis, tout en maintenant le bouton enfoncé, faites-le glisser à l'endroit de votre choix et relâchez le bouton.

Pour supprimer un objet WordArt, cliquez dessus pour le sélectionner, puis pressez la touche **Suppr**.

La barre d'outils WordArt, qui s'affiche lorsque vous sélectionnez l'objet texte, permet de modifier et de mettre en forme cet objet. Le Tableau 2.1 recense les différents boutons qu'elle contient ainsi que leurs fonctions.

Tableau 2.1 : Les boutons de la barre d'outils WordArt

Bouton	Action
	Insère un nouvel objet WordArt dans la page
Modifier le texte...	Modifie le texte de l'objet WordArt
	Sélectionne un autre style pour l'objet WordArt
	Modifie la taille, la position et la couleur de l'objet, et place le texte autour de celui-ci
	Sélectionne une autre forme pour l'objet WordArt
	Définit l'habillage du texte
	Met à la même hauteur tous les caractères de l'objet.
	Affiche les caractères dans le sens vertical
	Modifie l'alignement du texte
	Modifie l'espacement entre les différents caractères de l'objet WordArt

Les images

Office permet d'insérer des images dans n'importe quel document.

Pour insérer une image personnelle (scannée ou trouvée sur le Web), procédez comme suit :

1. Cliquez sur **Insertion**, **Image**, **A partir du fichier**.
2. Sélectionnez le type de fichier graphique que vous souhaitez insérer. Sélectionnez le dossier contenant le fichier. Pour que l'image s'insère dans votre page, double-cliquez sur le fichier qui la contient.

Le ClipArt propose une foule d'images que vous pouvez à loisir insérer dans un document.

Pour insérer une image du ClipArt, procédez comme suit :

1. Cliquez sur **Insertion**, **Image**, **Images de la bibliothèque**.
2. Les images sont toutes accessibles à partir du volet Office. Elles sont classées par catégories. Pour visualiser le contenu d'une catégorie, il suffit de cliquer dessus. Une fois votre choix défini, cliquez sur l'image à insérer, puis, tout en maintenant le bouton enfoncé, faites-la glisser dans le document. Relâchez le bouton.

Si vous devez insérer plusieurs images dans un document, vous pouvez laisser le ClipArt ouvert afin d'y revenir rapidement. Pour l'afficher à nouveau, cliquez sur son bouton dans la barre des tâches.

Pour rechercher rapidement une image, saisissez le terme décrivant l'image dans la zone **Rechercher les clips**, puis pressez la touche **Entrée**.

Référez-vous à la Partie IV pour tout ce qui concerne la modification d'une image.

Le Web est une mine d'or pour les chercheurs d'images. En effet, il existe des milliers de sites dans lesquels vous pouvez récupérer des images pour les utiliser ensuite dans un document.

Les images que vous enregistrez à partir d'un site et qui ne sont pas du domaine public ne peuvent être utilisées dans le cadre d'une utilisation commerciale.

Pour rechercher une image sur le Web, procédez comme suit :

1. Ouvrez le ClipArt. Cliquez sur le bouton **Clips en ligne** dans le volet Office. Bien sûr, vous devez être connecté à Internet.
2. Dans la boîte de dialogue qui s'affiche, cliquez sur **OK** : le navigateur est lancé. Promenez-vous sur le Web. Dans le site contenant l'image qui convient, sélectionnez l'image : elle est automatiquement intégrée dans le ClipArt.

Les organigrammes

A partir des applications d'Office, vous pouvez créer des organigrammes hiérarchiques très bien conçus. Les organigrammes hiérarchiques utilisent les outils de dessin de PowerPoint, ce qui permet de réduire la taille des fichiers ainsi créés et de faciliter leur édition. Pour insérer un organigramme hiérarchique, cliquez sur le bouton indiqué ci-dessus, puis construisez l'organigramme.

Les graphiques

Vous pouvez aussi créer des graphiques à partir de Word, Excel et PowerPoint. Pour en savoir plus sur la création de graphiques, référez-vous au Chapitre 14.

Annuler/rétablir une action

Vous pouvez annuler ou rétablir une action que vous venez d'effectuer. Ces fonctions ressemblent à l'effet d'une gomme dans le cas de l'annulation, d'un recollage dans le cas du rétablissement.

Cliquer sur ce bouton annule la dernière action. Si vous souhaitez annuler plusieurs actions, cliquez sur la petite flèche, et sélectionnez tout ce que vous souhaitez annuler. Vous pouvez aussi cliquer sur **Edition**, **Annuler nom de l'action**.

Cliquez sur ce bouton pour rétablir la dernière action que vous venez d'annuler. Si vous souhaitez refaire plusieurs actions, cliquez sur la petite flèche, et sélectionnez tout ce que vous souhaitez rétablir. Vous pouvez aussi cliquer sur **Edition**, **Rétablir nom de l'action**.

Si vous souhaitez reproduire à nouveau la dernière action réalisée, pressez la touche F4.

Travailler en équipe

La notion de collaboration a été très nettement améliorée dans la nouvelle version d'Office. Dès que vous travaillez à plusieurs sur un projet, il est ainsi possible pour chacun des membres de visualiser rapidement les modifications apportées par les autres personnes. Plusieurs outils sont mis à votre disposition pour ce type de suivi, vous les trouverez détaillés au Chapitre 3 de cet ouvrage.

L'envoi de fichier en relecture

Lorsque votre supérieur hiérarchique souhaite visualiser votre document, il est impératif de lui faire parvenir. Bien sûr, vous pourriez l'imprimer et le distribuer à chacune des personnes concernées si vous travaillez en équipe. Vous pourriez...

Mais si votre supérieur est présent un jour par semaine et que vos bureaux se répartissent sur plusieurs étages, vous perdriez un temps précieux. La solution est de faire parvenir ce document par le biais de la messagerie. Les applications d'Office prennent en charge Outlook, Outlook Express, Exchange ou tout autre programme de messagerie électronique 32 bits compatible avec MAPI (*Messaging Application Programming Interface*).

Pour envoyer un fichier en relecture, cliquez sur **Fichier**, **Envoyer vers**, **Destinataire du message (pour relecture)**. Dans la boîte de message qui s'affiche, indiquez le destinataire. Le fichier est automatiquement joint. Cliquez sur **Envoyer** après vous être connecté au réseau.

Le destinataire recevra le message et pourra relire le document dont les révisions seront automatiquement affichées. Il pourra souscrire à vos révisions ou les commenter.

La comparaison et la fusion

Toujours dans le cadre d'un travail en équipe, il est possible que l'un des relecteurs ait effectué des modifications pendant que vous-même en réalisiez d'autres. Au lieu de vérifier ligne après ligne la différence entre les documents, Office met à votre disposition un outil : Comparaison et fusion. Cette fonction permet de comparer rapidement les deux versions d'un document et éventuellement de les fusionner afin de n'en faire plus qu'une.

Pour comparer deux documents, ouvrez le premier document, puis sélectionnez **Outils**, **Comparaison et fusion des documents**. Dans la boîte de dialogue qui s'affiche, activez l'option **Format légal**, puis double-cliquez sur le document devant être comparé à celui ouvert. Vous pouvez aussi, après avoir sélectionné le fichier, cliquer sur **Comparer**. Au bout de quelques secondes, les éventuelles différences sont listées. Ensuite, soit vous refusez les modifications de l'un des documents, soit vous fusionnez les deux versions afin de n'en créer plus qu'une.

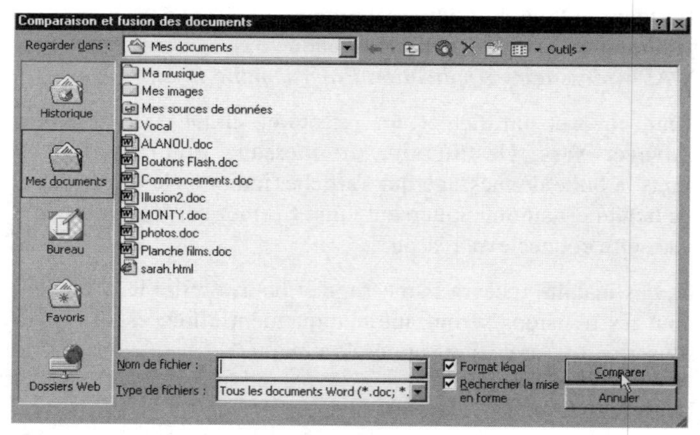

Figure 2.14 : Ouvrez le second document devant être comparé au premier.

Pour fusionner deux documents, ouvrez le premier document, puis sélectionnez **Outils**, **Comparaison et fusion des documents**. Dans la boîte de dialogue qui s'affiche, désactivez si nécessaire **Format légal**, puis sélectionnez le fichier devant être fusionné avec celui ouvert. Cliquez sur **Fusionner**, et sélectionnez le type de réalisation souhaitée pour la fusion (Fusionner, Fusionner dans le document en cours ou Fusionner dans un autre document). Au bout de quelques secondes, la fusion est réalisée. Des balises sont affichées, signalant des mises en forme et autres points importants.

La sécurité

De nombreuses options de sécurité sont désormais à votre disposition. En voici la liste ainsi que le descriptif :

- **Signatures numériques.** Afin de confirmer que le fichier n'a pas été modifié, insérez une signature numérique. Elles sont proposées dans Word, PowerPoint et Excel. Pour cela, cliquez sur **Outils**, **Options**, **Onglet Sécurité**. Cliquez sur le bouton **Signatures numériques**, puis sur le bouton **Ajouter** dans la nouvelle boîte de dialogue. Choisissez un certificat et validez.
- **Mot de passe pour la lecture.** Permet de créer un mot de passe qui seul autorisera la lecture du document. Dans le même onglet que la procédure précédente, saisissez un mot de passe dans la zone de texte de cette option, puis validez.
- **Mot de passe pour la modification.** Permet de créer un mot de passe qui seul autorisera la modification du document. Dans le même onglet que la procédure précédente, saisissez un mot de passe dans la zone de texte de cette option, puis validez.
- **Confidentialité.** Supprime toutes les informations personnelles dans le document. Activez cette option dans l'onglet **Sécurité**.
- **Sécuriser les macros.** Permet de définir un niveau de sécurité pour les macros présentes dans les documents que vous recevez. Dans l'onglet **Sécurité**, cliquez sur **Sécurité des macros**. Activez le niveau d'option voulu, puis validez.

Partie II

Des documents superbes avec Word

Quelle que soit la façon dont vous utiliserez Word, vous voilà propriétaire de la Rolls Royce du traitement de texte. Ce n'est pas sans raison que Microsoft tient le haut du pavé avec ce logiciel : performant, rapide, fonctionnel et convivial, Word est le nec plus ultra des logiciels de traitement de texte.

Pourquoi alors, penserez-vous, rédiger des livres sur son utilisation s'il est si facile d'emploi ? Parce qu'il recèle des trésors d'astuces, de modèles et de fonctions qui vous permettront de réaliser encore plus rapidement la rédaction de tous vos documents et qu'il est préférable de les connaître d'emblée. Ainsi, vous n'aurez pas à chercher pour y recourir. Plongez-vous dans cette deuxième partie de l'ouvrage si vous souhaitez, en un temps record, rédiger des documents impeccables, esthétiques et rationnels.

Chapitre 3

La saisie et la modification du texte

Au sommaire de ce chapitre

- L'environnement de Word
- La saisie
- Se déplacer dans un document
- Les sélections
- Visualiser un document
- La navigation entre plusieurs documents
- Insérer, remplacer et supprimer du texte
- Couper, copier ou déplacer du texte

S'il est exact que Word est le leader des traitements de texte et que, au fil de ses versions, il s'est considérablement enrichi de nombreuses fonctionnalités, il n'en reste pas moins que ses concepteurs n'ont jamais perdu de vue que son utilité première est de saisir du texte. Cette fonction ayant été grandement améliorée, il vous sera très facile de réaliser rapidement votre courrier, vos rapports et autres mémos. Dans ce chapitre, une fois découvertes ou revues les différentes règles de saisie, vous verrez comment manipuler le texte en le déplaçant, en le supprimant ou en le remplaçant. Ensuite, vous découvrirez comment on peut rapidement se déplacer dans le texte et le sélectionner.

L'environnement de Word

Avant tout, il est nécessaire que vous vous familiarisiez avec l'écran de Word et ses différents composants (voir Figure 3.1). Vous l'avez découvert dans la Partie I, c'est à partir de la barre de menus que vous accédez à la totalité des commandes de Word. Chaque menu contient une liste de commandes qu'il suffit de sélectionner pour les activer. Pour ouvrir un menu, cliquez sur son nom.

Ensuite, les différentes barres d'outils proposent des boutons de raccourcis pour les commandes et les fonctions le plus couramment utilisées. Il suffit de cliquer sur un bouton pour l'activer.

Enfin, la barre d'état permet de se repérer rapidement et de prendre connaissance de certains paramètres : numéros de page, de ligne et de colonne, emplacement du curseur, langue utilisée, etc. Elle est située au bas de la fenêtre.

Le curseur clignotant est le point d'insertion par défaut de votre texte.

Si une barre d'outils n'est pas affichée dans sa totalité, cliquez sur le bouton Options de barres d'outils (têtes de flèches orientées vers la droite) situé à droite pour accéder aux autres boutons.

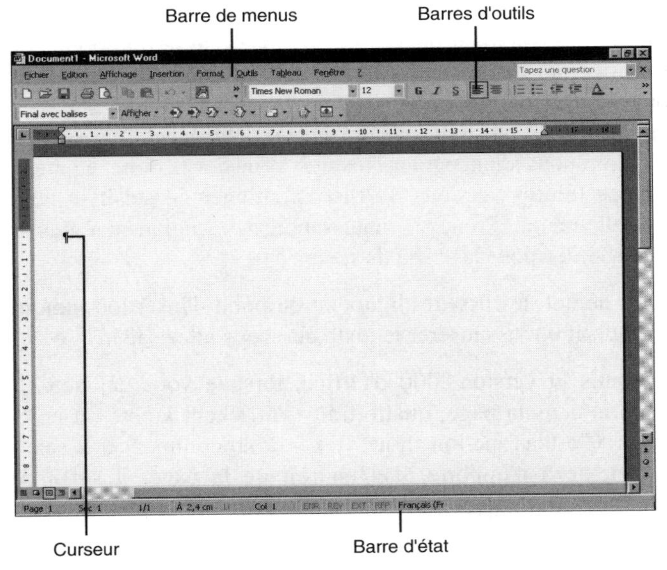

Figure 3.1 : L'écran de Word.

Les modèles et les assistants

Word propose un certain nombre de modèles et d'assistants destinés à vous faciliter la tâche et à accélérer votre travail. Ces outils sont parfaits lorsque vous devez réaliser rapidement un mémo, un tableau, un curriculum vitae, etc. Référez-vous à la Partie I pour voir comment utiliser un modèle ou un assistant.

La saisie

Malheureusement, la saisie automatiquement générée par une voix qui dicte le texte n'est pas encore tout à fait au point, même si elle est déjà utilisée par certains concurrents de Microsoft. La politique de Monsieur Bill Gates est d'attendre que cette fonction soit parfaitement opérationnelle avant de la proposer dans Office, ce qui n'est pas dénué d'un certain bon sens. Dans cette nouvelle version, les prémices de cette fonctionnalité ont vu le jour, mais elle nécessite encore un tel "outillage" que nous la passerons sous silence pour l'instant. Vous devez donc, en attendant les futures versions d'Office, continuer de saisir le texte manuellement... Prenez connaissance des quelques règles et astuces utiles pour la saisie du texte :

- Par défaut, le curseur clignotant ou point d'insertion indique l'endroit où va s'insérer le texte que vous allez saisir.
- Depuis la version 2000 d'Office, lorsque vous déplacez la souris dans la page, quatre traits s'affichent à côté du pointeur. C'est la fonction cliquer-taper. Pour commencer la saisie du texte à n'importe quel endroit de la page, il suffit de double-cliquer à l'emplacement de votre choix puis de commencer à saisir : Word se charge de la mise en pages.

Si le cliquer-taper ne fonctionne pas, sélectionnez Outils, Options, puis l'onglet Edition. Cochez l'option Activer le Cliquer-taper pour l'activer, puis cliquez sur OK.

- La saisie se fait au kilomètre, vous n'avez pas à vous préoccuper des retours à la ligne. Word passe automatiquement à la ligne lorsque la marge droite est atteinte.
- Pour créer un nouveau paragraphe, tapez sur la touche **Entrée**. Cette procédure permet aussi d'insérer une ligne vierge.

- Pour passer à la ligne sans créer de nouveau paragraphe, tapez sur les touches **Maj+Entrée**.
- Au bas de la page, la ligne en pointillés marque la fin de la page. Si vous souhaitez insérer du texte au-delà de cette ligne, Word crée automatiquement une autre page. Pour insérer un saut de page forcé, appuyez sur les touches **Ctrl+Entrée**.
- Evitez d'utiliser les touches de tabulation pour créer des décalages dans votre texte. Il est préférable de gérer cette mise en forme à l'aide des retraits (voir Chapitre 7).

¶ Lorsque vous créez des paragraphes, ou que vous insérez des lignes vierges, Word génère des caractères appelés caractères non imprimables. Pour les visualiser, cliquez sur **Afficher/masquer** dans la barre d'outils Standard. Vous pouvez aussi cliquer sur **Options**, **Outils**. Dans l'onglet Affichage, cliquez sur l'affichage voulu dans la zone **Marques de format**. Cliquez sur **OK** pour valider votre choix.

Les modes d'insertion

Par défaut, le mode d'insertion actif est le mode Insérer. Dans ce mode, tous les caractères saisis s'insèrent à gauche du point d'insertion. Si vous ajoutez du texte, celui-ci décale le texte existant vers la droite et/ou vers le bas.

L'autre mode d'insertion proposé est le mode Refrappe. Pour l'activer, cliquez sur **Outils**, **Options**. Cliquez ensuite sur l'onglet **Edition**. Cochez l'option **Mode Refrappe** dans la zone Options d'édition, et cliquez sur **OK** pour valider votre choix. La barre d'état dès lors affiche RFP. Dans ce mode, tout ce que vous saisissez efface le texte situé à droite du curseur. Pour activer le mode Insérer, reprenez les procédures précédentes, mais désactivez le mode Refrappe. Cliquez sur **OK** pour valider votre choix.

Le tiret insécable et l'espace insécable

Au cours de votre saisie, Word déclenche automatiquement le passage à la ligne. Cependant, il peut arriver que des mots ne doivent pas être dissociés. Par exemple, Monsieur Pierre Dupont. Dans ce cas, pour éviter que Word n'insère le mot Monsieur sur une ligne et le nom sur une autre ligne, vous devez créer un espace insécable. Saisissez le premier mot (dans notre exemple *Monsieur*), appuyez sur les touches **Ctrl+Maj+barre d'espacement**. Saisissez le deuxième mot, appuyez de nouveau sur les touches **Ctrl+Maj+barre d'espacement**, puis saisissez le dernier mot (dans notre exemple *Dupont*).

Pareillement, lorsque vous saisissez un nom composé, par exemple Pierre-Alain, et que vous souhaitez que les deux prénoms restent sur la même ligne, vous devez créer un tiret insécable. Saisissez le premier prénom, appuyez sur les touches **Ctrl+8** (en minuscules) puis saisissez le second prénom.

Les capitales accentuées

Pour une saisie élaborée, vous pouvez parfaitement créer des titres ayant des caractères majuscules avec des accents. Pour cela, cliquez à l'endroit où vous voulez insérer la capitale accentuée, puis sélectionnez **Insertion**, **Caractères spéciaux** (voir Figure 3.2). Dans l'onglet Symboles de la boîte de dialogue Caractères spéciaux, cliquez sur la capitale accentuée que vous voulez insérer. Cliquez sur le bouton **Insérer**, puis sur le bouton **Fermer**.

L'onglet Caractères spéciaux propose une liste de caractères spécifiques, tels que des points de suspension, des codes de marque, des guillemets anglais, etc.

Figure 3.2 : Utilisez les caractères spéciaux pour insérer des majuscules accentuées ou certains autres caractères.

Dans l'onglet Symboles, c'est la police Texte normal qui est active par défaut. En ouvrant cette liste, vous pouvez sélectionner d'autres polices. Sachez que les différentes polices Wingdings permettent d'insérer des petits objets tels qu'une croix, un téléphone, une main, etc.

Se déplacer dans un document

Vous avez saisi un certain nombre de lignes. A mesure de votre saisie, le texte a défilé vers le haut pour dégager la zone de saisie. Une fois la totalité du texte saisie, vous ne visualisez plus qu'une partie de la page. Afin de relire votre texte, vous devez vous déplacer dans le document. Le moyen le plus rapide est de pointer l'endroit souhaité puis de cliquer. Mais si le texte que vous voulez relire n'apparaît plus à l'écran, procédez de l'une des manières suivantes :

- Cliquez sur la barre de défilement verticale située à droite de l'écran, puis faites glisser le curseur dans le sens requis (haut

ou bas). Une bulle apparaît, qui indique le numéro de la page qui s'affichera si vous relâchez la souris.

- Cliquez sur le bouton **Page précédente** ou sur le bouton **Page suivante** pour afficher la page précédente ou la page suivante. Ces boutons sont situés au bas de la barre de défilement verticale.
- Cliquez sur l'une des flèches situées au bas de la barre de défilement verticale pour faire défiler le texte vers le haut ou vers le bas. Relâchez le bouton de la souris lorsque le texte recherché s'affiche.
- Pour parcourir le document en fonction d'un élément précis, cliquez sur le bouton **Sélectionner l'objet parcouru**. Dans le menu qui s'affiche (voir Figure 3.3), sélectionnez la fonction de recherche voulue (Atteindre, Rechercher, Modifications, etc.) et suivez les procédures habituelles.

Si vous voulez absolument utiliser les barres de défilement, sachez que tout au long du glissement une info-bulle apparaît, indiquant le numéro de la page qui s'affichera si vous relâchez le bouton de la souris à ce stade (voir Figure 3.4).

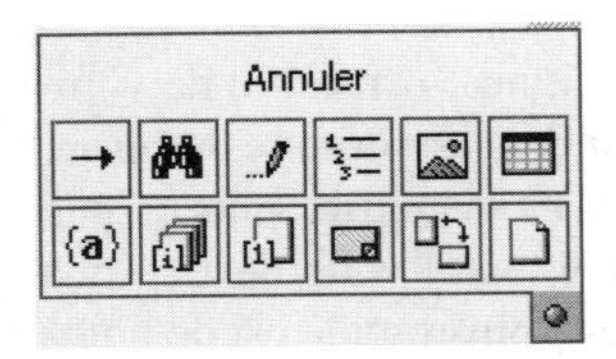

Figure 3.3 : Le menu du bouton Sélectionner l'objet parcouru permet d'effectuer un "scan" du document en fonction d'un élément précis.

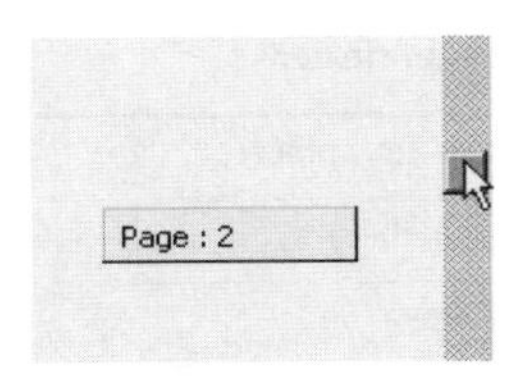

Figure 3.4 : Lorsque vous faites glisser la barre de défilement verticale, une info-bulle indique le numéro de la page où vous vous situez.

Une autre solution pour vous déplacer rapidement dans un document est d'utiliser l'explorateur. Celui-ci permet d'afficher, dans un volet spécifique, les titres du document. Pour ouvrir l'explorateur, cliquez sur **Affichage**, **Explorateur de documents**. Pour atteindre un titre précis, cliquez dessus dans le volet.

Votre document est vraiment très long et vous souhaitez pouvoir accéder rapidement à certains points précis de celui-ci ? La solution est de créer des signets. Pour cela, placez-vous à l'endroit voulu, puis cliquez sur Insertion, Signet. Nommez le signet dans la boîte de dialogue, puis cliquez sur Ajouter. Ensuite, pour accéder à ce signet, il suffira d'ouvrir la boîte de dialogue en reprenant la procédure indiquée, de sélectionner le signet dans la liste, puis de cliquer sur Atteindre. Vous pouvez aussi utiliser la fonction de recherche en spécifiant le type Signet.

Se déplacer à l'aide du clavier

Si vous n'appréciez guère les manipulations de la souris pour vous déplacer, vous pouvez utiliser les touches du clavier (voir Tableau 3.1).

Tableau 3.1 : Les déplacements dans le texte à l'aide du clavier

Appuyez sur	Pour vous déplacer ou vous placer...
Flèche gauche	D'un caractère vers la gauche
Flèche droite	D'un caractère vers la droite
Flèche haut	D'une ligne vers le haut
Flèche bas	D'une ligne vers le bas
Ctrl+Flèche gauche	D'un mot vers la gauche
Ctrl+Flèche droite	D'un mot vers la droite
Ctrl+Flèche haut	D'un paragraphe vers le haut
Ctrl+Flèche bas	D'un paragraphe vers le bas
Home ou Origine	Au début de la ligne
Fin	A la fin de la ligne
Page précédente	D'un écran vers le haut
Page suivante	D'un écran vers le bas
Ctrl+Page suivante	A la fin de l'écran
Ctrl+Page précédente	Au début de l'écran
Ctrl+Home ou Origine	Au début du document
Ctrl+Fin	A la fin du document

Atteindre une page précise

Tous ces déplacements sont bien pratiques, mais un peu longs si votre document contient une centaine de pages ! Voici une autre solution.

Pour atteindre une page précise, cliquez sur **Edition**, **Atteindre** (voir Figure 3.5). Saisissez le numéro de la page que vous souhaitez atteindre, puis cliquez sur le bouton **Atteindre**.

Pour atteindre un élément précis du document, dans la liste Atteindre, cliquez sur l'élément puis sur le bouton **Atteindre**. Cliquez sur le bouton **Fermer**.

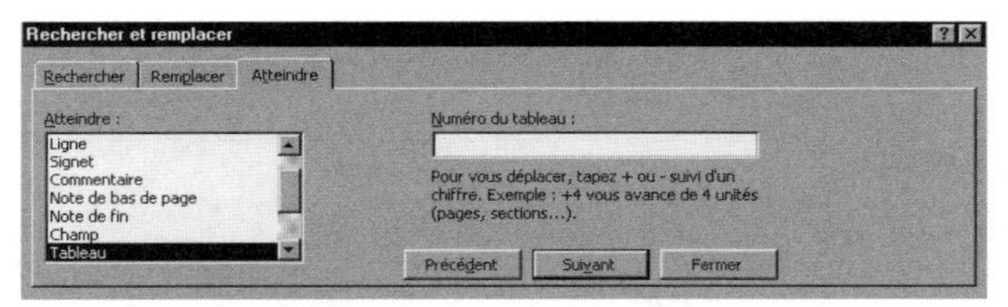

Figure 3.5 : Utilisez la commande Atteindre pour afficher une page ou un élément précis.

Les sélections

Pour toutes manipulations de texte (déplacer, copier, supprimer, mettre en forme, etc.), vous devez auparavant sélectionner celui-ci. Sélectionner consiste à délimiter le texte sur lequel vous souhaitez agir. Un texte sélectionné apparaît en surbrillance (inverse vidéo).

Pour sélectionner un mot, cliquez au début du mot, puis faites glisser le curseur sur le mot tout en maintenant le bouton de la souris enfoncé.

Figure 3.6 : Un mot sélectionné apparaît en inverse vidéo.

Pour sélectionner un groupe de mots, cliquez devant le premier mot à sélectionner, pressez la touche **Maj** puis, tout en maintenant la touche enfoncée, utilisez les touches de direction.

Il existe également des méthodes de sélection rapide (voir Tableau 3.2).

Pour annuler une sélection, il suffit de cliquer en dehors de celle-ci.

Tableau 3.2 : Les sélections rapides

Pour sélectionner...	Procédez ainsi...
Un mot	Double-cliquez sur le mot.
Une phrase	Appuyez sur la touche Ctrl, puis cliquez dans la phrase.
Un paragraphe	Triple-cliquez dans le paragraphe ou pointez à gauche du paragraphe. Double-cliquez ensuite lorsque le pointeur se transforme en flèche oblique vers la droite.
Un graphique	Cliquez dans le graphique.
Une ligne de texte	Pointez à gauche de la ligne. Lorsque le pointeur se transforme en flèche oblique vers la droite, cliquez.
Plusieurs lignes de texte qui se suivent	Pointez à gauche de la première ligne. Lorsque le pointeur se transforme en flèche oblique vers la droite, faites glisser vers le bas ou cliquez devant le premier mot de la première ligne, appuyez sur la touche Maj, puis cliquez après le dernier mot de la dernière ligne.
Plusieurs paragraphes	Pointez à gauche du premier paragraphe. Lorsque le pointeur se transforme en flèche oblique vers la droite, double-cliquez, puis faites glisser vers le bas.
Un document	Appuyez sur les touches Ctrl+A.
Un bloc de texte vertical	Appuyez sur la touche Alt. Tout en la maintenant enfoncée, faites glisser le curseur sur le texte.

Visualiser un document

Lorsque vous lancez Word, un nouveau document s'affiche. Il correspond à une page, mais vous n'en voyez qu'une partie.

De plus, c'est le mode Page qui est actif. Au cours de la création d'un document, il est parfois nécessaire de visualiser différemment les pages. Word met à votre disposition plusieurs affichages que vous pouvez activer en fonction de votre méthode de travail.

Les différents modes d'affichage

Chaque mode d'affichage proposé permet d'effectuer une tâche précise. Vous accédez à ces différents modes en ouvrant le menu Affichage, puis en sélectionnant le mode d'affichage à activer. Vous pouvez aussi utiliser les boutons des modes d'affichage situés dans la partie inférieure gauche du document.

Les boutons des modes d'affichage proposés sont les suivants :

Mode Normal. Affiche les pages sous la forme d'un long listing scindé en pages par un prédécoupage. Ce mode est facile à utiliser, car il mobilise très peu de mémoire. C'est aussi le mode idéal pour la saisie du texte.

Mode Web. Présente le document tel qu'il apparaîtra dans un navigateur Web si vous le publiez.

Mode Page. Affiche le document tel qu'il sera imprimé. Ce mode a pour inconvénient de ralentir le défilement du document, car il consomme beaucoup de mémoire.

Mode Plan. Permet d'afficher la hiérarchie de votre document. C'est le mode idéal pour modifier la structure et organiser le document par niveaux de titres (Figure 3.7).

Les tailles d'affichage à la carte

75%

Le zoom permet de réduire ou d'augmenter précisément la taille de votre page à l'écran. Par défaut, il ne permet pas de visualiser une ligne dans son entier, et c'est quelque peu agaçant au moment de la relecture. Il est donc indispensable de savoir rapidement modifier le zoom.

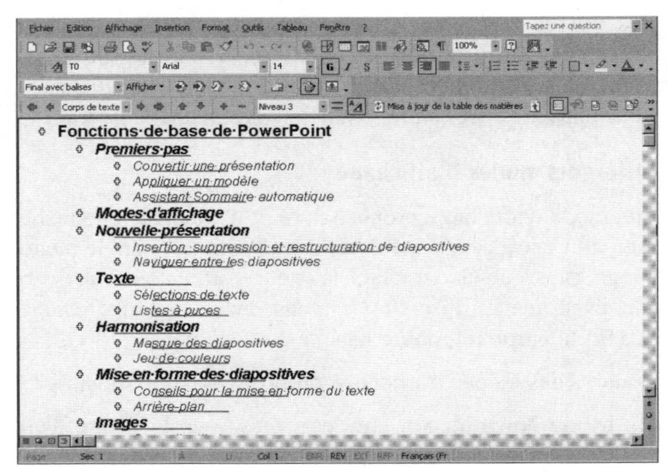

Figure 3.7 : Un document en mode Plan.

Pour modifier la taille du zoom, dans la barre d'outils Standard, cliquez sur la flèche de la liste déroulante **Zoom**, puis sélectionnez un pourcentage d'affichage (voir Figure 3.8). L'option **Largeur page** permet d'afficher à l'écran toute la largeur de votre texte : les lignes ne sont plus tronquées. Vous pouvez aussi double-cliquer dans la zone de texte du **Zoom**, puis saisir le pourcentage adéquat. Pressez la touche **Entrée** pour valider.

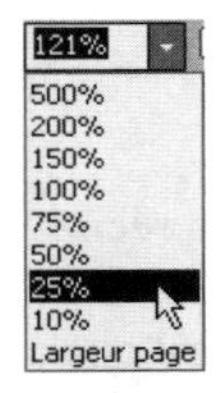

Figure 3.8 : La liste déroulante du bouton Zoom propose différentes options et pourcentages d'affichage du texte.

Naviguer entre plusieurs documents

Il est possible de travailler simultanément dans plusieurs documents différents. Pour ouvrir plusieurs documents, il suffit, à partir du premier document ouvert, de cliquer sur le bouton **Nouveau** dans la barre d'outils Standard, ou de cliquer sur **Nouveau document** dans le volet Office. Vous pouvez ouvrir un document existant en cliquant sur **Autres documents** dans le volet Office, puis en sélectionnant le document concerné. Le deuxième document ouvert vient masquer le premier, et ainsi de suite à mesure que vous ouvrez des documents sans fermer ceux déjà ouverts.

Pour naviguer entre les différents documents, cliquez sur le menu **Fenêtre**. Dans le bas du menu, la liste des documents ouverts s'affiche. Cliquez sur le document que vous souhaitez afficher.

Au cours de votre travail, vous pouvez avoir besoin d'afficher plusieurs documents à l'écran. Pour cela, cliquez sur **Fenêtre**, puis **Réorganiser tout**. Tous les documents ouverts s'affichent à l'écran. La barre de titre du document actif s'affiche en bleu, celle des autres documents est grisée (voir Figure 3.9).

Vous pouvez déplacer les fenêtres à l'écran en cliquant sur la barre de titre du document à déplacer, puis en la faisant glisser.

Pour redimensionner une fenêtre, pointez sur l'une de ses bordures ; le pointeur se transforme en une croix avec deux petites flèches. Cliquez, puis faites glisser jusqu'à obtenir la dimension voulue.

Pour travailler dans un des documents, cliquez dedans. Une fois que vous avez terminé votre travail, vous pouvez cliquer sur **Fenêtre**, puis le document que vous voulez afficher au premier plan, ou bien cliquez sur le bouton **Fermer** de chaque document.

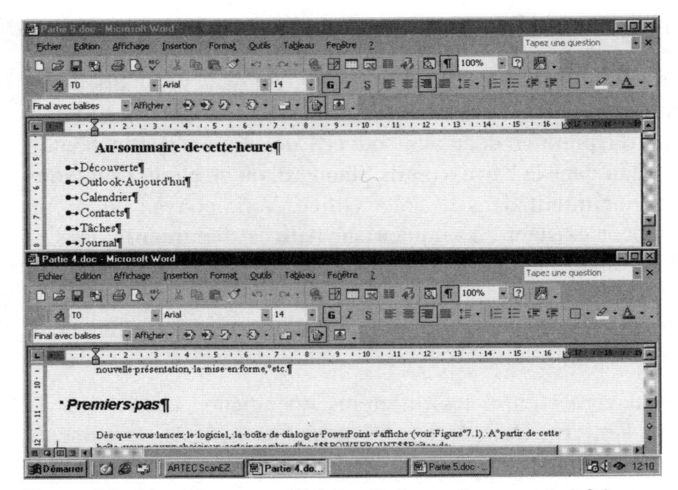

Figure 3.9 : Vous pouvez afficher plusieurs documents à l'écran.

Evitez d'afficher plus de quatre documents à la fois à l'écran. Il serait alors difficile de travailler.

Insérer, remplacer et supprimer du texte

Une fois que votre texte est saisi, il est possible d'insérer du texte dans celui déjà existant, de remplacer ou de supprimer un ou plusieurs mots. Les méthodes à employer sont les suivantes :

- Pour insérer un mot ou une lettre dans un texte existant, cliquez à l'endroit souhaité, puis saisissez le nouveau mot.
- Pour remplacer un mot par un autre, double-cliquez sur le mot, puis saisissez le mot de remplacement.
- Pour supprimer du texte, sélectionnez-le, puis appuyez sur la touche **Suppr**.

- Pour effacer du texte situé avant le point d'insertion, appuyez sur la touche **Retour arrière**.
- Pour effacer du texte situé après le point d'insertion, appuyez sur la touche **Suppr**.

Couper, copier ou déplacer du texte

Au cours de la création de vos documents, vous devrez vous déplacer dans le texte, couper ou copier un mot, une phrase ou encore un paragraphe. Ces procédures sont extrêmement simples.

Pour copier-coller du texte, procédez comme suit :

1. Sélectionnez le texte à copier.
2. Appuyez sur les touches **Ctrl+C** pour réaliser la copie. Vous pouvez aussi cliquer sur **Edition**, **Copier**.
3. Cliquez à l'endroit où vous souhaitez insérer le texte copié, puis pressez les touches **Ctrl+V**. Vous pouvez aussi cliquer sur **Edition**, **Coller**. Cliquez sur la balise qui s'affiche et sélectionnez le mode de collage souhaité.

   Le texte copié s'insère à l'endroit où vous avez cliqué.

Pour couper-coller du texte, procédez comme suit :

1. Sélectionnez le texte à couper.
2. Appuyez sur les touches **Ctrl+X**. Vous pouvez aussi cliquer sur **Edition**, **Couper**.
3. Cliquez à l'endroit où vous souhaitez insérer le texte coupé. Pressez les touches **Ctrl+V**.

   Le texte coupé s'insère à l'endroit où vous avez cliqué.

Pour déplacer du texte, procédez comme suit :

1. Sélectionnez le texte à déplacer.
2. Cliquez dans la sélection.
3. Tout en maintenant le bouton de la souris enfoncé, faites glisser jusqu'à l'endroit voulu (voir Figure 3.10).

   Le pointeur se transforme en flèche oblique.
4. Relâchez le bouton de la souris.

   Le texte déplacé s'insère à l'endroit où vous avez relâché le bouton de la souris.

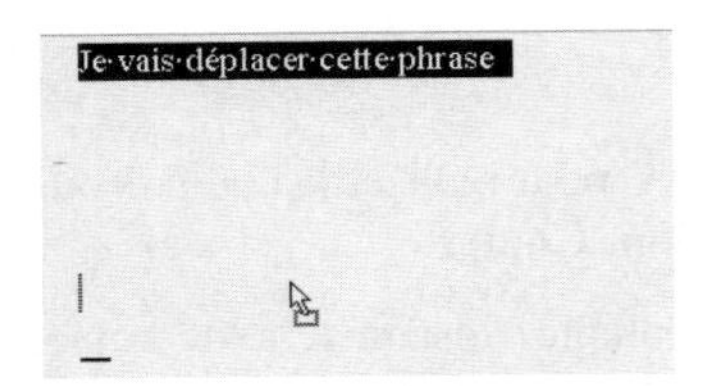

Figure 3.10 : Pour déplacer du texte, il suffit de le faire glisser.

Si vous n'aimez guère utiliser la souris, vous pouvez recourir aux boutons **Copier**, **Coller** ou **Couper** dans la barre d'outils Standard. Leurs procédures d'utilisation sont identiques à celles que vous venez d'étudier.

Ces boutons sont :

 Permet de couper une sélection.

 Permet de coller une sélection.

 Permet de copier une sélection.

Du texte très stylisé

Vous étudierez au Chapitre 5 les différentes mises en forme de caractères. S'il est exact que les différentes polices proposées par Word sont idéales pour le texte, il peut se révéler nécessaire de créer un texte plus stylisé, par exemple pour le titre d'un chapitre ou pour attirer l'attention sur une marque, un slogan, etc. WordArt est l'outil parfait pour ce type de mise en forme. Avec WordArt, vous pouvez créer des textes qui se déforment, se courbent, forment des angles ou encore affichent des lettres en 3 dimensions. Les procédures d'utilisation de cet outil ont été étudiées dans la Partie I.

Chapitre 4

Les outils d'aide à la rédaction

Au sommaire de ce chapitre

- Vérifier l'orthographe et la grammaire
- Personnaliser les fonctions de correction
- Le bon dictionnaire
- L'insertion automatique
- Travailler en équipe
- Traduire rapidement un texte

Vous avez étudié, dans le chapitre précédent, les différentes procédures d'insertion de texte. Vous savez choisir un modèle ou un assistant, déplacer votre texte, le supprimer, etc. En bref, vous êtes un expert de la création de documents dans Word. Mais, pour qu'un document soit parfait, il faut que le texte soit impeccable.

Word propose des outils très performants pour les vérifications orthographique et grammaticale de votre document, que vous étudierez dans ce chapitre. Ensuite, vous verrez comment activer un dictionnaire spécifique à une activité ou encore comment en créer un. Une fois l'étude de ce chapitre terminée, vous serez un as de la rédaction et vous n'aurez plus qu'à passer à l'étape suivante de votre travail : la mise en forme.

Vérifier l'orthographe et la grammaire

Au cours du Chapitre 2, vous avez vu que vous pouviez corriger une faute d'orthographe en utilisant les fonctions de vérification automatique. Ainsi, lorsque vous faites une faute dans un document ou que le mot n'est pas reconnu par le dictionnaire de Word, les fautes sont soulignées en rouge. Cela étant, il est possible que, agacé par le soulignement, vous ayez désactivé cette fonction. Voici donc comment procéder à une vérification intégrale de l'orthographe d'un document.

Pour vérifier l'orthographe d'un document, placez-vous au début de celui-ci, puis cliquez sur **Outils**, **Grammaire et orthographe**. Une boîte de dialogue s'affiche (voir Figure 4.1) et la première faute est sélectionnée. Pour corriger, procédez de l'une des manières suivantes :

- Cliquez sur l'une des suggestions qui s'affichent dans le volet pour remplacer le mot mal orthographié.
- Cliquez sur **Ignorer** pour ignorer la faute.
- Cliquez sur **Ignorer toujours** pour que le logiciel ne souligne plus jamais ce mot dans le document.
- Cliquez sur **Ajouter au dictionnaire** pour que le logiciel insère ce mot dans son dictionnaire orthographique.
- Cliquez sur **Modifier** pour accepter le mot de remplacement après l'avoir sélectionné.

- Cliquez sur **Remplacer tout** pour corriger cette faute dans tout le document.
- Cliquez sur la flèche de l'option **Langue du dictionnaire** pour activer l'anglais ou l'allemand en tant que langage du document.

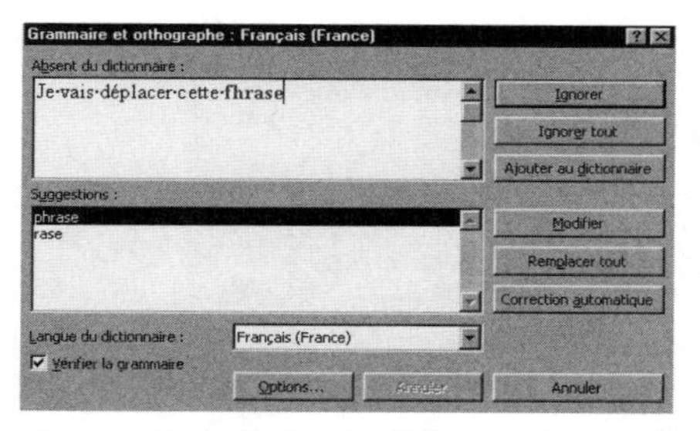

Figure 4.1 : La boîte de dialogue Grammaire et orthographe permet d'effectuer une relecture pointue du document.

Personnaliser les fonctions de correction

Vous venez de voir que vous deviez utiliser la commande Grammaire et orthographe pour lancer une relecture pointue de votre document. Voyons maintenant comment personnaliser les modalités de relecture.

Pour cela, cliquez sur **Outils**, **Grammaire et orthographe**. Dans la boîte de dialogue, cliquez sur le bouton **Options** (voir Figure 4.2). Dans la nouvelle boîte de dialogue, activez ou désactivez les options souhaitées.

Pour personnaliser les options de vérification grammaticale, cliquez sur le bouton **Paramètres** (voir Figure 4.3). Vous pouvez définir les options de règles grammaticales, de typographie et de styles. Une fois que vous avez terminé, cliquez sur **OK** pour valider.

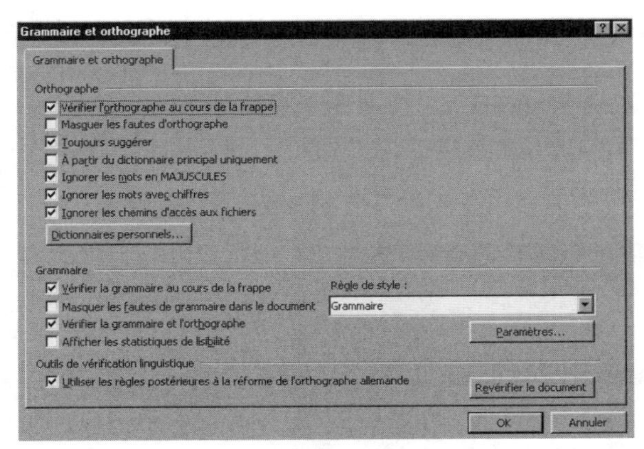

Figure 4.2 : Vous pouvez personnaliser vos procédures de relecture...

Pour retrouver rapidement les paramètres par défaut de la vérification grammaticale, cliquez sur le bouton Rétablir tout dans la boîte de dialogue Paramètres.

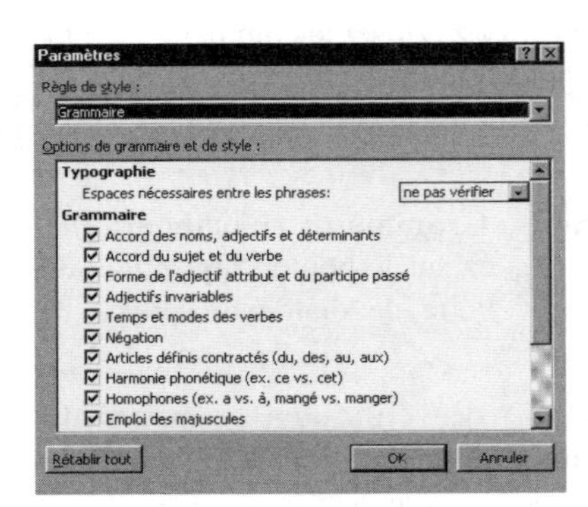

Figure 4.3 : ... ainsi que les paramètres des règles grammaticales.

Le bon dictionnaire

Pour procéder à la vérification automatique de l'orthographe, Word utilise un dictionnaire auquel il se réfère. Or, plusieurs dictionnaires sont proposés. Vous pouvez donc activer le dictionnaire souhaité en fonction d'un métier particulier, ou encore créer un dictionnaire personnel.

Activer un dictionnaire

Voyons pour commencer comment activer un dictionnaire orienté "métier". Pour cela, cliquez sur **Outils**, **Grammaire et orthographe**. Cliquez sur le bouton **Options**, puis sur le bouton **Dictionnaires personnels** dans la boîte de dialogue qui s'affiche (voir Figure 4.4). Activez le dictionnaire que vous souhaitez utiliser et validez autant de fois que nécessaire.

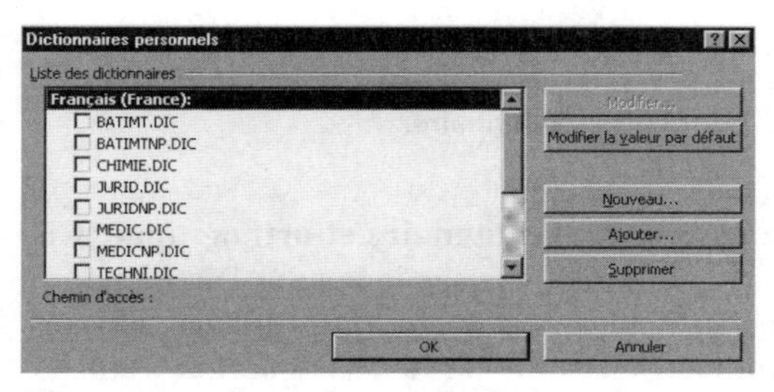

Figure 4.4 : Indiquez le type de dictionnaire que vous souhaitez utiliser pour la relecture de vos documents.

Créer un dictionnaire

Vous allez voir maintenant comment créer un dictionnaire personnel.

Pour commencer, à partir du Bloc-notes (**Démarrer**, **Programmes**, **Accessoires**, **Bloc-notes**), créez un fichier contenant la

totalité des mots dont vous souhaitez que l'orthographe soit reconnue par Word. Enregistrez-le ensuite avec l'extension .dic, puis fermez le Bloc-notes.

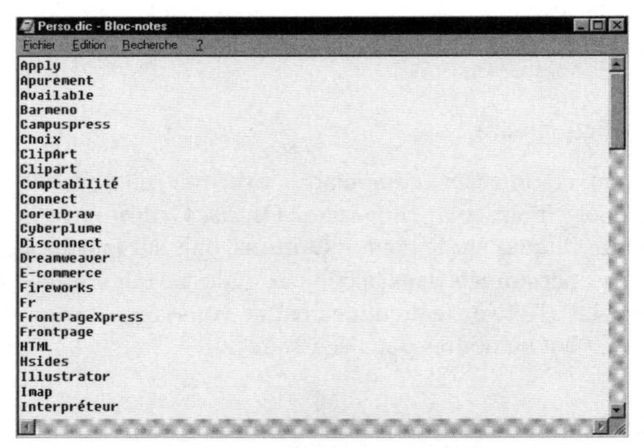

Figure 4.5 : Vous devez commencer par créer une liste de mots pour votre dictionnaire.

Ensuite, cliquez sur **Outils**, **Grammaire et orthographe**. Cliquez sur le bouton **Options**, puis sur le bouton **Dictionnaires personnels** dans la boîte de dialogue qui s'affiche. Ensuite, cliquez sur **Ajouter**. Dans la boîte de dialogue qui s'affiche, sélectionnez le dictionnaire que vous avez créé, puis validez.

L'insertion automatique

La fonction d'insertion automatique permet d'insérer à l'endroit voulu, et ce, automatiquement (sans avoir à les saisir), certaines formules basiques utilisées fréquemment dans les documents.

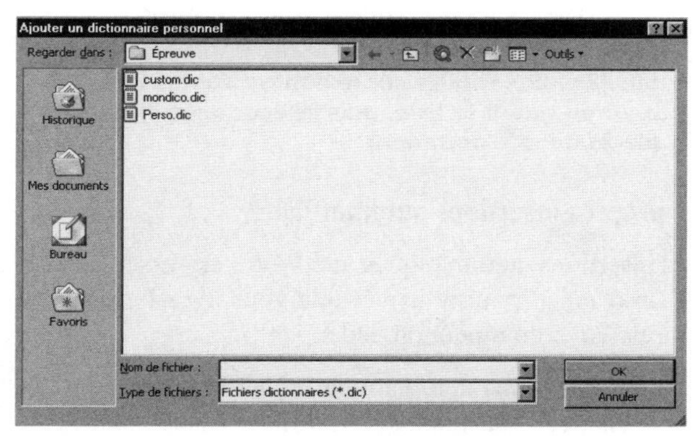

Figure 4.6 : Vous pouvez ajouter un dictionnaire personnel.

Pour recourir à l'insertion automatique, placez-vous à l'endroit voulu, puis cliquez sur **Insertion**, **Insertion automatique**. Dans la liste du sous-menu, sélectionnez le terme, la formule de politesse, etc., que vous souhaitez insérer.

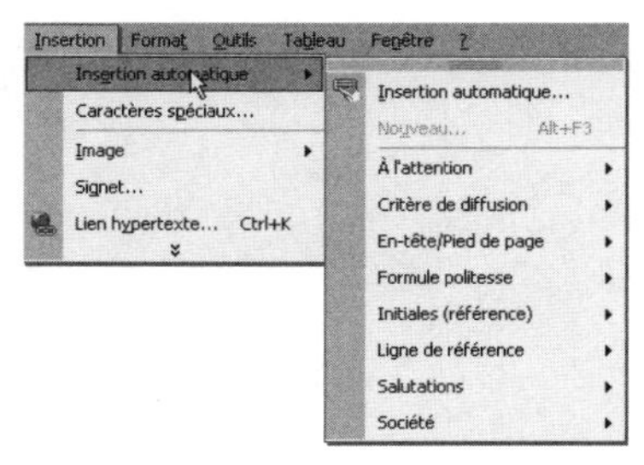

Figure 4.7 : La liste des insertions automatiques permet de placer rapidement dans un document une formule de politesse, un terme courant, etc.

Pour insérer plus rapidement des formules "toutes faites", affichez la barre d'outils Insertion automatique. Ensuite, cliquez sur le bouton Toutes les entrées pour en ouvrir la liste, puis sélectionnez l'insertion à placer dans le document.

Créer ses propres insertions automatiques

La liste d'insertions automatiques de Word est assez conséquente. Cela étant, il pourra arriver que vous ayez besoin d'en créer d'autres. Voici comment procéder.

Pour créer des insertions automatiques, dans le document, saisissez le terme (ou la phrase concernée). Sélectionnez-le. Ensuite, dans la barre d'outils Insertion automatique, cliquez sur le bouton **Nouveau**. Une boîte de dialogue s'affiche, le mot (ou la phrase) sélectionné y apparaît en surbrillance. Word vous informe qu'il va créer une insertion automatique pour cette sélection. Validez par **OK**.

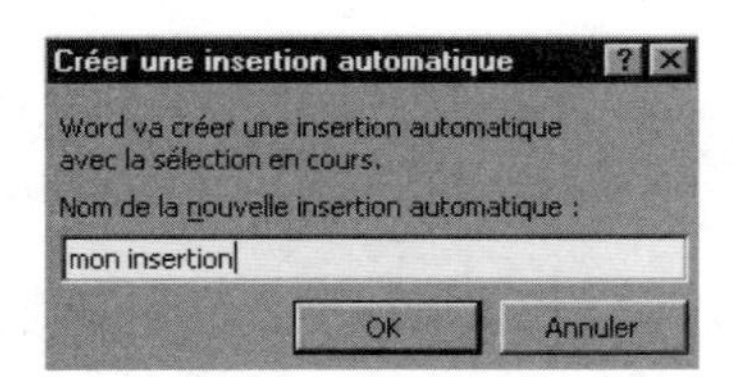

Figure 4.8 : Vous pouvez créer vos propres insertions automatiques.

Pour supprimer une insertion automatique, cliquez sur le bouton Insertion automatique dans la barre d'outils du même nom. Sélectionnez l'insertion automatique à supprimer, puis cliquez sur le bouton Supprimer. Validez par OK.

Pour utiliser une insertion automatique personnalisée dans un autre document, reprenez les procédures indiquées pour l'utilisation de style personnalisé dans un autre document (voir Chapitre 10).

Travailler en équipe

La notion de collaboration a été très nettement améliorée dans la nouvelle version d'Office. A quoi sert ce type de fonction ? Imaginez que vous soyez plusieurs à travailler sur un seul et même projet et que chaque personne de l'équipe apporte ses propres modifications au document. Pour une parfaite cohérence, il est indispensable que toute l'équipe puisse visualiser rapidement les modifications réalisées. C'est le principe du suivi de modifications. Plusieurs outils sont mis à votre disposition pour ce type de suivi :

- La barre d'outils Révision (cliquer du bouton droit sur une barre d'outils et sélectionner **Révision**) propose différents boutons pour gérer les révisions.
- Les balises (*smart tag*) signalent les modifications sous forme de bulle (voir Figure 4.9) permettant ainsi de les visualiser rapidement et aisément.
- Le volet Révision liste les modifications par catégories (document principal, en-tête et pied de page, etc.).

Vous pouvez choisir d'imprimer les révisions. Pour cela, dans la boîte de dialogue Imprimer, cliquez sur la flèche de l'option Document, et sélectionnez Document montrant les balises. Validez.

La haine est comme l'amour, elle sourd longtemps, soumoise et invisible, dans les replis mystérieux de l'âme et du cœur avant de surgir en plein jour et de tout envahir. Il fut un temps où elle auront pu être circonscrite, il en décida autrement...

Supprimé : aurait

Commencements...

Recevoir la lumière d'un regard à travers le temps
Poupée de chiffon que l'on tire par l'oreille vers les confidences
Pas une parole ne glissait sur mon âme sans que j'en ressente une bénédiction

Figure 4.9 : Les balises permettent de visualiser rapidement les modifications réalisées dans un document.

Marquer les révisions

Pour marquer les révisions au cours de vos modifications, cliquez sur le bouton **Suivi des modifications** dans la barre d'outils Révision. Vous pouvez aussi taper sur les touches **Ctrl+Maj+R**. Toutes vos modifications s'affichent sous forme de balises.

Vous ne voyez pas apparaître les balises de révision ? Cliquez sur Affichage, Balise.

Pour voir plus précisément les modifications par catégories, cliquez sur le bouton **Volet révision** dans la barre d'outils Révision (voir Figure 4.10).

Vous ne voyez pas apparaître certaines révisions ? Cliquez sur le bouton Afficher, et sélectionnez la catégorie de modifications à afficher (Commentaires, Insertions et suppressions, Mise en forme).

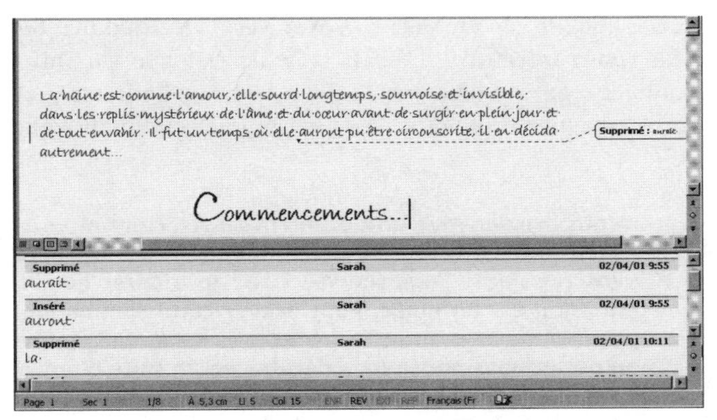

Figure 4.10 : Le Volet révision est idéal pour visualiser rapidement l'ensemble des modifications, classées par catégories.

Par défaut, les modifications et les commentaires sont affichés avec une certaine mise en forme. Pour personnaliser ces mises en forme, cliquez sur les boutons Afficher et Options. Réalisez vos personnalisations et validez par OK.

Vous devez aussi définir les personnes qui pourront relire votre document et valider, ou non, vos modifications. La liste des personnes est créée par l'administrateur du réseau si vous travaillez dans une société. Pour spécifier les relecteurs autorisés, cliquez sur le bouton **Afficher**. Sélectionnez **Relecteurs**, **Tous les relecteurs** pour autoriser toutes les personnes, ou sur le nom du relecteur si vous n'en autorisez qu'un (ou plusieurs en suivant la même procédure).

Envoyer un document en relecture

Une fois que vous avez terminé de modifier le document, vous pouvez l'envoyer en relecture aux destinataires concernés.

Pour cela, cliquez sur **Fichier**, **Envoyer vers**, **Destinataire du message (pour relecture)**. Dans la boîte de dialogue qui s'affiche, indiquez les destinataires, laissez-leur un petit mot, et envoyez-le document sous forme de message électronique (voir Partie V).

Vous avez envoyé un document en relecture et vous avez reçu en retour tous les commentaires quant à vos révisions. Vous pouvez donc considérer que la révision est terminée. Pour activer cette commande, cliquez sur le bouton Terminer la révision de la barre d'outils Révision. Si vous décidez par la suite d'appliquer de nouvelles modifications au document, vous pouvez le faire en utilisant la fonction Comparaison et fusion des documents (voir Partie I).

Relire des documents

Voyons maintenant comment procéder lorsque vous recevez un document en relecture. Après l'avoir ouvert, procédez comme suit :

Pour visualiser les modifications les unes après les autres, utilisez les boutons **Suivant** et **Précédent** de la barre d'outils Révision.

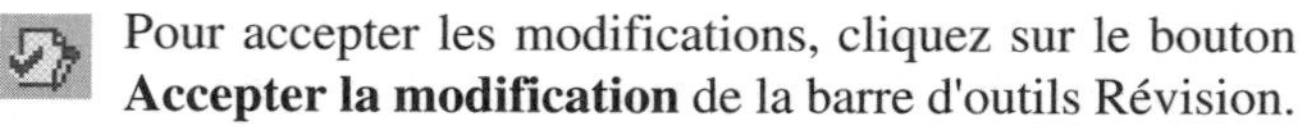

Pour accepter les modifications, cliquez sur le bouton **Accepter la modification** de la barre d'outils Révision. Dans le menu qui se déroule, sélectionnez le type d'acceptation à activer.

Pour refuser les modifications, cliquez sur le bouton **Refuser les modifications** de la barre d'outils Révision. Dans le menu qui se déroule, sélectionnez le type de refus à activer.

Traduire rapidement un texte

Dans sa version précédente, Office avait déjà tenu compte de l'accélération de la mondialisation et du fait qu'il était important de pouvoir corriger rapidement des textes dans une langue autre que le français. C'était un premier pas vers le soutien linguistique qui est encore plus performant dans la version 2002. En effet, désormais, vous pouvez traduire du texte directement à partir de Word. On n'arrête pas le progrès !

Pour traduire un mot, cliquez sur **Outils**, **Langue**, **Traduction** (voir Figure 4.11) pour afficher le volet de traduction. Ensuite, sélectionnez le mot à traduire, puis cliquez sur **Sélection en cours** dans la zone **Traduire quoi ?**. Vous pouvez aussi saisir le texte dans la zone ou choisir de traduire le document en entier. Ensuite, choisissez la langue d'origine et la langue de traduction, puis cliquez sur **OK**. Le résultat de la traduction s'affiche.

Si vous souhaitez utiliser un système de traduction plus performant et plus rapide, rendez-vous sur le Web en cliquant sur le bouton Aller à.

Figure 4.11 : Word permet désormais de traduire du texte en un clic !

Chapitre 5

La mise en forme des caractères

Au sommaire de ce chapitre

- Les procédures et mises en forme de base
- La barre d'outils Mise en forme
- La boîte de dialogue Police
- Les mises en forme pointues
- Les zones de texte

Nous sommes tous sensibles à la beauté, à l'apparence, et les documents écrits doivent répondre à ces critères pour être agréables à lire. Après les étapes un peu rébarbatives, bien que fort simplifiées par Microsoft, de la saisie et des différentes vérifications du texte, vous voilà arrivé à la partie la plus attrayante : la mise en forme des caractères. S'il est vrai que le contenu d'un document est primordial et qu'une orthographe impeccable est indispensable pour une bonne crédibilité, l'aspect des documents est tout aussi important. Pensez à vos lecteurs, agrémentez vos documents d'une police originale et esthétique, soignez la lisibilité et, pourquoi pas, ajoutez, si votre imprimante le permet, des titres en couleur. Grâce à ce chapitre, vous apprendrez à créer des documents originaux, créatifs et qui auront toutes les chances d'être lus. Rien n'est plus désagréable pour un rédacteur que d'être noyé dans la masse et de voir son document subir le classement... vertical !

Les procédures et mises en forme de base

La police par défaut de Word est le Times New Roman en taille 10 et sans attribut. Chaque fois que vous ouvrez un nouveau document et que vous saisissez un texte, il est créé dans cette police et avec cette taille.

Pour changer la police par défaut, cliquez sur **Format**, **Police**. Dans la boîte de dialogue Police, cliquez sur l'onglet **Police, style et attributs**. Définissez la police ainsi que la taille. Cliquez sur le bouton **Par défaut**, puis sur **Oui** pour confirmer vos choix.

Les procédures de mise en forme

Vous pouvez définir la mise en forme des caractères avant ou après la saisie. Pour une mise en forme des caractères avant la saisie, sélectionnez les différentes mises en forme comme indiqué dans ce chapitre, puis saisissez votre texte. Bien sûr, vous devrez désactiver les différents attributs une fois que vous aurez fini de saisir le texte concerné.

Pour une mise en forme après la saisie, sélectionnez le texte, puis choisissez les différentes mises en forme.

Pour mettre en forme un seul mot, il n'est pas nécessaire de le sélectionner, il suffit de cliquer dedans puis de choisir les différentes options de mise en forme.

Les mises en forme classiques

La plus courante des mises en forme est le choix de la police de caractères. Un certain nombre de polices sont systématiquement proposées dans tous les logiciels de Microsoft (Arial, Times, etc.), mais vous pouvez parfaitement ajouter des polices supplémentaires, plus originales, que vous devrez installer. Pour cela, cliquez sur **Démarrer**, **Paramètres** dans le bureau de Windows. Double-cliquez sur le module **Police**. Suivez ensuite les procédures.

Sachez que, dans la liste déroulante proposant les différentes polices, en regard de chacune de celles-ci apparaît un symbole spécifiant certaines caractéristiques pour la police. Ainsi, les polices signalées par une icône d'imprimante sont celles que reconnaît votre imprimante. Elles ont pour avantage de s'imprimer plus rapidement. Les polices signées TT (TrueType) acceptent toutes les possibilités de taille. Quant aux polices en face desquelles aucune icône n'apparaît, ce sont des polices Windows ; on ne peut donc modifier leur taille.

Une fois la police sélectionnée, vous pouvez modifier la taille de celle-ci en tenant compte des indications précédentes. La taille de la police est proposée en points ; sachez que 72 points équivalent à 1 pouce qui, lui, équivaut à 2,54 cm. Ensuite, vous pouvez sélectionner des attributs. Word en propose un grand nombre : gras, souligné, en exposant, en indice, barré, petites majuscules, couleur, etc. Vous verrez plus loin dans ce chapitre comment les sélectionner.

Sachez que certaines règles sont à observer lors de la mise en forme des caractères. Tout d'abord, évitez de marier trop de polices différentes dans un seul et même document, jouez surtout sur

la taille des caractères. D'autre part, soignez la lisibilité en préférant une police à espacement proportionnel (par exemple, Times). Enfin, mettre en forme ne signifie pas surcharger ; n'utilisez donc pas plus de deux polices différentes, et si vous choisissez de mettre de la couleur, pensez à l'homogénéité (attention au jaune et au vert, par exemple).

La barre d'outils Mise en forme

La méthode la plus rapide et la plus simple pour la mise en forme de vos caractères est de recourir à la barre d'outils Mise en forme, située à droite de la barre d'outils Standard. Le Tableau 5.1 récapitule les différentes mises en forme qu'elle permet. Certains des boutons apparaissant sur cette barre d'outils ne figurent pas dans ce tableau ; vous les trouverez au Chapitre 6 qui traite de la mise en forme des paragraphes.

Si la barre d'outils Mise en forme n'est pas affichée, cliquez du bouton droit dans une des barres d'outils existantes, puis sélectionnez Mise en forme.

Tableau 5.1 : Les boutons proposés dans la barre d'outils Mise en forme

Bouton	Description
Times New Roman	Ouvre une liste déroulante proposant la liste des différentes polices. Chaque police est affichée dans les caractéristiques qui lui sont propres.
12	Ouvre une liste déroulante proposant, de 2 pt en 2 pt, les différentes tailles de caractères. Vous pouvez aussi sélectionner la zone de texte puis saisir la taille.
G	Permet de mettre en gras.
I	Permet de mettre en italique.

Tableau 5.1 : Les boutons proposés dans la barre d'outils Mise en forme

Bouton	Description
S	Permet de souligner le texte.
	Ouvre une fenêtre qui permet de sélectionner la couleur de surlignage.
A	Ouvre une fenêtre qui permet de sélectionner une couleur.

Pour désactiver un attribut, sélectionnez le texte concerné, puis cliquez sur l'attribut dans la barre d'outils Mise en forme.

La boîte de dialogue Police

La barre d'outils Mise en forme est parfaite pour réaliser rapidement la mise en forme de votre texte. Cependant, elle ne propose qu'une infime partie des choix de mise en forme proposés. La boîte de dialogue Police permet, quant à elle, de sélectionner en une seule fois la totalité de la mise en forme de vos caractères.

Pour ouvrir la boîte de dialogue Police (voir Figure 5.1), cliquez du bouton droit sur la sélection du texte à mettre en forme, puis choisissez **Police**. Vous pouvez aussi cliquer sur **Format**, **Police**. Une fois que vous avez sélectionné toutes les options de mise en forme, n'oubliez pas de cliquer sur **OK** pour valider.

Pour supprimer un ou plusieurs attributs de mise en forme, sélectionnez le texte concerné. Cliquez du bouton droit dans la sélection, puis sélectionnez Police. Dans la boîte de dialogue, désactivez ou modifiez les différentes mises en forme. Cliquez sur OK pour valider vos modifications.

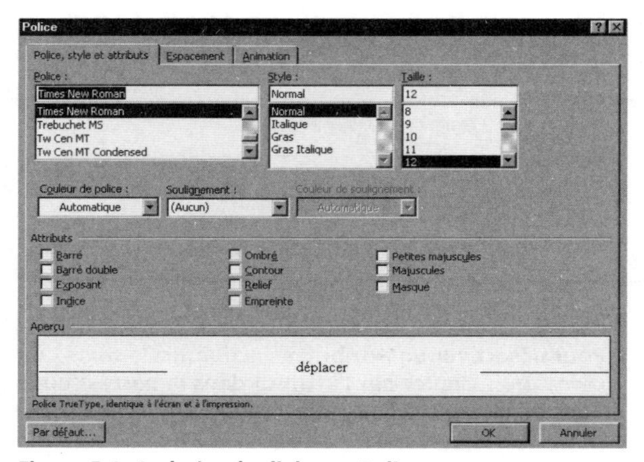

Figure 5.1 : La boîte de dialogue Police permet de sélectionner rapidement la totalité des options de mise en forme pour vos caractères.

Vous souhaitez créer rapidement un titre ? Au lieu de modifier la taille, la police, etc., du texte, sélectionnez le texte concerné, puis cliquez sur la flèche de l'option Style dans la barre d'outils Mise en forme. Sélectionnez le niveau de titre voulu.

Vous savez que, pour obtenir des capitales, vous devez presser la touche Maj du clavier puis saisir le texte. Mais comment faire si le texte est déjà saisi ? Ouvrez la boîte de dialogue Modifier la casse qui se trouve sous le menu Format, Modifier la casse. Activez l'option de casse voulue, puis validez par OK.

Vous souhaitez supprimer toutes les mises en forme d'un texte sans supprimer celui-ci ? Sélectionnez le texte en question, puis cliquez sur Edition, Effacer, Formats. Pour supprimer une seule mise en forme, après avoir sélectionné le texte, désactivez la mise en forme ou sélectionnez-en une autre.

Les mises en forme pointues

En plus des mises en forme que vous venez d'étudier, Word propose d'autres options pour la mise en forme de vos caractères.

Mettre les caractères en couleur

Vous possédez une imprimante couleur et souhaitez mettre un peu de gaieté dans votre document. Pourquoi ne pas mettre certains mots en couleur ? Voici comment faire :

1. Après avoir sélectionné le texte à mettre en couleur, cliquez sur la flèche du bouton **Couleur**.
2. Dans le nuancier qui s'affiche, cliquez sur la couleur à activer.
3. Pour obtenir un choix de couleurs plus important, cliquez sur **Autres couleurs**. Dans le spectre, cliquez sur la couleur voulue, puis validez par **OK**.

Une fois que vous avez activé une couleur, le bouton Couleur affiche la couleur sélectionnée. Pour mettre un autre texte dans la même couleur, il suffira de cliquer sur ce bouton.

L'espacement entre les caractères

Vous pouvez parfaitement modifier l'écartement existant entre les lettres de vos mots.

Pour modifier l'espacement entre les caractères, procédez comme suit :

1. Sélectionnez les caractères concernés.Cliquez sur **Format**, **Police**. Dans la boîte de dialogue Police, cliquez sur l'onglet **Espacement** (voir Figure 5.2).

2. Cliquez sur la flèche de l'option Espacement, puis faites votre choix (**Etendu**, **Normal** ou **Condensé**). Cliquez sur la flèche de l'option **De**, en regard de Espacement, et choisissez la valeur de celui-ci. La zone Aperçu affiche les choix que vous venez de sélectionner.
3. Cliquez sur **OK** pour valider vos choix.

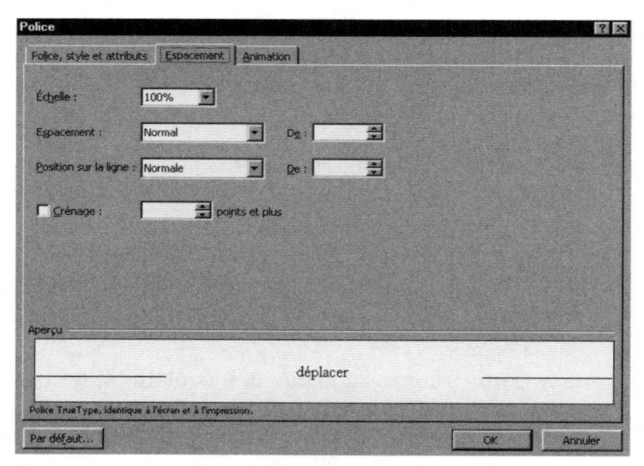

Figure 5.2 : Dans l'onglet Espacement de la boîte de dialogue Police, vous pouvez modifier l'espace entre vos caractères.

Le surlignage ou le Stabilo électronique

Pour mettre en évidence un ou plusieurs mots sur une feuille de papier, vous les surlignez à l'aide d'un Stabilo. Word permet de reproduire ce type de mise en valeur.

Pour surligner un texte, après l'avoir sélectionné, cliquez sur le bouton **Surlignage** dans la barre d'outils Mise en forme (voir Figure 5.3). Sélectionnez la couleur voulue pour le surlignage.

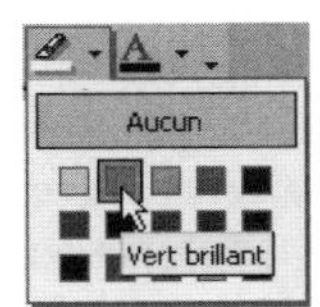

Figure 5.3 : Le bouton Surlignage propose plusieurs couleurs.

Si le surlignage n'apparaît pas à l'écran, cliquez sur Outils, Options. Cliquez sur l'onglet Affichage. Cochez la case Surlignage dans la zone Affichage, puis cliquez sur OK pour valider votre choix.

Modifier la casse des caractères

Vous avez saisi un texte en minuscules et, après réflexion, vous décidez de le mettre en majuscules. Il n'est pas nécessaire de le saisir de nouveau. Vous devez simplement en modifier la casse.

Pour modifier la casse de vos caractères, cliquez sur **Format**, **Modifier la casse** (voir Figure 5.4). Faites votre choix, puis cliquez sur **OK** pour valider.

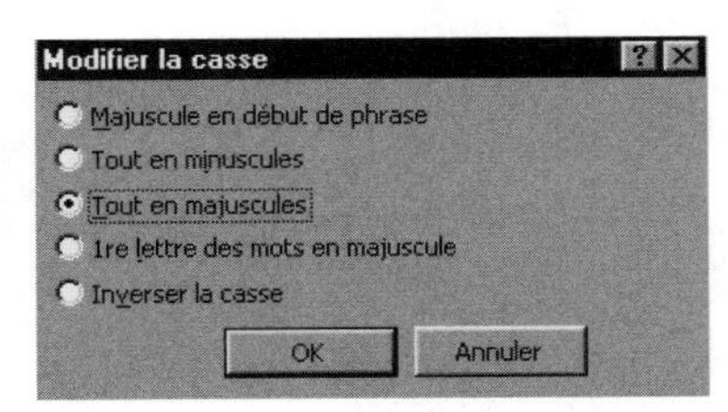

Figure 5.4 : Dans la boîte de dialogue Modifier la casse, Word propose plusieurs options de casse pour vos caractères.

L'option Inverser la casse permet d'afficher en majuscules un texte qui était en minuscules, et *vice versa*.

L'animation du texte

Word propose aussi des options d'animation de votre texte. Bien sûr, celles-ci sont intéressantes uniquement si vous faites parvenir votre document sous forme de fichier, et non sur papier. Mais, étant donné la place de plus en plus prépondérante des messages électroniques et autres réseaux, cette fonction est particulièrement attractive. Vous souhaitez attirer l'attention de votre interlocuteur sur un point bien précis ? Animez le texte : votre lecteur sera irrésistiblement attiré vers ce point important.

Pour animer un mot ou une phrase, procédez comme suit :

1. Sélectionnez le mot concerné. Cliquez du bouton droit dans la sélection, puis choisissez **Police**. Vous pouvez aussi cliquer sur **Format**, **Police**. Cliquez sur l'onglet **Animation** (voir Figure 5.5). Sélectionnez le type d'animation dans la liste Animations.

2. Cliquez sur **OK** pour valider votre choix.

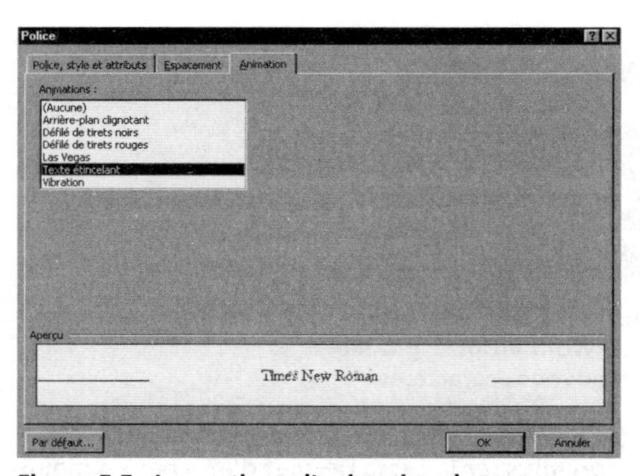

Figure 5.5 : Les options d'animation de texte sont amusantes, attrayantes et en parfaite adéquation avec l'ère de la messagerie électronique.

Les zones de texte

La création de zones de texte permet de placer, dans votre document, un cadre se comportant comme un objet graphique, mais qui contient du texte. C'est une autre façon de mettre en forme le texte.

Pour insérer une zone de texte, procédez comme suit :

1. Cliquez sur **Insertion**, **Zone de texte**. Vous pouvez aussi cliquer sur le bouton **Zone de texte** dans la barre d'outils Dessin. Le pointeur se transforme en croix. Cliquez dans le document à l'endroit où vous souhaitez insérer la zone de texte.
2. Enfoncez le bouton de la souris et faites glisser le curseur afin de dessiner la zone de texte. Relâchez le bouton lorsqu'elle a l'apparence requise. Lorsqu'une zone de texte est sélectionnée, la barre d'outils Zone de texte s'affiche. Elle permet de modifier l'aspect de la zone de texte.
3. Cliquez dans la zone de texte, puis saisissez le texte (voir Figure 5.6). Sélectionnez les différentes mises en forme voulues.

Figure 5.6 : La zone de texte permet de considérer le texte comme un objet graphique.

Pour supprimer une zone de texte, cliquez dessus pour la sélectionner, puis appuyez sur la touche Suppr.

Chapitre 6

La mise en forme des paragraphes

Au sommaire de ce chapitre

- Les procédures et mises en forme des paragraphes
- La barre d'outils Mise en forme
- L'alignement
- Les retraits
- Les tabulations
- Les listes pointées
- L'interligne et l'espacement
- Les enchaînements
- Les bordure et trames

Au chapitre précédent, vous avez étudié la mise en forme des caractères. Vous avez donc affecté certains attributs à vos caractères, animé certains mots, mis de la couleur, etc. Dans ce chapitre, vous allez apprendre à mettre en forme les paragraphes, découvrir comment mettre un retrait à une première ligne pour la dégager, créer des listes pointées, encadrer un paragraphe, etc. Lorsque vous aurez terminé ce chapitre, votre document sera prêt à être imprimé, envoyé à une adresse e-mail ou encore expédié sur le réseau intranet de votre entreprise.

Les mises en forme des paragraphes

Un paragraphe est un ensemble de caractères qui se termine par la touche Entrée. Par défaut, les paragraphes sont alignés à gauche, possèdent un espacement avant et après de 0 et ne présentent aucun retrait.

Les procédures de mise en forme

Vous pouvez définir la mise en forme des paragraphes avant ou après la saisie.

Pour une mise en forme des paragraphes avant la saisie, sélectionnez les différentes mises en forme comme indiqué dans ce chapitre, puis saisissez votre texte. Bien sûr, vous devrez désactiver les différents attributs, taille et autre police une fois que vous aurez fini de saisir le texte concerné.

Pour une mise en forme après la saisie, sélectionnez le paragraphe, puis choisissez les différentes mises en forme.

Pour mettre en forme un seul paragraphe, il n'est pas nécessaire de le sélectionner, il suffit de cliquer du bouton droit dans le paragraphe, de sélectionner Paragraphe, puis de choisir les différentes mises en

forme voulues, ou tout simplement, après avoir cliqué dans le paragraphe, d'activer les mises en forme retenues dans la barre d'outils Mise en forme.

Les mises en forme proposées

Word propose plusieurs types de mises en forme des paragraphes :

- **Alignement.** Permet de déterminer la façon dont sont réparties les lignes à l'intérieur des marges.
- **Retrait.** Permet de décaler un paragraphe ou une ligne de celui-ci par rapport aux marges du document.
- **Tabulation.** Permet de personnaliser l'alignement d'un texte.
- **Listes pointées.** Permet de dégager un numéro ou un symbole graphique au début du paragraphe.
- **Bordure et trame.** Permet d'encadrer et de griser un paragraphe.

Sachez que certaines règles sont à observer lors de la mise en forme des paragraphes. Tout d'abord, évitez de choisir trop d'alignements différents dans un seul et même document, jouez surtout sur les retraits. D'autre part, préférez une liste pointée concise à un paragraphe contenant plusieurs items. Enfin, comme pour la mise en forme des caractères, pensez à vos lecteurs, ne surchargez pas votre document et soignez l'homogénéité.

Vous relisez un document qui vous semble parfait ? Pour visualiser rapidement les mises en forme activées afin de pouvoir les reproduire dans l'un de vos documents, cliquez sur Format, Révéler la mise en forme. Dans le volet qui s'affiche, la totalité des mises en forme est listée.

La barre d'outils Mise en forme

La méthode la plus rapide pour la mise en forme de vos paragraphes est de recourir à la barre d'outils Mise en forme, située à côté de la barre d'outils Standard. Le Tableau 6.1 recense les différentes mises en forme qu'elle permet. Certains boutons apparaissant sur cette barre d'outils ne figurent pas dans ce tableau, vous en trouverez la description au Chapitre 5 qui parle de la mise en forme des caractères.

Si la barre d'outils Mise en forme n'est pas affichée, cliquez du bouton droit dans une des barres d'outils existantes, puis sélectionnez Mise en forme.

Tableau 6.1 : Les boutons pour la mise en forme des paragraphes proposés dans la barre d'outils Mise en forme

Bouton	Description
	Aligne le paragraphe sur la marge gauche (alignement par défaut).
	Centre le paragraphe entre les marges gauche et droite.
	Aligne le paragraphe sur la marge droite.
	Répartit le texte du paragraphe sur toute la largeur de la page, entre les marges gauche et droite.
	Permet de créer une liste numérotée.
	Permet de créer une liste à puces.
	Permet de réduire la valeur du retrait de paragraphe par rapport à la marge gauche.
	Permet d'augmenter la valeur du retrait de paragraphe par rapport à la marge gauche.
	Permet d'encadrer un paragraphe.

Pour supprimer une mise en forme de paragraphe, sélectionnez le paragraphe, puis cliquez sur le bouton concerné pour le désactiver dans la barre d'outils Mise en forme.

Utilisez ces différents boutons pour mettre rapidement en forme vos paragraphes.

L'alignement

Grâce à l'alignement, vous définissez l'emplacement de vos paragraphes par rapport aux marges du document. Par défaut, c'est l'alignement gauche qui est actif. La Figure 6.1 permet de visualiser rapidement les différents alignements proposés.

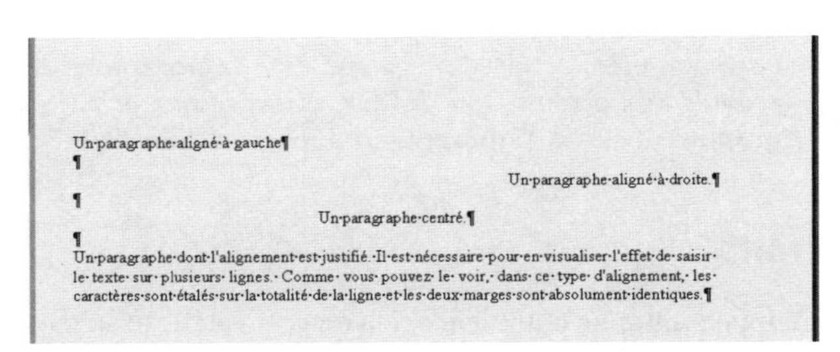

Un·paragraphe·aligné·à·gauche¶
¶
Un·paragraphe·aligné·à·droite.¶
¶
Un·paragraphe·centré.¶
¶
Un·paragraphe·dont·l'alignement·est·justifié.·Il·est·nécessaire·pour·en·visualiser·l'effet·de·saisir· le·texte·sur·plusieurs·lignes.·Comme·vous·pouvez·le·voir,·dans·ce·type·d'alignement,·les· caractères·sont·étalés·sur·la·totalité·de·la·ligne·et·les·deux·marges·sont·absolument·identiques.¶

Figure 6.1 : Les différents alignements de paragraphe.

Pour choisir l'alignement de votre paragraphe, vous pouvez aussi utiliser la boîte de dialogue Paragraphe. Pour l'ouvrir, sélectionnez le paragraphe, puis cliquez du bouton droit dans la sélection. Sélectionnez **Paragraphe**, ou cliquez sur **Format**, **Paragraphe**. Si nécessaire, cliquez sur l'onglet **Retrait et espacement** (voir Figure 6.2). Dans l'option **Alignement**, cliquez sur la flèche, puis sélectionnez un type d'alignement. Cliquez sur **OK** pour valider votre choix.

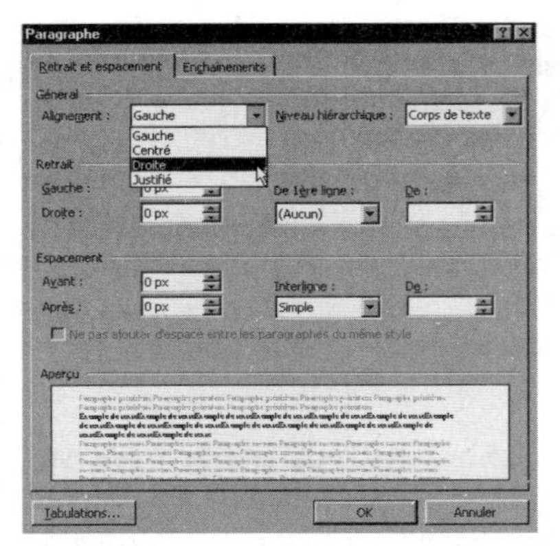

Figure 6.2 : Vous pouvez sélectionner un type d'alignement dans la boîte de dialogue Paragraphe.

Pour annuler la mise en forme des paragraphes et revenir aux options par défaut, sélectionnez le paragraphe concerné, puis appuyez sur les touches Ctrl+Q.

Les retraits

Par défaut, un paragraphe commence à la marge gauche et se termine à la marge droite. Si, une fois la marge droite atteinte, le paragraphe n'est pas terminé, Word passe automatiquement à la ligne, comme vous l'avez déjà appris au début de ce chapitre.

S'il est exact que cette présentation "linéaire" du texte en assure une bonne lisibilité, il n'en reste pas moins qu'il est parfois nécessaire de créer des retraits pour donner un peu plus d'originalité au document. Un retrait consiste à déplacer, à gauche ou à droite, le début d'un paragraphe.

Les retraits concernent soit la totalité du paragraphe, soit la première ligne de celui-ci. Plusieurs méthodes sont proposées

pour gérer les retraits. Après avoir sélectionné le paragraphe concerné, utilisez les boutons **Augmenter le retrait** et/ou **Diminuer le retrait** dans la barre d'outils Mise en forme.

Avant d'étudier les différentes façons de définir les retraits, regardez la Figure 6.3 qui permet de visualiser les différents retraits possibles.

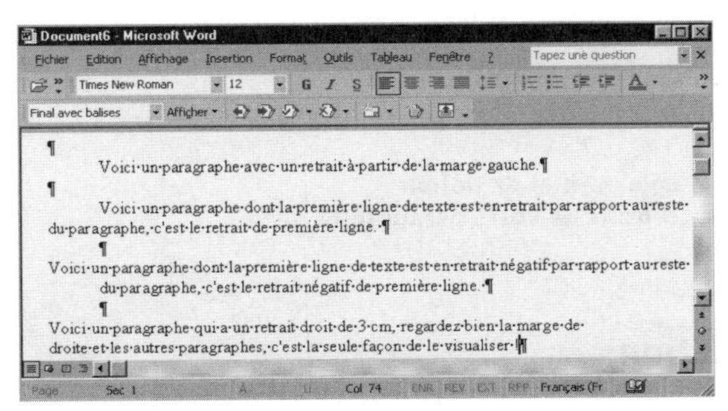

Figure 6.3 : Différents retraits proposés par Word.

Pour définir les retraits de votre paragraphe, vous pouvez aussi utiliser la boîte de dialogue Paragraphe. Pour l'ouvrir, sélectionnez le paragraphe, puis cliquez du bouton droit dans la sélection et sélectionnez **Paragraphe**, ou cliquez sur **Format**, **Paragraphe**. Si nécessaire, cliquez sur l'onglet **Retrait et espacement** (voir Figure 6.4). Dans la zone Retrait, sélectionnez les options de retraits. Cliquez sur **OK** pour valider votre choix.

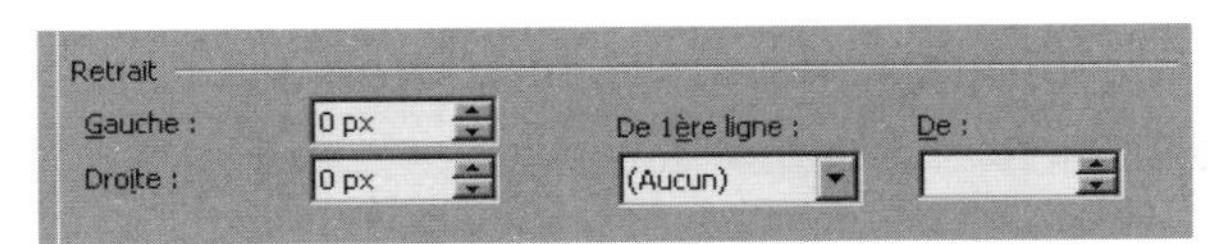

Figure 6.4 : La zone Retrait dans la boîte de dialogue Paragraphe permet de définir rapidement la taille exacte de votre retrait.

Définir les retraits à l'aide de la règle

Word propose une mise en forme des retraits encore plus rapide : les indicateurs de la règle. Pour cela, vous devez au préalable afficher la règle. Sélectionnez **Affichage**, **Règle** (Figure 6.5). Après avoir sélectionné le paragraphe concerné, utilisez les indicateurs comme indiqué à la Figure 6.5.

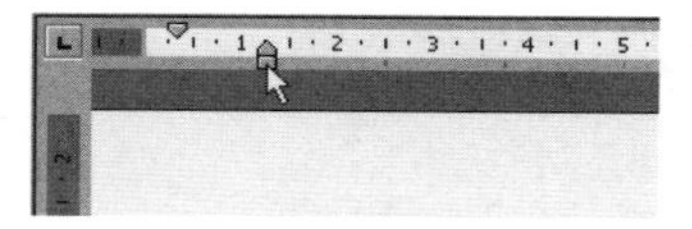

Figure 6.5 : La règle permet de définir rapidement les retraits de votre paragraphe.

Les tabulations

Word propose, avec ses tabulations, d'aligner parfaitement un texte sur plusieurs paragraphes. Par défaut, presser la touche Tab déplace le curseur de 1,25 cm en 1,25 cm et aligne le texte à gauche. Word propose différents taquets de tabulation. Le premier taquet de tabulation par défaut est la tabulation à gauche, il s'affiche à gauche de la règle. Pour modifier le type de tabulation, il suffit de cliquer sur ce taquet dans la règle. Le deuxième taquet de tabulation est la tabulation centrée ; le troisième est la tabulation à droite ; le dernier est la tabulation décimale. La Figure 6.6 permet de visualiser rapidement, *in situ*, les différents taquets de tabulation.

Figure 6.6 : Les différentes tabulations proposées par Word.

Personnaliser les taquets de tabulation

En plus des différents types de tabulations proposées, vous pouvez parfaitement définir vos propres taquets de tabulation.

Pour poser un taquet de tabulation, procédez comme suit :

1. Après avoir placé le curseur dans le paragraphe concerné, cliquez sur le taquet dans la règle pour définir un type de tabulation.
2. Cliquez dans la règle à l'endroit où vous souhaitez placer la tabulation.

Si vous ne sélectionnez pas le paragraphe dans lequel vous souhaitez poser un taquet de tabulation, les tabulations définies s'appliqueront à tous les paragraphes placés après le paragraphe dans lequel vous avez déterminé les taquets de tabulation.

Pour poser un taquet de tabulation, vous pouvez aussi utiliser la boîte de dialogue Tabulations. Sélectionnez le paragraphe concerné, ouvrez le menu **Format**, **Paragraphe**, puis cliquez sur le bouton **Tabulations** (voir Figure 6.7). Vous pouvez aussi double-cliquer sur l'une des tabulations existantes pour ouvrir la boîte de dialogue Tabulations. Dans la zone Position, définissez l'emplacement de votre tabulation. Dans la zone Alignement, choisissez le type de tabulation. Cliquez sur le bouton **Définir**, puis sur **OK** pour valider vos choix.

Pour déplacer un taquet de tabulation, sélectionnez le paragraphe concerné puis, dans la règle, cliquez sur le taquet de tabulation que vous souhaitez déplacer et faites-le glisser à l'endroit voulu.

Pour supprimer un taquet de tabulation, sélectionnez le paragraphe concerné puis, dans la règle, cliquez sur le taquet de tabulation que vous souhaitez supprimer et faites-le glisser en dehors de la règle.

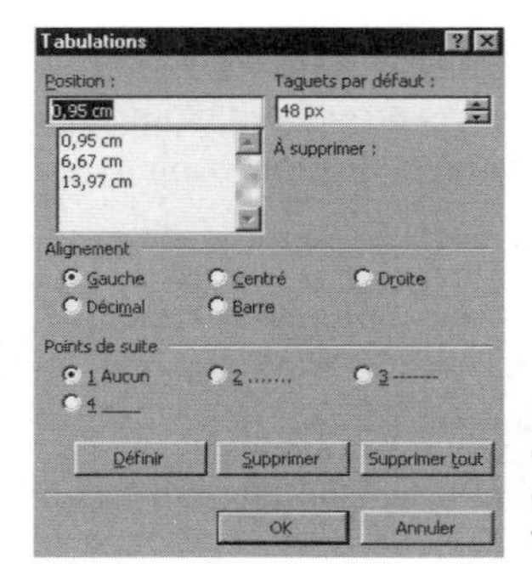

Figure 6.7 : La boîte de dialogue Tabulations permet de définir rapidement une tabulation personnalisée.

Les points de suite

Les points de suite sont des caractères (par exemple un point, un trait, etc.) qui servent à combler les espaces laissés vierges entre une tabulation et du texte.

Pour poser des points de suite, procédez comme suit :

1. Sélectionnez le paragraphe concerné. Ouvrez le menu **Format**, **Tabulations**.
2. Dans la zone Position, indiquez l'emplacement de la nouvelle tabulation. Cliquez sur le type voulu dans la zone Points de suite (voir Figure 6.8). Cliquez sur **OK** pour valider votre choix.
3. Appuyez sur la touche **Tab**. Saisissez le texte (numéro de page, référence, etc.).

Figure 6.8 : Définissez les points de suite dans la boîte de dialogue Tabulations. Ici, un exemple d'utilisation des points de suite dans un sommaire.

Les listes pointées

Les listes pointées permettent de faire visuellement ressortir un texte particulier. Ainsi, votre lecteur n'aura pas à se plonger dans une lecture assidue : les points importants étant dégagés par la liste pointée, ils lui sauteront aux yeux.

Pour créer rapidement une liste pointée, utilisez les boutons **Liste numérotée** ou **Liste à puce** proposés dans la barre d'outils Mise en forme (voir Tableau 6.1). Lorsque vous cliquez sur l'un de ces boutons, Word insère un numéro ou une puce (élément graphique). Chaque fois que vous avez saisi un des items de la liste, il suffit d'appuyer sur la touche **Entrée** pour faire apparaître le numéro suivant ou une nouvelle puce. Lorsque vous avez fini de saisir la liste pointée, pressez la touche **Retour arrière**, ou cliquez sur le bouton de liste dans la barre d'outils Mise en forme pour le désactiver.

Modifier la liste pointée

Vous pouvez parfaitement modifier la puce (ou le type de numéro) affichée dans la liste pointée. Pour cela, après avoir sélectionné les paragraphes concernés, ouvrez le menu **Format**, **Puces et numéros**. Dans la boîte de dialogue Puces et numéros (voir Figure 6.9), cliquez sur l'onglet correspondant à votre choix (**Avec puces** ou **Numéros**). Cliquez sur le type de puce (ou de numéro) adéquate, puis sur **OK** pour valider votre choix.

Si les puces graphiques proposées dans l'onglet **Avec puces** de la boîte de dialogue Puces et numéros ne vous conviennent pas, vous pouvez personnaliser vos puces. Pour cela, ouvrez la boîte de dialogue Puces et numéros puis, dans l'onglet **Avec puces**, cliquez sur le bouton **Personnaliser** (voir Figure 6.10). Cliquez sur la puce correspondant à votre choix pour la sélectionner dans la zone **Puce à utiliser**. Si vous souhaitez afficher d'autres choix, cliquez sur le bouton **Symbole**. Une fois votre choix fait, cliquez sur **OK** pour le valider.

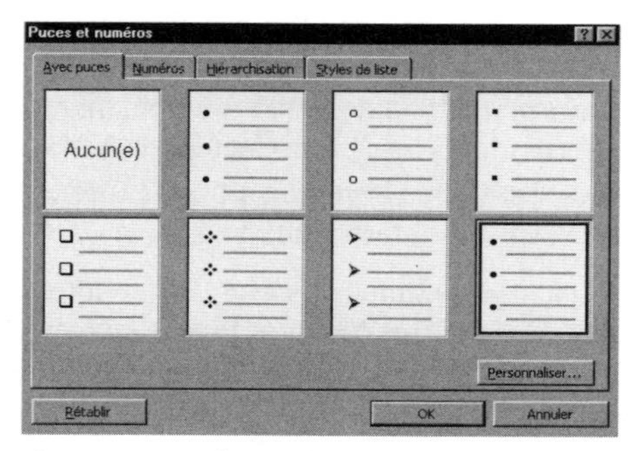

Figure 6.9 : La boîte de dialogue Puces et numéros permet de modifier la puce ou le numéro de votre liste pointée.

Pour transformer rapidement une liste pointée en texte normal, sélectionnez les paragraphes concernés puis, dans la barre d'outils Mise en forme, cliquez sur le bouton correspondant à la liste pointée active pour le désactiver.

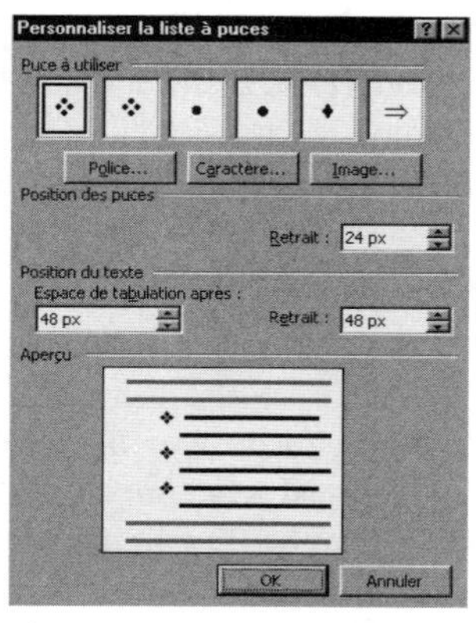

Figure 6.10 : Vous pouvez personnaliser vos puces dans la boîte de dialogue Puces et numéros.

L'interligne et l'espacement

Les options d'interligne et d'espacement permettent de définir, pour l'une, les intervalles entre les lignes du paragraphe, et pour l'autre, les intervalles entre le paragraphe concerné et celui qui le précède et/ou celui qui le suit.

Pour modifier l'espacement et l'interligne d'un paragraphe, procédez comme suit :

1. Sélectionnez le paragraphe concerné. Cliquez sur **Format**, **Paragraphe**.
2. Cliquez sur l'onglet **Retrait et espacement**. Dans la zone Espacement, définissez les espaces avant et après le paragraphe dans les options appropriées.
3. Dans la zone Interligne, définissez l'interligne voulu. Cliquez sur **OK** pour valider vos choix.

Les enchaînements

Lorsque vous réalisez un document, vous pouvez préférer, par exemple, que certains paragraphes ne soient pas séparés les uns des autres, ou encore qu'un paragraphe ne soit pas scindé sur deux marges. C'est la fonction Enchaînements qui gère ce type de mise en forme.

Pour paramétrer les enchaînements de votre paragraphe, procédez comme suit :

1. Sélectionnez le paragraphe concerné. Ouvrez le menu **Format**, **Paragraphe**.
2. Cliquez sur l'onglet **Enchaînements** (voir Figure 6.11). Dans la zone Pagination, sélectionnez les options voulues :

   – **Eviter veuves et orphelines.** Permet d'empêcher que la dernière ligne d'un paragraphe apparaisse seule en haut d'une page ou que la première ligne figure seule au bas d'une page.

- **Lignes solidaires.** Permet d'empêcher qu'un paragraphe ne soit coupé.
- **Paragraphes solidaires.** Permet que le paragraphe précédent et le paragraphe suivant se trouvent sur la même page que le paragraphe sélectionné.
- **Saut de page avant.** Insère un saut de page avant le paragraphe sélectionné.

3. Cliquez sur **OK** pour valider vos choix.

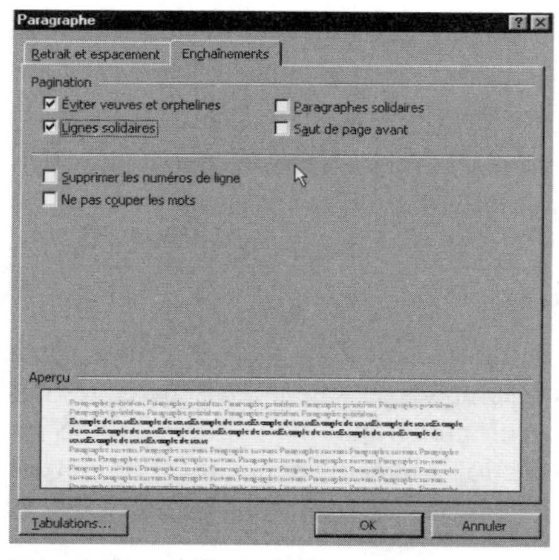

Figure 6.11 : Définissez la façon dont vont s'enchaîner les différents paragraphes de votre document dans la boîte de dialogue Paragraphe, onglet Enchaînements.

Les bordures et trames

Les fonctions **Bordure et trame** permettent d'encadrer un paragraphe et de le tramer (colorer l'arrière-plan). Elles sont utiles pour mettre en valeur une partie de votre texte. Pour créer la

bordure et la trame d'un paragraphe, après avoir sélectionné celui-ci, cliquez sur **Format**, **Bordure et trame**. Cliquez sur l'onglet **Bordures** (voir Figure 6.12). Après avoir sélectionné le style de la bordure, choisissez le type d'encadrement voulu dans la zone Type. Vous pouvez modifier la couleur et la largueur de la bordure. Si vous souhaitez tramer l'intérieur du paragraphe, cliquez sur l'onglet **Trame de fond** (voir Figure 6.13). Définissez la couleur de remplissage, le style de la trame, puis cliquez sur **OK** pour valider vos choix.

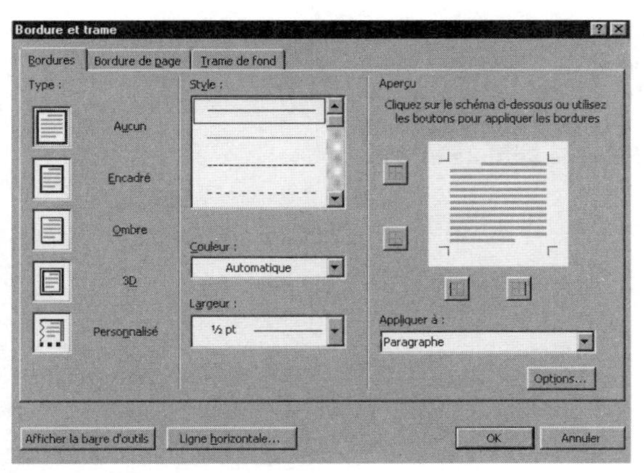

Figure 6.12 : L'onglet Bordures de la boîte de dialogue Bordure et trame.

Pour supprimer une bordure, cliquez sur Format, Bordure et trame. Cliquez sur l'onglet Bordures, puis sélectionnez Aucune dans le style de la bordure. Cliquez sur OK pour valider votre choix

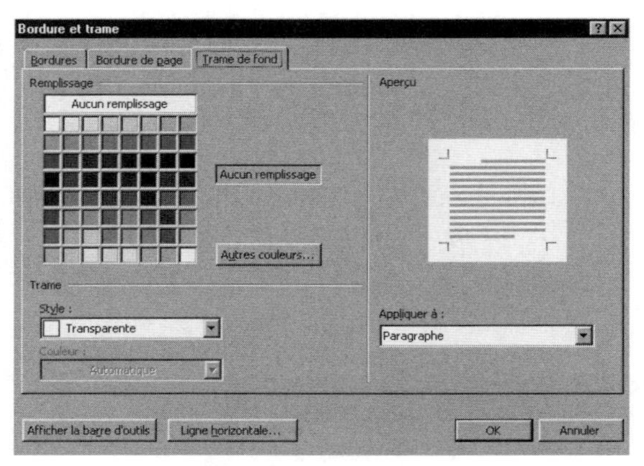

Figure 6.13 : L'onglet Trame de fond de la boîte de dialogue Bordure et trame.

Chapitre 7

La mise en forme des pages

Au sommaire de ce chapitre

- Le mode Plan
- Embellir les pages
- Insérer des images, des sons et des clips animés
- Insérer des sauts de pages et des sauts de sections
- Créer un en-tête et un pied de page
- La mise en pages
- L'aperçu avant impression

Si vous avez suivi les instructions des chapitres précédents, votre document est maintenant parfait. Vous pensez avoir fait tout le nécessaire pour qu'il soit beau, d'une rédaction limpide, sans anomalie et d'une lisibilité parfaite ? Et pourtant, Word permet d'aller encore plus loin en mettant à votre disposition des outils qui permettent une mise en forme absolument exceptionnelle. Après les caractères et les paragraphes, vous allez mettre en forme la page, l'encadrer, y insérer des images, du son, un arrière-plan, etc.

Une fois ces procédures terminées, vous verrez comment gérer la mise en pages de votre document et comment faire pour le visualiser tel qu'il sera imprimé. Ainsi, vous aurez un aperçu exact de son aspect final. Mais, avant de découvrir toutes ces fonctions, apprenez à remanier la structure de votre document à l'aide du mode Plan.

Le mode Plan

Lorsque vous rédigez un document contenant quelques pages, vous n'avez aucunement besoin de visualiser les différents niveaux de celui-ci (titres, sous-titres, etc.). En revanche, lorsque vous réalisez un rapport ou tout autre document contenant beaucoup de pages, le mode Plan est particulièrement utile. Pour mieux comprendre l'utilisation du mode Plan, faisons un parallèle avec la période bénie de votre adolescence. Vous avez encore sans doute en mémoire les conseils prodigués par votre professeur de français. Souvenez-vous : pour rédiger une dissertation qui "tient la route" et pour donner raison au vieil adage "ce qui se conçoit bien s'énonce aisément", la seule méthode valable est de réaliser un plan avant de se lancer dans la rédaction. Introduction, thèse, antithèse, synthèse et conclusion. Les concepteurs de Word s'en sont souvenu pour créer le mode Plan.

Tout d'abord, affichez votre document en mode Plan ; pour cela, cliquez sur **Affichage**, **Plan** (voir Figure 7.1). Deux possibilités s'offrent à vous : soit vous réalisez au préalable votre plan (voir plus haut), soit vous vérifiez sa structure une fois le document créé. Vous pouvez aussi accéder au mode Plan en cliquant sur le bouton **Plan** situé à l'extrême gauche de la barre de défilement horizontale.

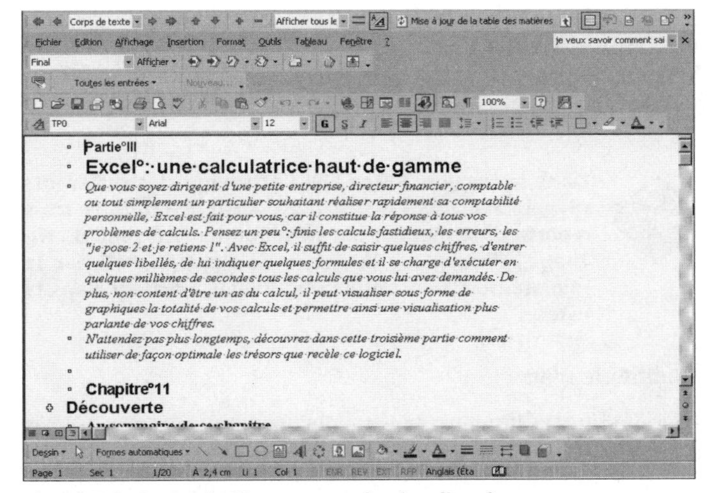

Figure 7.1 : Le mode Plan permet de visualiser les différents titres et sous-titres de votre document.

Travailler en mode Plan

Vous venez de voir que le mode Plan permet de modifier la structure hiérarchique d'un document. Voyons maintenant comment procéder à ces modifications, après avoir sélectionné le niveau concerné :

Pour hausser d'un niveau, cliquez sur le bouton **Hausser d'un niveau**.

Pour abaisser d'un niveau, cliquez sur le bouton **Abaisser d'un niveau**.

Pour transformer un niveau en titre 1, cliquez sur le bouton **Promouvoir au titre 1**.

Pour transformer un titre en corps de texte, cliquez sur le bouton **Abaisser en corps de texte**.

Pour déplacer un texte vers le haut, cliquez sur le bouton **Monter**.

Pour déplacer un texte vers le bas, cliquez sur le bouton **Descendre**.

Dans la version 2002 (XP), l'affichage des différents niveaux n'est plus accessible à partir de boutons, mais à partir d'un menu. Pour sélectionner le niveau d'affichage, cliquez sur la flèche de l'option Afficher le niveau, puis sélectionnez le niveau à activer dans la liste.

Modifier le plan

Pour modifier la structure de votre document, vous devez utiliser les boutons proposés dans la barre d'outils mode Plan qui viennent d'être décrits (voir Tableau 7.1). Mais, dans certains cas, il sera nécessaire que vous déplaciez certains titres.

Pour déplacer rapidement un titre ainsi que son contenu (sous-titres et texte) sans utiliser les boutons de la barre d'outils mode Plan, pointez en regard du titre concerné, puis cliquez sur la croix qui s'affiche et faites-la glisser vers le haut ou vers le bas.

Lorsque vous déplacez un titre, quel que soit son niveau, vous déplacez en même temps tous les titres de niveau inférieur qu'il contient ainsi que le texte qui y est associé.

Embellir les pages

En plus de la mise en forme des caractères et des paragraphes, Word propose certaines commandes pour embellir votre page. Ainsi, vous pouvez encadrer celle-ci en totalité, afficher un arrière-plan en couleur ou en image, etc.

L'encadrement de la page

Pour encadrer votre page, utilisez la fonction Bordure et trame (voir Chapitre 6 pour plus de détail). Dans la page, cliquez sur **Format**, **Bordure et trame**. Cliquez sur l'onglet **Bordure de page** (voir Figure 7.2). Sélectionnez le type de bordure dans la zone appropriée, puis choisissez le style, la couleur et la largeur de la bordure. Vous pouvez choisir un motif pour l'encadrement de votre page dans la liste déroulante Motifs. L'option **Appliquer à** permet, en cliquant sur sa flèche, de sélectionner les pages sur lesquelles vous souhaitez appliquer la bordure. Vous pouvez aussi définir la place de la bordure dans la page, l'encadrement des en-tête et pied de page, etc., en cliquant sur le bouton **Options**. Une fois que vous avez terminé de définir l'encadrement de votre page, cliquez sur **OK** pour valider les différents choix.

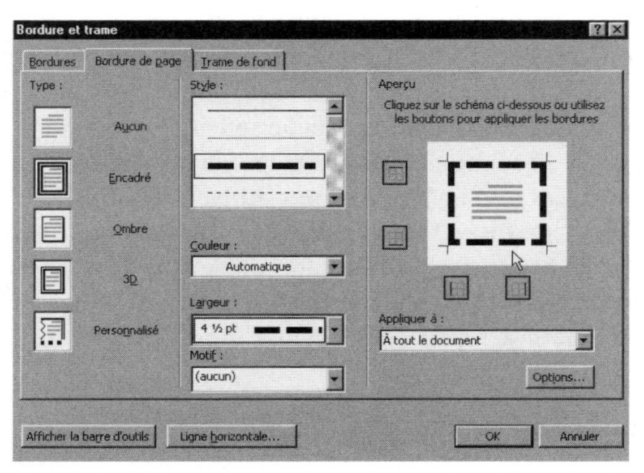

Figure 7.2 : L'encadrement de page se fait dans la boîte de dialogue Bordure et trame, onglet Bordure de page.

Pour supprimer l'encadrement d'une page, dans la boîte de dialogue Bordure et trame, onglet Bordure de page, sélectionnez Aucun dans la zone Type, puis cliquez sur OK pour valider la suppression.

L'arrière-plan en couleur

Vous pouvez affecter un arrière-plan à votre page ou à l'ensemble de votre document. Sachez que l'arrière-plan choisi ne s'imprime pas et qu'il n'apparaît que dans le mode Web (voir Chapitre 4). Cette fonction est donc intéressante lorsque vous envoyez votre document sur l'intranet de votre société, sur le Web, ou encore si vous le faites parvenir enregistré sur disquette à votre correspondant.

Pour définir l'arrière-plan de votre page ou de votre document, cliquez sur **Format**, **Arrière-plan**. Dans le menu en cascade qui s'ouvre, cliquez sur la couleur d'arrière-plan voulue (voir Figure 7.3). L'option **Autres couleurs** permet d'ouvrir une boîte de dialogue proposant deux onglets. L'onglet **Standard** permet de sélectionner une autre couleur, tandis que l'onglet **Personnalisé** permet de définir exactement la couleur retenue en indiquant le pourcentage de chacune des couleurs la composant. Si une simple couleur d'arrière-plan ne paraît pas suffisante, cliquez sur l'option **Motifs et textures** (voir Figure 7.4). Dans la boîte de dialogue Motifs et textures et ses différents onglets, vous pouvez choisir un dégradé, une texture particulière (gouttelettes, mosaïque, etc.) ou un motif. Cliquez sur **OK** pour valider vos choix.

L'arrière-plan en image

Vous pouvez aussi choisir d'afficher une image en arrière-plan. Celle-ci apparaîtra en filigrane sur la totalité de la page. Deux possibilités s'offrent à vous : soit vous insérez une image que vous avez sauvegardée sur votre propre ordinateur, soit vous

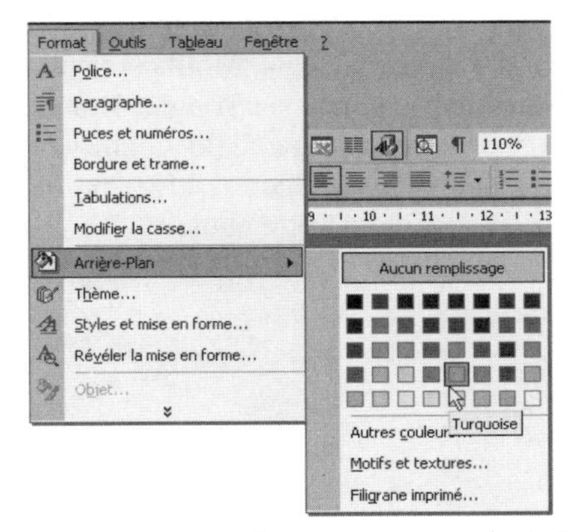

Figure 7.3 : Dans le menu en cascade de la commande Arrière-plan, sélectionnez la couleur d'arrière-plan.

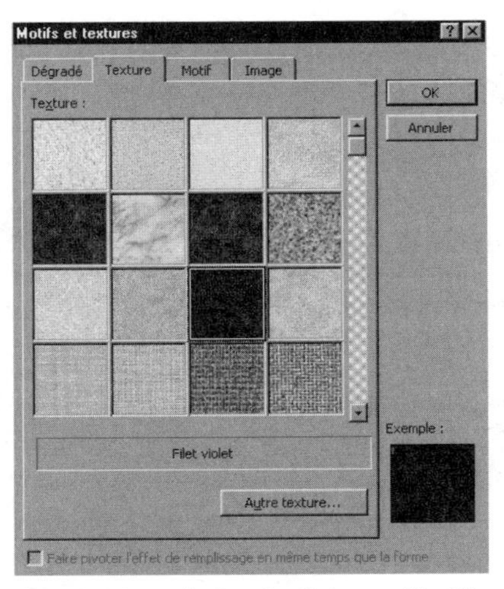

Figure 7.4 : La boîte de dialogue Motifs et textures permet de sélectionner un arrière-plan plus élaboré pour votre page ou votre document.

insérez une image du ClipArt (voir Partie I). Pour choisir une image d'arrière-plan, ouvrez la boîte de dialogue Motifs et textures comme indiqué précédemment. Cliquez sur l'onglet **Image** (voir Figure 7.5), puis sur le bouton **Image**. Sélectionnez le fichier contenant l'image que vous souhaitez afficher en arrière-plan. Cliquez sur **OK** pour valider votre choix.

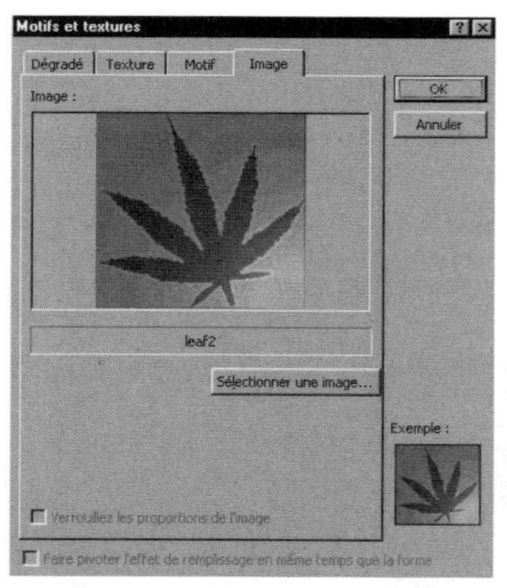

Figure 7.5 : L'onglet Image de la boîte de dialogue Motifs et textures permet de sélectionner une image sauvegardée sur votre disque dur.

Pour supprimer un arrière-plan (couleur, motif ou image), cliquez sur Format, Arrière-plan. Dans le menu en cascade, cliquez sur Aucun remplissage.

Un texte en arrière-plan

Si vous pensez qu'une image serait malvenue et qu'une couleur le serait encore plus, vous pouvez parfaitement placer un texte stylisé en arrière-plan dans les pages du document.

Pour définir un texte en arrière-plan, procédez comme suit :

1. Cliquez sur **Format**, **Arrière-plan**, **Filigrane imprimé**. Activez l'option **Texte en filigrane**.
2. Pour choisir un texte, cliquez sur la flèche de l'option Texte, puis sélectionnez le texte à afficher en arrière-plan. Pour définir un texte personnel, saisissez-le dans cette zone. Ensuite, choisissez la police, la taille, la couleur et la disposition du texte. Validez par **OK**.

Figure 7.6 : Dans la nouvelle version, vous pouvez afficher un texte en arrière-plan.

Insérer des images, des sons et des clips animés

Word permet d'insérer du son, des images et même des clips animés, tous proposés dans le ClipArt d'Office 2002. Les procédures ont été étudiées dans la Partie I de cet ouvrage ; elles sont communes à l'ensemble des logiciels d'Office.

La modification d'une image

Lorsque vous avez inséré une image dans un document, il est rare qu'elle soit d'emblée de la taille voulue ou à l'emplacement exact. Pour agir sur une image, vous devez la sélectionner en cliquant dessus. Elle s'entoure alors de petits carrés (poignées).

Pour supprimer une image, cliquez dessus pour la sélectionner, puis pressez la touche Suppr.

Pour redimensionner une image, cliquez sur l'une des poignées qui l'entourent, puis faites glisser dans le sens requis selon que vous souhaitez l'agrandir ou la diminuer.

Pour déplacer une image, il suffit de cliquer dessus puis, lorsque le pointeur se transforme en croix à quatre flèches, de faire glisser à l'endroit voulu.

Pour placer ou redimensionner plus précisément une image, cliquez du bouton droit dans l'image, puis sélectionnez Format de l'image. Cliquez sur l'onglet Taille et définissez la taille exacte de l'image. Cliquez sur l'onglet Position et définissez l'emplacement exact de l'image. Cliquez sur OK pour valider vos choix.

Il existe bien d'autres possibilités de modifier une image, mais la meilleure solution consiste à utiliser la barre d'outils Image. Pour l'afficher, cliquez du bouton droit dans la zone vierge d'une barre d'outils et sélectionnez **Image**. Le Tableau 7.1 décrit les différents boutons proposés dans cette barre.

Tableau 7.1 : Les boutons de la barre d'outils Image

Bouton	Description
	Permet d'insérer un fichier situé sur votre disque dur qui contient une image.
	Permet d'ouvrir une liste déroulante à partir de laquelle vous choisissez un affichage en noir et blanc, en dégradé de gris ou en filigrane.
	Permet d'augmenter le contraste de l'image.
	Permet de diminuer le contraste de l'image.
	Permet d'augmenter la luminosité de l'image.
	Permet de diminuer la luminosité de l'image.
	Permet de recadrer l'image.
	Permet de faire pivoter l'image.
	Permet d'encadrer l'image.
	Permet de compresser l'image.
	Ouvre un menu déroulant qui permet de choisir des options pour gérer le texte par rapport à l'image (par exemple insérer l'image à l'intérieur du paragraphe, le texte se plaçant tout autour).
	Permet d'ouvrir la boîte de dialogue Format de l'image (ou de l'objet) et de modifier la taille, l'emplacement, etc., de l'image.
	Permet de rendre transparente l'une des couleurs de l'image.
	Permet d'annuler toutes les modifications que vous avez faites sur l'image (affiche l'image telle qu'elle était lorsque vous l'avez insérée).

Le bouton Rétablir permet d'afficher l'image telle qu'elle a été insérée au départ. Cependant, si vous avez effectué des modifications sur l'image et que vous les ayez enregistrées, le bouton Rétablir affichera l'image telle qu'elle était lors du dernier enregistrement, en tenant compte des modifications.

L'insertion de son

Le ClipArt propose quelques fichiers son pour sonoriser votre document. Bien sûr, cette fonction n'est intéressante que pour les documents devant être publiés sur le Web ou bien transmis par disquette.

Pour insérer du son dans un document, cliquez sur **Insertion**, **Image**. Dans le menu en cascade, cliquez sur **Images de la bibliothèque**, puis sur l'onglet **Sons**. Les sons sont regroupés en catégories. Pour voir le contenu d'une catégorie, il suffit de cliquer dessus. Une fois votre choix défini, cliquez sur le fichier son retenu puis, tout en maintenant le bouton de la souris enfoncé, faites-le glisser dans le document. Relâchez le bouton.

Si vous souhaitez trouver d'autres fichiers son, connectez-vous à Internet, puis cliquez sur Clips en ligne dans la barre d'outils.

L'insertion de clips animés

Le ClipArt propose quelques fichiers de clips animés pour animer votre document. Bien sûr, cette fonction n'est intéressante que pour les documents devant être publiés sur le Web ou bien transmis par disquette.

Pour insérer un clip animé dans un document, cliquez sur **Insertion**, **Image**. Dans le menu en cascade, cliquez sur **Images de la bibliothèque**, puis sur l'onglet **Clips animés**. Les clips animés

sont regroupés en catégories. Pour voir le contenu d'une catégorie, il suffit de cliquer dessus. Une fois votre choix défini, cliquez sur le fichier de clip animé voulu puis, tout en maintenant le bouton de la souris enfoncé, faites-le glisser dans le document. Relâchez le bouton.

Insérer des sauts de pages et des sauts de sections

Dans Word, la saisie se fait au kilomètre, ce qui implique que Word déclenche automatiquement le passage à la ligne lorsque la marge de droite est atteinte et un saut de page quand la marge du bas l'est aussi. Cependant, vous pouvez insérer manuellement un saut de page lorsque cela vous semble nécessaire.

L'insertion d'un saut de page

Pour créer un saut de page, à l'endroit voulu, cliquez sur **Insertion**, **Saut** (voir Figure 7.7). Sélectionnez **Saut de page**, puis cliquez sur **OK** pour valider l'insertion du saut de page.

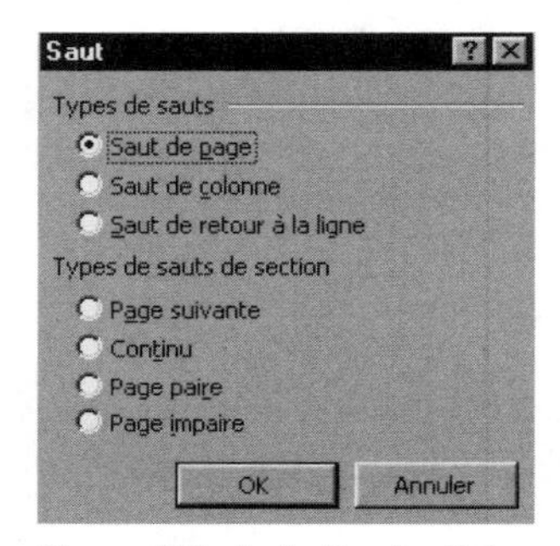

Figure 7.7 : La boîte de dialogue Saut permet de sélectionner le type de saut.

L'insertion d'un saut de section

Lorsque vous avez scindé votre document en plusieurs parties, par exemple en colonnes (voir Chapitre 9) et que vous souhaitez placer un saut à la fin d'une colonne pour passer à la suivante, vous devez insérer un saut de section. Ouvrez la boîte de dialogue Saut en cliquant sur **Insertion**, **Saut**. Dans la zone **Saut de section**, choisissez une option, puis cliquez sur **OK** pour valider votre choix.

Les options proposées dans la zone Saut de section sont les suivantes :

- **Page suivante.** Insère un saut de page.
- **Continu.** Insère un saut de colonne.
- **Page paire.** Insère un saut de page de telle sorte que le texte reprenne sur une page paire.
- **Page impaire.** Insère un saut de page de telle sorte que le texte reprenne sur une page impaire.

Créer un en-tête et un pied de page

Lorsque vous réalisez un document comprenant beaucoup de pages, il est préférable d'insérer un en-tête et/ou un pied de page pour permettre à vos lecteurs de se repérer plus rapidement dans le document et de se rendre plus vite à l'endroit qui les intéresse. Dans les en-têtes et les pieds de page, vous pouvez insérer toute sorte d'informations, telles que le titre du document ou d'une partie, la date de création, le numéro du chapitre, de la page, le nombre total de pages du document, le nom du rédacteur, etc.

L'insertion d'un en-tête et d'un pied de page

Pour insérer un en-tête ou un pied de page, cliquez sur **Affichage**, **En-tête et pied de page**. Une barre d'outils spécifiques s'affiche. L'en-tête apparaît encadré en pointillé (Figure 7.8). Vous n'avez plus qu'à saisir le libellé de votre en-tête, puis à utiliser les différents boutons de la barre d'outils En-tête et pied de page (voir Tableau 7.2).

Tableau 7.2 : Les options de la barre d'outils En-tête et pied de page

Bouton	Description
Insertion automatique ▾	Ouvre une liste déroulante permettant d'insérer automatiquement des champs spécifiques, tels que : nom de fichier, emplacement, etc.
	Permet d'insérer un numéro de page.
	Permet d'insérer le nombre de pages du document.
	Ouvre une boîte de dialogue dans laquelle vous pouvez paramétrer la numérotation de votre document.
	Permet d'insérer la date système (horloge interne de votre ordinateur).
	Permet d'insérer l'heure effective de votre horloge interne.
	Ouvre la boîte de dialogue Mise en page dans laquelle vous pouvez déterminer un en-tête ou un pied de page impair ou pair, ou encore un en-tête et pied de page différent pour la première page.
	Permet d'afficher ou de masquer la totalité du document.

Tableau 7.2 : Les options de la barre d'outils En-tête et pied de page ***(suite)***

Bouton	Description
	Permet d'affecter à une section les mêmes en-tête et pied de page que la section précédente, ou encore de créer une nouvelle section avec de nouveaux en-tête et pied de page.
	Permet de basculer entre l'en-tête et le pied de page de votre document.
	Permet de modifier l'en-tête ou le pied de page précédent.
	Permet de modifier l'en-tête ou le pied de page suivant.
Fermer	Permet de fermer l'en-tête et/ou le pied de page.

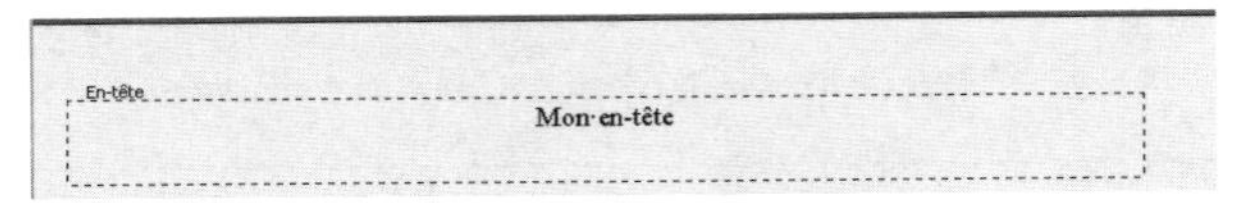

Figure 7.8 : L'en-tête s'affiche en pointillé dans votre page, vous n'avez plus qu'à saisir.

Des en-têtes et pieds de page différents

Il est souvent utile d'afficher plusieurs en-têtes et pieds de page dans votre document. Pour reprendre notre exemple du guide "Réussir sa vie amoureuse", l'en-tête du chapitre concernant la rencontre peut difficilement être le même que celui du chapitre concernant la rupture !

Pour créer un en-tête et un pied de page différents, double-cliquez sur la partie grisée de la règle pour afficher la boîte de dialogue Mise en page. Vous pouvez aussi cliquer sur **Fichier**, **Mise en page**. Cliquez sur l'onglet **Disposition** (voir Figure 7.9).

Dans la zone **En-tête et pied de page**, définissez les options, puis cliquez sur **OK** pour valider votre choix.

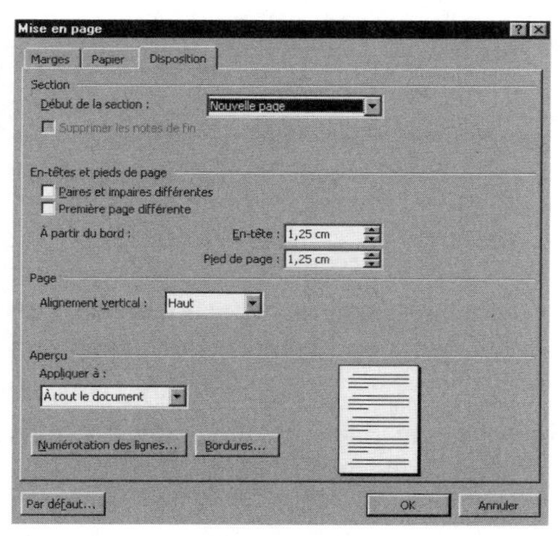

Figure 7.9 : L'onglet Disposition de la boîte de dialogue Mise en page permet de sélectionner les différents types d'en-têtes et de pieds de page.

Pour modifier un en-tête et/ou un pied de page, cliquez sur Affichage, En-tête et pied de page, puis faites vos modifications.

La mise en pages

La mise en pages est la dernière étape avant l'impression de votre document. Vous allez apprendre à définir les marges de votre document, son orientation et sa pagination.

La synthèse du document

Avant de vous lancer dans la mise en pages de votre document, il est intéressant de réaliser une synthèse de celui-ci.

Pour lancer la synthèse de votre document, procédez comme suit :

1. Cliquez sur **Outils**, **Synthèse automatique**. Word analyse votre document, puis affiche la boîte de dialogue Synthèse automatique (voir Figure 7.10).
2. Cliquez sur le type de synthèse requise :
   - **Surligner les points importants.** Permet de surligner dans le document les mots et les phrases qui sont insérés dans la synthèse.
   - **Insérer une synthèse au début du document.** Permet d'afficher la synthèse du document au début de celui-ci, sous le titre Résumé.
   - **Créer un nouveau document.** Crée un nouveau document contenant la synthèse.
   - **Afficher uniquement la synthèse.** Permet de masquer le texte du document et de n'afficher que la synthèse. Pour que le texte s'affiche à nouveau, cliquez sur **Fermer** dans la barre d'outils qui s'est affichée.
3. Indiquez éventuellement le pourcentage de réduction du document dans l'option **Pourcentage de l'original** de la zone Longueur de la synthèse.
4. Cliquez sur **OK** pour lancer la synthèse telle que vous venez de la définir.

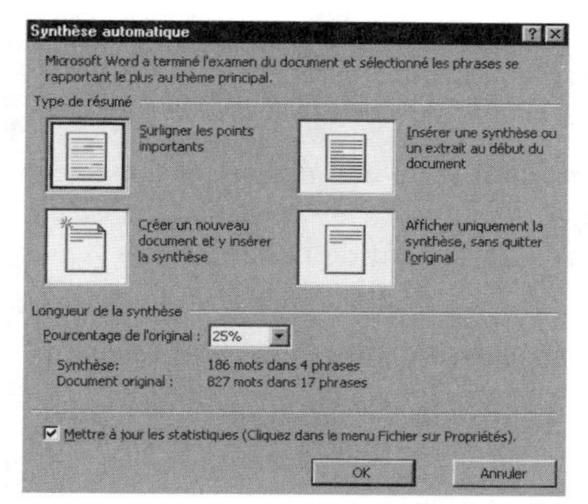

Figure 7.10 : La boîte de dialogue Synthèse automatique permet de configurer la réalisation de la synthèse.

La boîte de dialogue Mise en page

La boîte de dialogue Mise en page regroupe la plupart des options de mise en pages.

Pour l'afficher, procédez comme suit :

1. Cliquez sur **Fichier**, **Mise en page** (voir Figure 7.11). Différentes options s'offrent à vous :
   - **Onglet Marges.** Permet de modifier les marges du document et de définir éventuellement des marges de reliure. L'option **Pages en vis-à-vis** concerne l'impression recto verso. La zone Aperçu visualise les choix définis. L'option **Appliquer à** permet, en cliquant sur la flèche, d'ouvrir une liste déroulante dans laquelle vous sélectionnez la partie du document à laquelle la mise en pages s'applique.
   - **Onglet Papier.** Permet de choisir l'orientation du document (Portrait ou Paysage).

- **Onglet Alimentation du papier.** Permet de définir comment l'imprimante sera alimentée au moment de l'impression.
- **Onglet Disposition.** Permet de définir l'emplacement du texte dans le document (alignements vertical ou horizontal). Vous pouvez aussi y choisir de numéroter les lignes de votre document.

2. Cliquez sur les onglets concernés, puis définissez vos choix.
3. Cliquez sur **OK** pour valider.

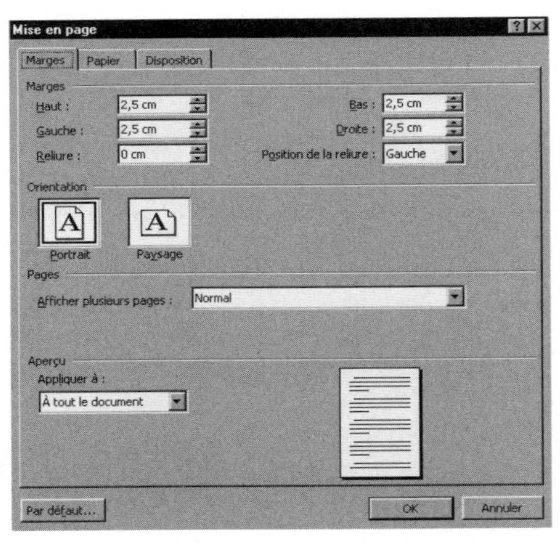

Figure 7.11 : La boîte de dialogue Mise en page regroupe la plupart des options de celle-ci.

La numérotation des pages

Vous avez défini la mise en pages de votre document, vous devez maintenant le paginer. Bien sûr, vous pouvez insérer des numéros de page dans les en-têtes et pieds de page comme vous l'avez

vu dans ce chapitre. Mais, si vous préférez que le numéro de page apparaisse ailleurs que dans l'en-tête ou le pied de page, vous devez utiliser la fonction de pagination.

Pour paginer votre document, procédez comme suit :

1. Cliquez sur **Insertion**, **Numéros de page**. Dans la liste déroulante Position, définissez l'endroit où doit être inséré le numéro de page.
2. Dans la liste déroulante Alignement, définissez l'emplacement exact du numéro de page par rapport aux marges. Désactivez l'option **Commencer la numérotation à la première page** si vous souhaitez que la première page de votre document ne soit pas paginée. Cliquez sur **OK** pour valider vos choix.

Dans la boîte de dialogue Numéros de page, le bouton Format permet de choisir un style de numérotation et de saisir le numéro à partir duquel la numérotation doit commencer.

Pour numéroter les lignes, cliquez sur Fichier, Mise en page. Ensuite, cliquez sur l'onglet Disposition. Cliquez sur le bouton Numérotation des lignes. Dans la boîte de dialogue qui s'affiche, définissez les modalités de numérotation, puis validez.

L'aperçu avant impression

Vous êtes fin prêt à lancer l'impression de vos documents, comme expliqué dans le premier chapitre de cet ouvrage. Auparavant, il est intéressant de visualiser votre document tel qu'il sera imprimé. Pour cela, vous devez ouvrir l'aperçu avant impression. Cette fonction a été abordée dans la Partie I de l'ouvrage ; en voici un descriptif plus pointu. Tout d'abord, sélectionnez **Fichier**, **Aperçu avant impression** (voir Figure 7.12).

Le document s'affiche en pleine page dans l'aperçu. Une barre d'outils spécifiques apparaît. Reportez-vous au Tableau 7.3 pour découvrir comment utiliser les boutons qu'elle propose.

Tableau 7.3 : Les boutons de la barre d'outils Aperçu avant impression

Bouton	Description
	Permet de lancer l'impression.
	Permet de sélectionner la loupe qui est active par défaut. Pour une vue rapprochée, cliquez à l'aide de la loupe dans le document.
	Permet d'afficher une seule page du document.
	Permet d'afficher plusieurs pages du document.
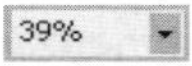 39%	Permet de choisir le pourcentage exact du zoom.
	Permet de masquer ou d'afficher la règle dans l'aperçu.
	Permet de diminuer la taille d'un document en réduisant automatiquement la taille de la police.
	Permet d'afficher le document en mode Plein écran.
 Fermer	Permet de fermer l'aperçu avant impression.
	Permet d'afficher une aide contextuelle.

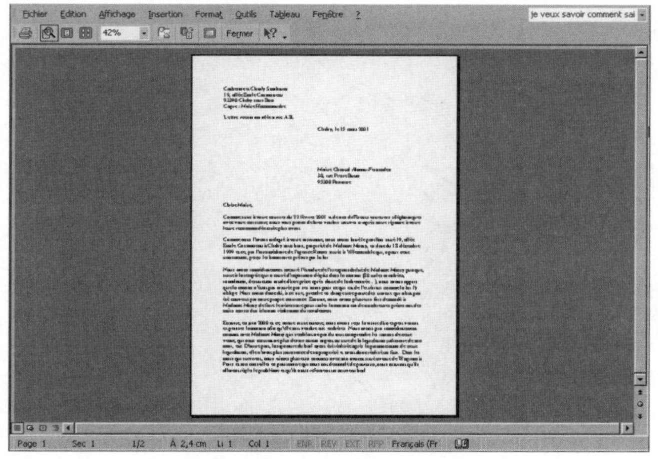

Figure 7.12 : L'aperçu avant impression permet de visualiser le document exactement comme il sera imprimé.

Chapitre 8

Les tableaux et les colonnes

Au sommaire de ce chapitre

- Créer un tableau
- Se déplacer dans un tableau
- La sélection à l'intérieur d'un tableau
- Structurer un tableau
- La mise en forme des tableaux
- Les calculs et les tris
- Créer des colonnes

Il est préférable d'utiliser un tableau pour présenter les informations plutôt que les listes à puces ou les tabulations : les informations sont ainsi plus claires. Vous allez, dans ce chapitre, apprendre à créer des tableaux, à les mettre en forme et à y effectuer des calculs.

Les colonnes, quant à elles, permettent de diviser votre page en plusieurs zones. Vous pouvez créer un journal, insérer des images, et créer ainsi un document digne des meilleurs maquettistes.

Créer un tableau

Chaque fois que vous avez des difficultés pour aligner deux blocs de texte ou tous autres éléments, ayez recours à la fonction Tableau. Les tableaux de Word sont extrêmement simples à créer et permettent une organisation rationnelle des informations. Un tableau est composé de lignes et de colonnes. Les intersections de celles-ci forment des cellules. Vous allez apprendre toutes les techniques proposées par Word pour créer rapidement vos tableaux.

Dessiner un tableau

Cette technique permet de créer le plan général de votre tableau. Une fois ce cadre réalisé, vous le découpez en plusieurs parties en traçant des lignes et des colonnes. Cette méthode n'est pas la plus pratique, mais elle est la plus personnalisée.

Pour dessiner un tableau, procédez comme suit :

1. Sélectionnez **Tableau**, **Dessiner un tableau**. L'affichage passe en mode Page, une barre d'outils spécifiques s'affiche et le pointeur se transforme en crayon.
2. Cliquez dans la page à l'endroit où vous souhaitez insérer le tableau. Faites glisser pour dessiner un rectangle qui constituera le cadre de votre tableau (voir Figure 8.1). Dessinez les lignes et les colonnes pour compléter votre tableau.

Afin de personnaliser vos lignes et vos colonnes, vous pouvez sélectionnez la mise en forme de celles-ci dans la barre d'outils Tableaux et bordures avant de les dessiner.

3. Une fois que vous avez terminé votre "dessin", sélectionnez à nouveau **Tableau**, **Dessiner un tableau** afin que le pointeur retrouve sa forme initiale.

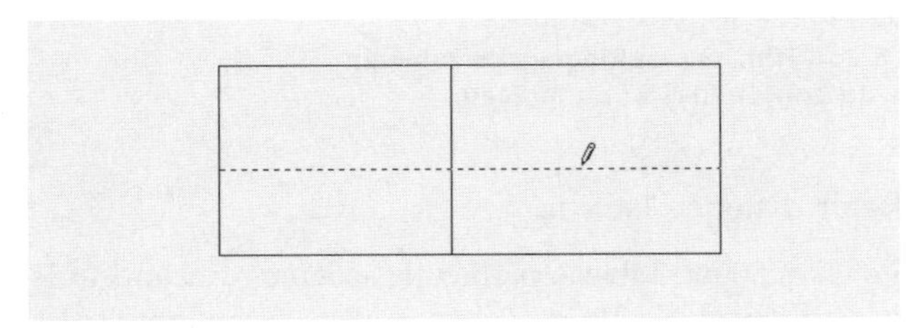

Figure 8.1 : La fonction Dessiner un tableau permet de tracer vous-même le cadre de votre tableau.

Ayez recours à la gomme pour effacer les lignes ou les colonnes que vous avez mal dessinées. Ce bouton est accessible dans la barre d'outils Tableaux et bordures.

Insérer un tableau

Pour créer rapidement un tableau, il suffit de cliquer sur le bouton Insérer un tableau dans la barre d'outils Standard. Une boîte de dialogue s'affiche ; elle représente les lignes et les colonnes du tableau (voir Figure 8.2). Vous n'avez qu'à définir le nombre de lignes et de colonnes requises. La description textuelle du nombre de lignes et de colonnes sélectionnées s'affiche au bas de cette boîte de dialogue cadre. Une fois que vous avez terminé, validez : Word insère dans votre page le tableau que vous venez de définir.

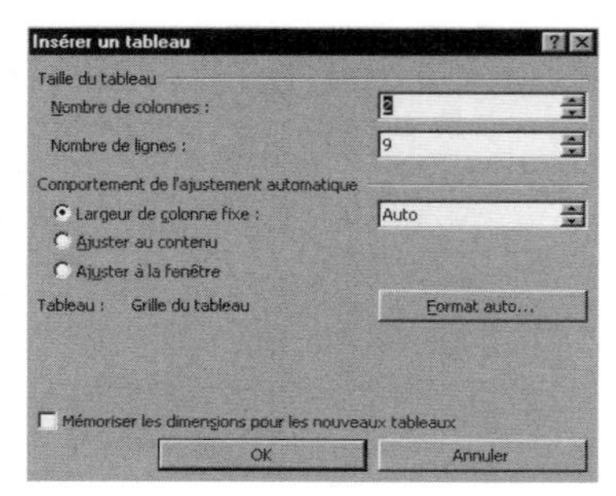

Figure 8.2 : Définissez rapidement un tableau à l'aide du bouton Insérer un tableau.

La boîte de dialogue Tableau

La boîte de dialogue Tableau permet de spécifier exactement le nombre de lignes et de colonnes requises dans les options prédéfinies. Vous pouvez afficher jusqu'à 63 colonnes dans un tableau.

Pour utiliser la boîte de dialogue Tableau, procédez comme suit :

1. Après avoir cliqué à l'endroit où vous souhaitez insérer le tableau, sélectionnez **Tableau**, **Insérer**, **Tableau**. La boîte de dialogue Insérer un tableau s'affiche (voir Figure 8.3). Saisissez le nombre de colonnes dans la zone **Nombre de colonnes**. Saisissez le nombre de lignes dans la zone **Nombre de lignes**. Dans la zone **Comportement** de l'ajustement automatique, sélectionnez l'option voulue. Le choix **Auto** permet de créer un tableau allant d'une marge à l'autre, divisé en colonnes de largeur égale. Le bouton **Format auto** permet de choisir un format prédéfini pour votre tableau.
2. Cliquez sur **OK** pour valider vos choix.

Le tableau défini dans la boîte de dialogue Insérer un tableau apparaît dans votre document.

Figure 8.3 : Dans la boîte de dialogue Insérer un tableau, vous pouvez choisir un plus grand nombre de colonnes et de lignes.

Convertir un texte en tableau

Vous avez laborieusement saisi un texte et, au moment de l'imprimer, vous vous apercevez qu'il serait préférable de proposer ce texte sous la forme de tableau. Avant tout, vous devez vérifier certains points : le texte constituant le tableau doit être séparé par des tabulations ou tout autre caractère de séparation, et les fins de lignes doivent contenir un retour effectué à l'aide de la touche **Entrée**.

Pour transformer un texte en tableau, sélectionnez-le, puis sélectionnez **Tableau**, **Convertir**, **Texte en tableau**. La boîte de dialogue Convertir un texte en tableau s'affiche (voir Figure 8.4). Indiquez le nombre de colonnes ainsi que leur largeur. Sélectionnez le type de séparation dans la zone **Type**. Cliquez sur **OK** pour valider vos choix.

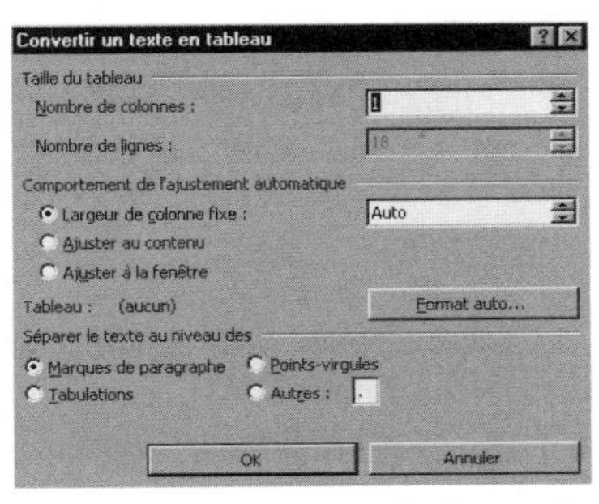

Figure 8.4 : La commande Convertir un texte en tableau permet de créer un tableau à partir d'un texte.

Le texte se transforme en tableau (voir Figure 8.5).

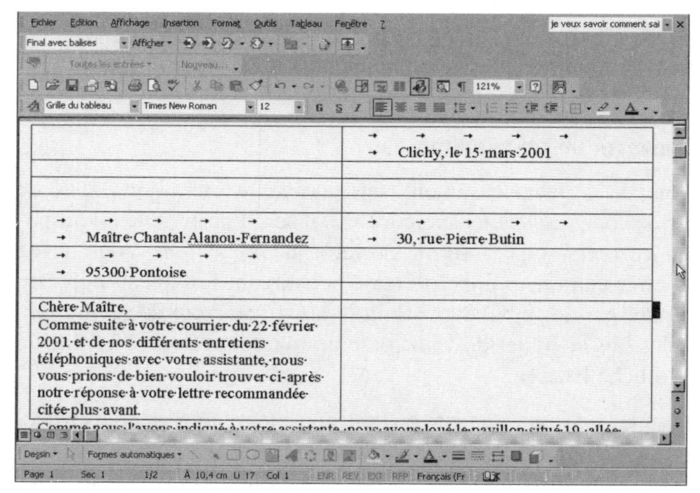

	Clichy, le 15 mars 2001
Maître Chantal Alanou-Fernandez	30, rue Pierre Butin
95300 Pontoise	
Chère Maître,	
Comme suite à votre courrier du 22 février 2001 et de nos différents entretiens téléphoniques avec votre assistante, nous vous prions de bien vouloir trouver ci-après notre réponse à votre lettre recommandée citée plus avant.	

Figure 8.5 : Votre texte s'est transformé en tableau.

Vous pouvez aussi transformer un tableau en texte. Pour cela, sélectionnez le tableau, puis ouvrez le menu Tableau, Convertir, Tableau en texte. Cliquez sur une option (Tabulations, Marques de paragraphe, etc.), puis cliquez sur OK.

Se déplacer dans un tableau

Avant de commencer à saisir dans votre tableau, vous devez être capable de vous déplacer rapidement à l'intérieur de celui-ci. Référez-vous au Tableau 8.1 pour en connaître les modalités.

Tableau 8.1 : Les déplacements dans un tableau

Pour atteindre	Pressez les touches
La cellule suivante	Tab
La cellule précédente	Maj+Tab
La première cellule de la ligne	Alt+Home ou Origine
La première cellule de la colonne	Alt+PageUp
La dernière cellule de la ligne	Alt+Fin
La dernière cellule de la colonne	Alt+PageDown

La sélection à l'intérieur d'un tableau

Une fois votre tableau créé, vous allez pouvoir le mettre en forme, lui ajouter des lignes, des colonnes, lui affecter une bordure, etc. Mais, pour réaliser toutes ces mises en forme, vous devez savoir sélectionner les différents éléments. Le Tableau 8.2 indique les différentes procédures de sélection.

Tableau 8.2 : Les différentes sélections dans un tableau

Pour sélectionner	Procédure
Une cellule	Pointez sur l'intersection de la colonne et de la ligne, puis cliquez.
Une colonne	Pointez sur la bordure supérieure en regard de la colonne, puis cliquez.
Une ligne	Pointez sur la bordure gauche en regard de la ligne, puis cliquez.
Tout le tableau	Cliquez sur Tableau, Sélectionner, Tableau.
Le texte d'une cellule suivante ou précédente	Tab ou Maj+Tab.

Structurer un tableau

Vous pouvez aisément ajouter une colonne, supprimer une cellule ou encore ajouter une ligne à votre tableau. Mais, avant d'étudier ces procédures, examinons la barre d'outils Tableaux et bordures.

La barre d'outils Tableaux et bordures

La barre d'outils Tableaux et bordures s'affiche dès que vous cliquez à l'intérieur du tableau. Elle propose des boutons qui permettent d'accéder rapidement aux différentes commandes de la mise en forme et de la structure d'un tableau. Référez-vous au Tableau 8.3 pour connaître les différents boutons et leur utilisation.

Tableau 8.3 : Les boutons de la barre d'outils Tableaux et bordures

Bouton	Description
	Permet de dessiner un tableau.
	Permet d'effacer (gomme).
	Permet de sélectionner un style de trait.
 ½	Permet de sélectionner l'épaisseur du trait.
	Permet de colorer la bordure.
	Permet de définir la bordure.
	Permet de colorer l'arrière-plan du tableau ou d'une cellule.
	Permet de fusionner des cellules.

Tableau 8.3 : Les boutons de la barre d'outils Tableaux et bordures ***(suite)***

Bouton	Description
	Permet de scinder des cellules.
	Permet d'aligner en haut le contenu d'une cellule.
	Permet de centrer le contenu d'une cellule.
	Permet d'aligner en bas le contenu d'une cellule.
	Permet d'uniformiser la hauteur des lignes.
	Permet d'uniformiser la largeur des colonnes.
	Permet de sélectionner une mise en forme pour le tableau.
	Permet de changer l'orientation du texte dans une cellule.
	Permet de trier par ordre croissant.
	Permet de trier par ordre décroissant.

Insérer, supprimer des cellules et des lignes

Une fois que votre tableau est réalisé, vous devez savoir comment le modifier en supprimant des cellules, en ajoutant des lignes, etc.

Pour insérer une cellule, sélectionnez-la. Cliquez sur **Tableau**, **Insérer**, **Cellules**. La boîte de dialogue Insérer des cellules s'affiche (voir Figure 8.6). Cliquez sur l'option voulue, puis sur **OK** pour valider votre choix.

Pour supprimer une cellule, sélectionnez-la, puis pressez la touche Suppr.

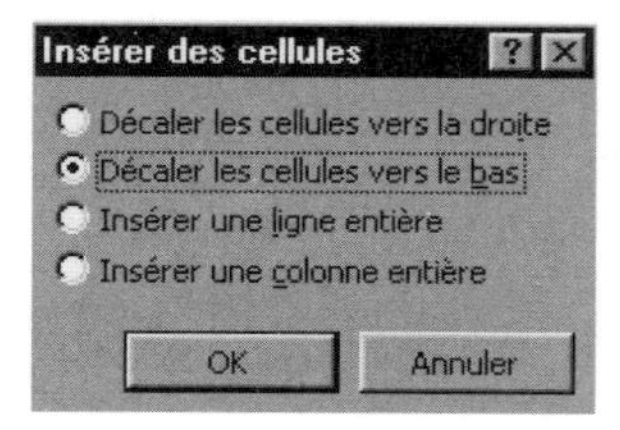

Figure 8.6 : Insérez rapidement des cellules à l'aide de la boîte de dialogue Insérer des cellules.

Pour insérer une ligne, cliquez sur **Insérer**, puis choisissez une option. Il existe une méthode plus rapide : cliquez dans le rang situé après l'endroit où vous souhaitez insérer la ligne, puis sur le bouton **Insérer des lignes** dans la barre d'outils Tableaux et bordures.

Pour insérer plusieurs lignes, par exemple quatre, sélectionnez quatre lignes dans le tableau, puis cliquez sur le bouton Insérer des lignes. Word insérera automatiquement quatre lignes vierges dans votre tableau.

Pour insérer une colonne, après avoir sélectionné une colonne du tableau, cliquez sur le bouton **Insérer une colonne** dans la barre d'outils Tableaux et bordures. Vous pouvez aussi sélectionner **Tableau**, **Insérer des colonnes**.

Pour supprimer une ligne ou une colonne, sélectionnez-la, puis pressez la touche Suppr.

La fusion et le fractionnement

Une cellule peut être divisée en plusieurs parties sans que les autres cellules du tableau ne soient modifiées. Cette fonction s'appelle le fractionnement.

Pour fractionner une cellule, procédez comme suit :

1. Cliquez dans la cellule à diviser. Cliquez sur **Tableau**, **Fractionner les cellules**. Une boîte de dialogue s'affiche (voir Figure 8.7).
2. Saisissez un nombre de colonnes et de lignes pour le fractionnement de la cellule dans les zones appropriées. Cliquez sur **OK** pour valider votre choix.

→ → → → → → Maître·Chantal·Alanou-Fernandez → → → → → → 30,·rue·Pierre·Butin	
→ → → → → → 95300·Pontoise	
Chère·Maître,	
Comme·suite·à·votre·courrier·du·22·février·2001·et·de·nos·différents·entretiens·téléphoniques·avec·votre·assistante,·nous·vous·prions·de·bien·vouloir·trouver·ci-après·notre·réponse·à·votre·lettre·recommandée·citée·plus·avant.	

Figure 8.7 : Fractionner des cellules est simple et rapide.

Lorsque vous avez fractionné des cellules et que vous souhaitez annuler ce fractionnement, vous devez utiliser la fonction Fusion.

Pour fusionner des cellules, sélectionnez les cellules que vous souhaitez réunir en une seule. Cliquez sur **Tableau**, **Fusionner les cellules**.

Ajuster la hauteur et la largeur des cellules

Selon les données que vous avez insérées dans les colonnes, certaines d'entre elles contiennent moins de texte que d'autres. Le résultat est peu esthétique. Ce problème existe aussi pour les lignes.

Pour modifier la largeur d'une colonne, pointez sur son trait de séparation ; le pointeur se transforme en flèche horizontale à deux pointes. Cliquez, puis faites glisser pour obtenir la taille adéquate.

Pour modifier la hauteur d'une ligne, reprenez les procédures indiquées pour la largeur d'une colonne (le pointeur se transforme en flèche verticale à deux pointes.)

Cependant, si vous souhaitez définir plus précisément la largeur de vos colonnes ou la hauteur de vos lignes, cliquez sur **Tableau**, **Taille des cellules**. Cliquez sur l'onglet correspondant à votre choix (**Colonne** ou **Ligne**). Dans les zones appropriées, définissez la taille, puis cliquez sur **OK** pour valider vos choix.

Changer l'orientation et afficher la ligne de titre

Vous pouvez aussi changer l'orientation du texte dans vos cellules : cliquez dans la cellule concernée, puis sur le bouton **Changer l'orientation du texte** dans la barre d'outils Tableaux et bordures.

Il arrive que la totalité du tableau n'apparaisse pas à l'écran. Pour vous y retrouver, laissez affiché en permanence le titre de toutes les colonnes dans la partie supérieure de la page. Pour cela, après avoir sélectionné la ligne de titres, ouvrez le menu **Tableau**, **Titres**.

La mise en forme des tableaux

Pour la mise en forme de votre tableau (mais pas des caractères dans les différentes cellules), vous pouvez opter pour l'une des méthodes proposées ici.

Format automatique

La première et la plus rapide des méthodes consiste à sélectionner un format prédéfini par Word dans une liste de modèles. Après avoir sélectionné le tableau, cliquez sur **Tableau**, **Format automatique de tableau**. Sélectionnez un modèle, puis cliquez sur **OK** pour valider votre choix.

Bordures et trame

Mais il est possible que vous n'aimiez guère utiliser les modèles et préfériez plus d'autonomie. Après avoir sélectionné le tableau, cliquez sur **Format**, **Bordures et trame**. La boîte de dialogue Bordures et trame s'affiche (voir Figure 8.8). Cliquez sur l'onglet **Bordures**, puis choisissez la bordure dans la zone Style. Ensuite, définissez le type dans la zone appropriée. Cliquez sur l'onglet **Trame de fond** si vous souhaitez affecter une trame à votre tableau. Définissez vos choix, puis cliquez sur **OK** pour les valider.

La dernière méthode est la plus simple : après avoir sélectionné le tableau, cliquez sur le bouton correspondant à votre choix dans la barre d'outils Tableaux et bordures.

Si vous souhaitez affecter à une cellule une bordure et une trame qui lui soient propres, sélectionnez-la, puis reprenez les procédures indiquées pour créer la bordure et la trame d'un tableau.

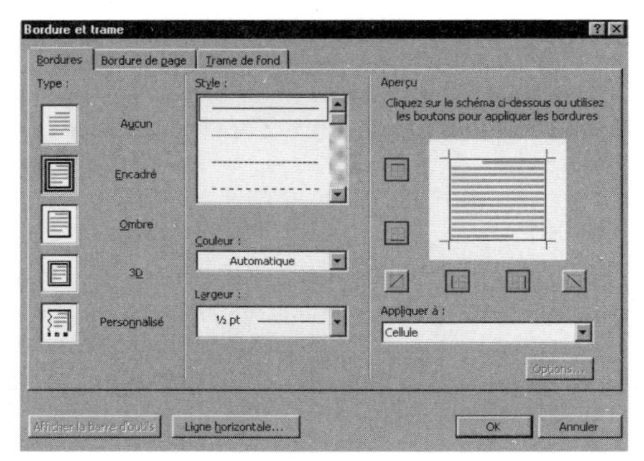

Figure 8.8 : La boîte de dialogue Bordure et trame.

Les calculs et les tris

Avant de commencer à vous parler du calcul dans un tableau Word, sachez qu'il est préférable d'effectuer des calculs dans Excel. Cela étant dit, commençons par le calcul, nous verrons ensuite le tri.

Pour créer une formule automatique, cliquez dans la cellule devant recevoir le résultat du calcul. Cliquez sur **Tableau**, **Formule**. La boîte de dialogue Formules s'affiche (voir Figure 8.9). Dans la zone **Insérer la fonction**, choisissez la formule de calcul. Vous pouvez aussi la définir dans l'option **Formule**. Word détecte automatiquement la valeur des cellules voisines et gère les paramètres de la formule en conséquence. Par exemple, les valeurs placées au-dessus de la cellule auront pour conséquence l'inscription du paramètre "au-dessus" dans la formule. Sélectionnez le format d'affichage (**Entier**, **Réel**, etc.). Cliquez sur **OK** pour valider vos choix.

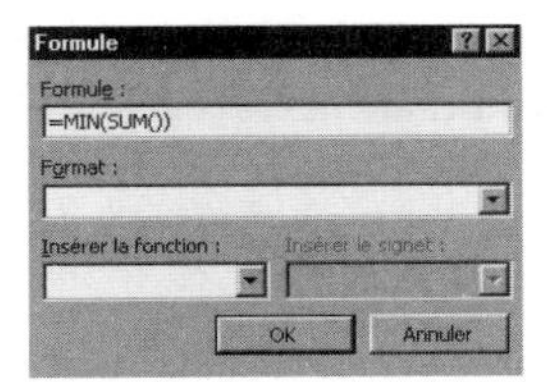

Figure 8.9 : La boîte de dialogue Formule permet de choisir rapidement une formule de calcul.

Pour réaliser automatiquement le calcul d'une somme, placez-vous dans la cellule située au-dessous ou à droite de la ligne de calcul, puis cliquez sur le bouton Somme dans la barre d'outils Tableaux et bordures.

Pour créer des références, lorsque les formules ne vous conviennent pas, vous devez les saisir vous-même en indiquant les cellules concernées. Comme dans Excel, chaque cellule a une référence. Par exemple, la première cellule du tableau a la référence A1, la deuxième A2, et ainsi de suite. La lettre indique la ligne, le chiffre indique la colonne. Utilisez ces références pour créer les formules, par exemple : =A1+B2+C5. Vous pouvez aussi créer des plages de références en les séparant par le signe deux-points (:). Par exemple, pour additionner les colonnes 1 et 2 des lignes A et B, vous saisissez : =A1:B2.

Lorsque vous modifiez certains montants dans les cellules, les résultats ne sont plus exacts. Pour les mettre à jour, cliquez du bouton droit dans la cellule concernée, puis choisissez **Mettre à jour les champs**.

Trier les données dans un tableau

Vous pouvez réorganiser vos tableaux en fonction d'un ordre alphabétique, numérique, en mode croissant ou décroissant.

Pour trier un tableau, cliquez dans l'une des cellules. Cliquez sur le bouton **Tri croissant** ou **Tri décroissant** dans la barre d'outils Tableaux et bordures.

Pour affiner le tri de votre tableau, vous devez, après avoir cliqué dans une cellule du tableau, sélectionner **Tableau**, **Trier** (voir Figure 8.10). La boîte de dialogue Trier s'affiche. Sélectionnez les critères de tri, puis cliquez sur **OK**.

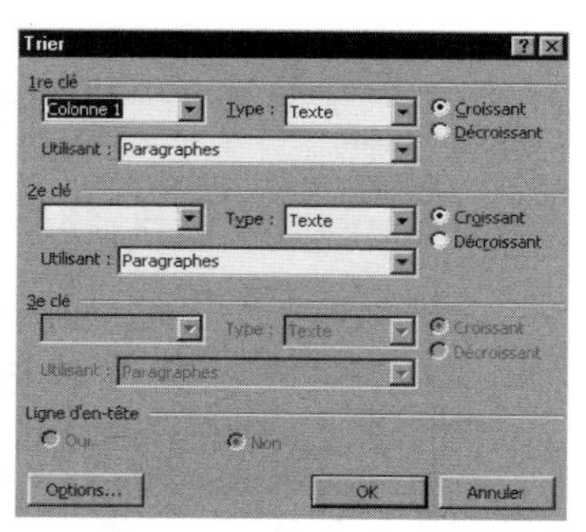

Figure 8.10 : La boîte de dialogue Trier permet de définir les clés pour réaliser le tri.

Les deuxième et troisième clés ne sont prises en compte que si elles sont équivalentes à la première.

Créer des colonnes

Il est parfois intéressant de scinder votre texte en colonnes, lorsque, par exemple, vous éditez le journal de votre société.

Pour créer des colonnes, deux méthodes sont proposées. La première consiste à cliquer sur le bouton **Colonnes** dans la barre d'outils Standard, puis à sélectionner l'aperçu affichant le nombre de colonnes requises. La seconde méthode consiste à cliquer

sur **Format**, **Colonnes**. La boîte de dialogue Colonnes s'affiche (voir Figure 8.11). Sélectionnez la présentation adéquate dans le cadre **Prédéfinir**. Cliquez sur **OK** pour valider.

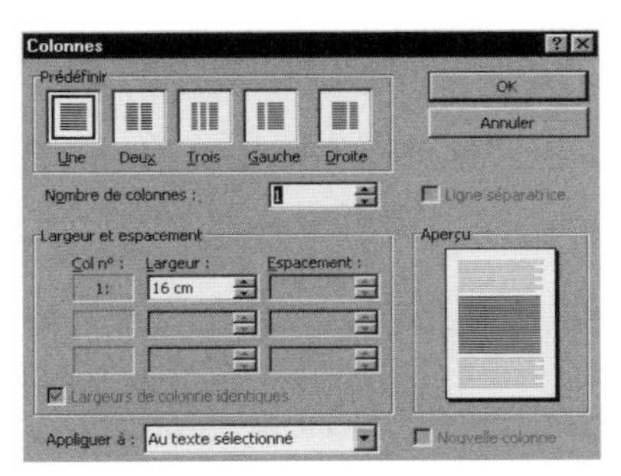

Figure 8.11 : Choisissez le nombre de colonnes dans la boîte de dialogue Colonnes.

Une fois que vous avez créé vos colonnes, il reste à insérer le texte. Suivez les procédures suivantes :

- La saisie se fait au kilomètre ; Word passe automatiquement à la ligne lorsque la fin de la colonne est atteinte.
- Pour passer à la colonne suivante, cliquez sur **Insertion**, **Saut**, puis choisissez un type de saut dans la boîte de dialogue Saut. Le saut de page passe à la page suivante ; le saut de section passe à la colonne suivante.
- Vous avez inséré un saut de colonne et vos colonnes sont déséquilibrées (il y a plus de texte dans l'une que dans l'autre). Pour équilibrer les colonnes, insérez un saut de section **Continu**.

La mise en forme des colonnes

Pour définir la largeur des colonnes, vous pouvez soit cliquer sur le trait de séparation des colonnes dans la barre grisée de la règle puis faire glisser, soit cliquer sur **Format**, **Colonnes**. Dans la boîte de dialogue, saisissez la largeur dans la zone **Largeur et espacement**. Cliquez sur **OK** pour valider.

Pour supprimer une colonne, cliquez sur le bouton **Colonnes** dans la barre d'outils Standard, puis redéfinissez le nombre de colonnes.

Pour créer un titre de colonne, en haut et au milieu de la page, cliquez sur **Colonnes** dans la barre d'outils Standard, puis sélectionnez le choix proposant **une colonne**. Saisissez le titre de votre colonne.

Dans une page qui comprend des colonnes, vous pouvez insérer une image. Une autre fonction est utile dans les colonnes : créer une lettrine (voir Figure 8.12).

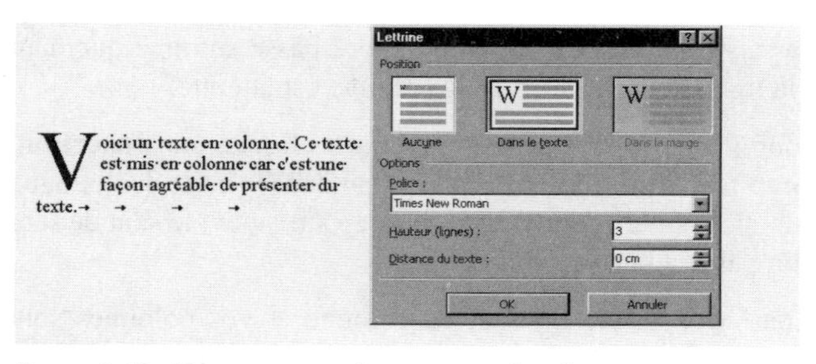

Figure 8.12 : Un texte en colonnes avec lettrine.

Pour créer une lettrine, cliquez dans le paragraphe concerné. Cliquez sur **Format**, **Lettrine**, puis choisissez une option (**Dans le texte** ou **Dans la marge**). Cliquez sur **OK** pour valider la création de votre lettrine.

Chapitre 9

Le mailing

Au sommaire de ce chapitre

- Le publipostage
- Le document principal
- La source de données (les destinataires)
- La fusion
- L'assistant Courrier
- Les enveloppes et les étiquettes

Lorsque vous souhaitez communiquer un nouveau tarif à vos clients ou une présentation de vos produits à l'ensemble de vos prospects, la méthode la plus rapide est de faire un mailing (publipostage).

A la fin de ce chapitre, vous connaîtrez parfaitement les différentes étapes de la création d'un mailing. Vous saurez aussi créer rapidement des enveloppes ou des étiquettes.

Le publipostage (mailing)

Pour envoyer à de nombreuses personnes une lettre identique, utilisez la fonction mailing et ses différents éléments :

- **Document principal.** Document qui sert de support aux différentes données. Celles-ci sont placées dans les champs appropriés en fonction de différents critères. Ce document ne contient que le texte commun à toutes les lettres que vous souhaitez imprimer, ainsi que les champs dans lesquels se placeront les différentes variables au moment de la fusion.
- **Source de données.** Document qui contient tous les enregistrements concernant les informations variables (par exemple la liste des destinataires). Celles-ci s'inséreront dans les champs appropriés au moment de la fusion. C'est en fait la base de données à laquelle se réfère le document principal pour réaliser l'impression des lettres.
- **Champs de fusion.** Zones du document principal dans lesquelles vont s'insérer les données de la source de données.
- **Fusion.** Commande qui permet de créer les différentes lettres en fusionnant la lettre type avec le contenu de la base de données. Une fois cette fusion opérée, vous pouvez imprimer les lettres.

Le document principal

Vous devez avant tout créer le document principal du mailing, à savoir la lettre qui sera envoyée à tous les destinataires.

Pour créer le document principal, procédez comme suit :

1. Créez un nouveau document, puis cliquez sur **Outils**, **Lettres et publipostage**, **Assistant Fusion et publipostage** (voir Figure 9.1). Définissez le type de document que vous

souhaitez créer (Lettres, Messages électroniques, etc.), puis cliquez sur **Suivante** au bas du volet.

2. Cliquez sur **Utiliser le document actuel** pour vous servir du document en cours, sur **Utiliser un modèle** ou sur **Utiliser un document existant** pour ouvrir un document déjà créé. Si vous avez choisi les deuxième ou troisième options, sélectionnez le fichier concerné en cliquant sur **Ouvrir**. Cliquez sur **Suivant**.

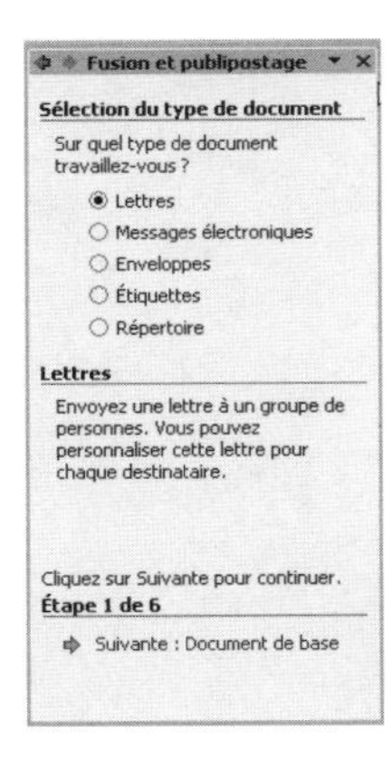

Figure 9.1 : C'est à partir du volet Fusion et publipostage que vous définissez la création des différents éléments de la fusion.

La source de données (les destinataires)

La troisième étape consiste à indiquer les coordonnées des destinataires de la lettre. Etant donné que vous venez de lancer l'assistant, le volet Fusion et publipostage est toujours affiché.

Pour constituer la base de données, procédez comme suit :

1. Dans la zone **Sélection des destinataires**, indiquez si vous souhaitez utiliser une liste existante, la liste de vos contacts (voir Partie V), ou encore si vous souhaitez créer une liste.

2. Pour utiliser une liste existante, cliquez sur **Parcourir**, puis sélectionnez le fichier de la liste.

   Ou

   Si vous choisissez de créer une liste, cliquez sur **Créer** (voir Figure 9.2). Dans la boîte de dialogue, remplissez les champs de saisie, puis cliquez sur **Nouvelle entrée** pour ouvrir une nouvelle fiche. Lorsque vous avez terminé, cliquez sur **Fermer**, puis nommez et enregistrez la liste. Une nouvelle boîte de dialogue s'affiche. Vous devez préciser si vous choisissez tous les destinataires ou seulement quelques-uns. Cliquez sur **OK**.

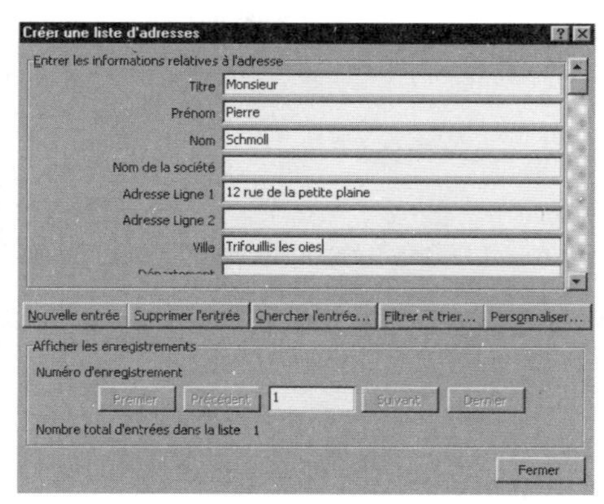

Figure 9.2 : Créez la liste des destinataires.

   Ou

   Si vous choisissez d'utiliser le carnet d'Outlook, cliquez sur **Choisir le dossier Contacts**. Choisissez le profil contenant la liste.

3. Cliquez sur **Suivante**.

La fusion

Avant de lancer la fusion, vous devez indiquer à quel endroit vous souhaitez insérer les données dans la page.

Placer les champs de fusion

Vous allez maintenant placer les différents champs de fusion. Dans la lettre, placez-vous à l'endroit où doit figurer l'adresse, puis cliquez sur **Bloc d'adresse**. Dans la boîte de dialogue (voir Figure 9.3), définissez vos préférences de rédaction des adresses. Pour insérer un champ de fusion, cliquez sur **Autres éléments**, puis choisissez le champ à insérer. Validez par **OK**.

Ensuite, définissez les autres options proposées (ligne de saturation, affranchissement électronique, etc.) et cliquez sur **Suivant**.

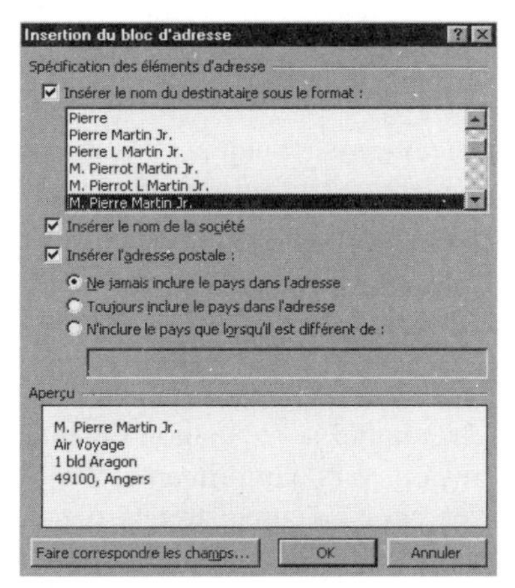

Figure 9.3 : Définissez l'aspect du bloc d'adresse ainsi que les champs qui doivent y figurer.

Avant de lancer la fusion, il est préférable de vérifier votre travail. Cliquez sur le bouton **Vérifier la fusion** dans la barre d'outils Fusion et publipostage. Cliquez sur votre choix de vérification dans la boîte de dialogue Vérification et compte rendu des erreurs, puis sur **OK**. Si tout s'est bien passé, Word affiche une boîte de dialogue qui vous informe qu'il n'a trouvé aucune erreur. Cliquez sur **OK**.

Vous êtes maintenant fin prêt à lancer la fusion. Cliquez sur le bouton **Fusionner** dans la barre d'outils du même nom. La boîte de dialogue Publipostage s'affiche (voir Figure 9.4). Plusieurs options sont proposées pour la fusion dans la zone Fusion vers :

- **Fusionner vers.** Permet de fusionner directement vers un nouveau document, vers votre programme de messagerie électronique, ou encore d'imprimer les lettres.
- **Enregistrements à fusionner.** Permet de limiter l'impression des lettres aux seuls enregistrements sélectionnés dans la source de données (voir un peu plus loin dans ce chapitre).
- **Lors de la fusion d'enregistrements.** Indique à Word s'il doit ou non insérer des lignes vierges dans un champ vide.
- **Options de requête.** Affiche une boîte de dialogue à partir de laquelle vous pouvez trier les lettres fusionnées ou créer des lettres pour un type de personnes spécifiques, sélectionnées parmi les différentes données.

Quand vous avez défini vos choix, cliquez sur le bouton **Fusionner**. Si vous avez lancé la fusion vers l'imprimante, Word imprime les lettres. Si vous avez choisi d'enregistrer la fusion dans un nouveau fichier, vos lettres s'affichent dans un nouveau document (voir Figure 9.5).

Vous pouvez créer une requête, au moment de la fusion — c'est-à-dire effectuer un tri dans les données et n'imprimer ou ne créer que les lettres correspondant à ce critère (par exem-

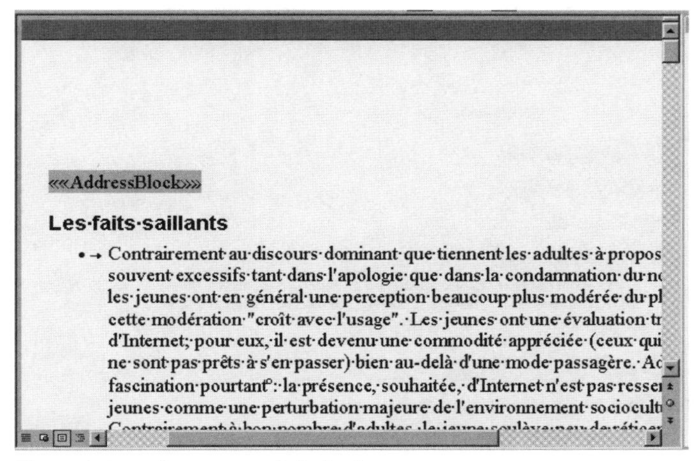

Figure 9.4 : Le lancement de la fusion.

ple, vous décidez de ne créer pour l'instant que les lettres concernant les habitants de la région Alpes-Côte-d'Azur). Dans la boîte de dialogue Publipostage, cliquez sur le bouton **Options de requête**. Dans la boîte de dialogue Options de requête, saisissez les éléments de la requête, puis cliquez sur **OK**. Ensuite, reprenez les procédures indiquées précédemment pour lancer la fusion.

L'assistant Courrier

Vous savez déjà que Word propose un certain nombre de modèles et d'assistants dans la boîte de dialogue Nouveau (voir Partie I). Une autre méthode est proposée : le recours à l'assistant Courrier de Word. Vous l'ouvrez soit à la fin de votre saisie, soit au début. Pour cela, sélectionnez **Outils**, **Assistant Courrier**.

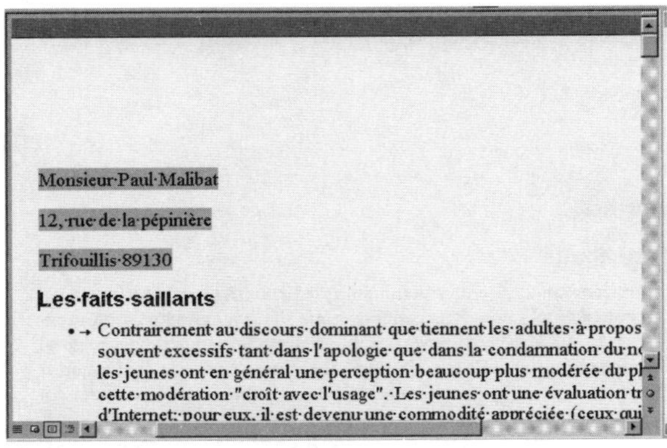

Figure 9.5 : Le résultat de la fusion.

Dans la boîte de dialogue Assistant Courrier, saisissez vos préférences ainsi que les informations comme l'adresse et les formules de début et de fin de lettre en ouvrant les onglets suivants :

- **Mise en forme de lettre.** Permet d'insérer une date en cliquant sur **Format de date**, puis en choisissant votre format. Vous pouvez aussi sélectionner un modèle et un style de page dans les listes déroulantes. L'option **Papier à en-tête** est utile si c'est le type de papier que vous utilisez ; dans cette option, vous définissez l'emplacement à réserver pour l'en-tête.
- **Destinataire.** Saisissez le nom et l'adresse du destinataire. Choisissez le style de la formule de politesse ou saisissez votre propre formule de politesse.
- **Autres éléments.** Permet de choisir d'autres éléments à insérer, comme **Cc** qui correspond à la personne à qui vous envoyez une copie de ce courrier.
- **Expéditeur.** Permet d'entrer vos informations personnelles (nom, adresse, fonction, etc.).

Lorsque vous avez terminé, cliquez sur **OK**. L'assistant Courrier affiche à l'écran la lettre que vous venez de définir. Saisissez, si nécessaire, le contenu de votre lettre dans la zone vierge.

Les enveloppes et les étiquettes

Lorsque vous envoyez un mailing, il est préférable de ne pas rédiger vos enveloppes ou étiquettes de publipostage à la main, cela ferait "négligé".

Pour imprimer une adresse sur une enveloppe, cliquez sur **Outils, Enveloppes et étiquettes**. Cliquez sur l'onglet **Enveloppes** (voir Figure 9.6). Saisissez le nom et l'adresse du destinataire dans la zone **Destinataire**, puis la vôtre dans la zone **Expéditeur**. Le bouton **Options** ouvre une boîte de dialogue qui permet, dans l'onglet **Options d'enveloppe**, de définir la taille de l'enveloppe et une mise en forme différente pour les deux adresses. Dans l'onglet **Options d'impression**, indiquez la méthode d'alimentation de l'imprimante. Cliquez sur **OK**.

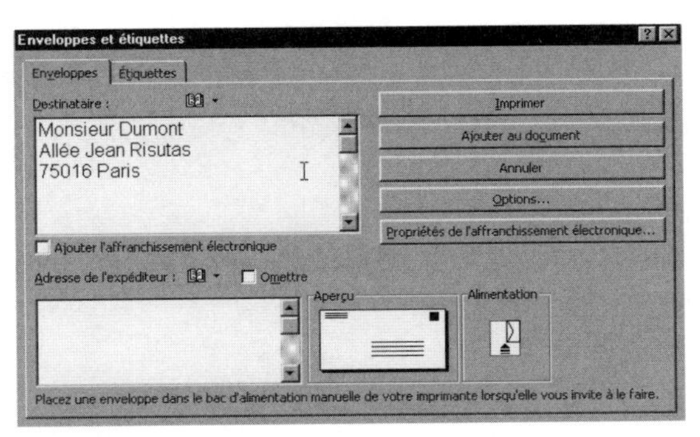

Figure 9.6 : L'onglet Enveloppes permet d'imprimer des enveloppes ou des étiquettes.

Chapitre 10

L'automatisation

Au sommaire de ce chapitre

- La mise en forme automatique avec les styles
- La composition automatique

Vous en conviendrez, plus on découvre les fonctions de Word 2002, plus on s'aperçoit que les concepteurs de ce logiciel ont tout fait pour nous simplifier la tâche. Dans ce chapitre, vous allez découvrir que vous pouvez en un seul clic choisir un style de mise en forme pour les titres, ou créer automatiquement une bordure en saisissant trois fois le signe égale. Bien évidement, toutes ces compositions automatiques ou autres insertions sont entièrement personnalisables. Vous verrez toutes ces possibilités dans ce chapitre ; soyez bien attentif, ces différentes fonctions font gagner un temps précieux.

La mise en forme automatique avec les styles

Un style est un ensemble de paramètres de mise en forme qui s'appliquent à un paragraphe ou à un caractère (taille, alignement, attributs, interligne, etc.). Cette fonction permet, lorsque votre document contient beaucoup de pages, de ne pas avoir à activer plusieurs fois la mise en forme.

Si vous souhaitez affecter un style à un paragraphe, il suffit de cliquer dedans, puis de sélectionner le style voulu dans la liste déroulante du bouton **Style** de la barre d'outils Mise en forme (voir plus loin). Pour affecter un style uniquement à un mot ou à un groupe de mots, sans affecter la totalité du paragraphe, sélectionnez ce mot ou ce groupe de mots, puis appliquez la procédure.

Les styles par défaut

Word 2002 propose un certain nombre de styles que vous pouvez appliquer à vos paragraphes ou caractères.

Pour choisir un style, procédez comme suit :

1. Cliquez dans le paragraphe concerné, ou sélectionnez les mots concernés. Cliquez sur la flèche du bouton **Style** (voir Figure 10.1).
2. Sélectionnez le style.

   Le paragraphe (ou les mots) présente désormais les attributs du style sélectionné, et le bouton **Style** affiche dans sa zone de texte le style actif.

Certains styles ne s'appliquent qu'aux paragraphes, tandis que d'autres s'appliquent uniquement aux caractères.

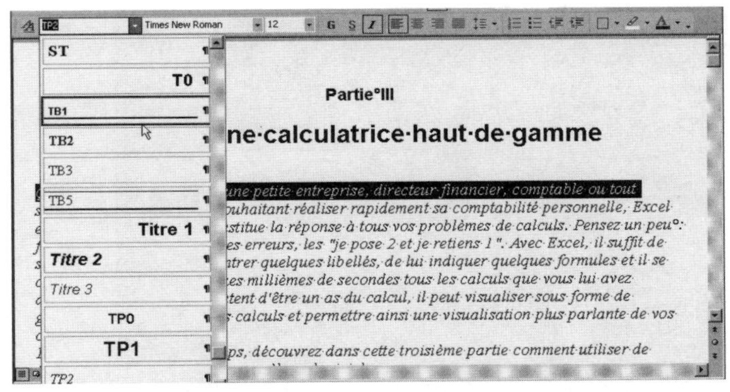

Figure 10.1 : Sélectionnez rapidement un style à l'aide du bouton Style.

Pour afficher la liste de tous les styles, cliquez sur Format, Style et mise en forme. Le volet Office s'affiche. Cliquez sur la flèche de l'option Afficher, et sélectionnez Tous les styles. Choisissez celui qui convient.

Pour visualiser rapidement à l'écran l'ensemble des styles appliqués sans avoir à sélectionner un par un les paragraphes, ouvrez le menu **Outils**, **Options**. Cliquez sur l'onglet **Affichage**. Saisissez une valeur dans la zone **Largeur de la zone de style**, puis cliquez sur **OK** pour valider votre choix (voir Figure 10.2). Ensuite, activez le mode Normal.

Pour masquer les styles dans la partie gauche de votre document, pointez sur l'intersection des deux zones (le pointeur se transforme en trait vertical avec deux pointes de flèches), cliquez, puis faites glisser vers la gauche.

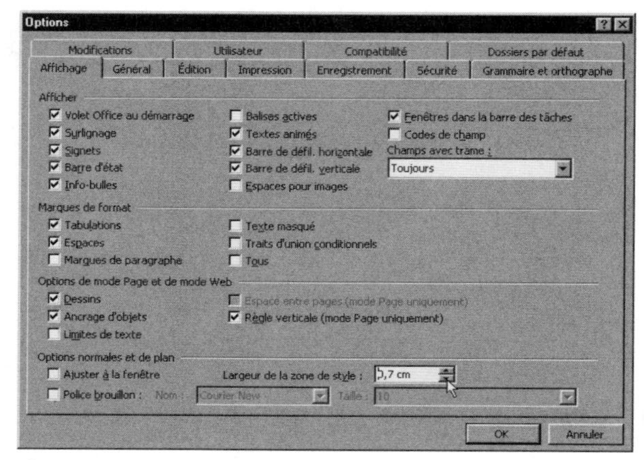

Figure 10.2 : Vous pouvez afficher à l'écran le style de chaque paragraphe.

Les styles personnalisés

Même si les différents styles proposés par Word sont assez nombreux, il arrivera sans doute qu'ils ne conviennent pas pour l'un de vos documents. Dans ce cas, vous pouvez créer rapidement un style personnel que vous pourrez par la suite affecter à l'ensemble de vos documents.

Créer un style personnalisé

Il existe deux méthodes pour créer un style : l'une est rapide, l'autre un peu plus longue, mais plus pointue.

La première méthode consiste à mettre en forme un paragraphe ou un mot (taille, police, attributs, alignement, retrait, etc.), puis à sélectionner ce texte. Cliquez sur **Nouveau styles** dans le volet Office. Dans la boîte de dialogue qui s'affiche, saisissez le nom du style, puis pressez la touche **Entrée** (voir Figure 10.3).

Le style que vous venez de définir fera désormais partie intégrante des styles de ce document. Pour l'affecter à un autre paragraphe, il suffit de cliquer dans le paragraphe concerné, puis de sélectionner le style dans la liste déroulante du bouton **Style**.

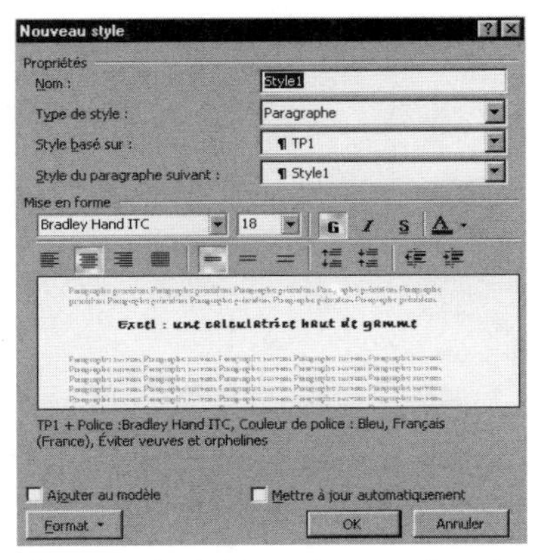

Figure 10.3 : Saisissez le nom de votre style.

La seconde méthode est un peu plus complexe, mais permet de préciser davantage de paramètres.

Pour créer un style de paragraphe ou de caractères, procédez comme suit :

1. Ouvrez la boîte de dialogue Styles en cliquant sur **Nouveau** (voir Figure 10.4) dans le volet Office.
2. Cliquez sur le bouton **Nouveau** (voir Figure 10.5).
3. Dans la zone **Nom**, saisissez le nom de votre nouveau style. Dans la zone **Type de style**, indiquez si vous voulez créer un style paragraphe ou un style caractères. Si vous souhaitez que votre style soit fondé sur un style déjà existant, indiquez-le dans la zone **Style basé sur**.

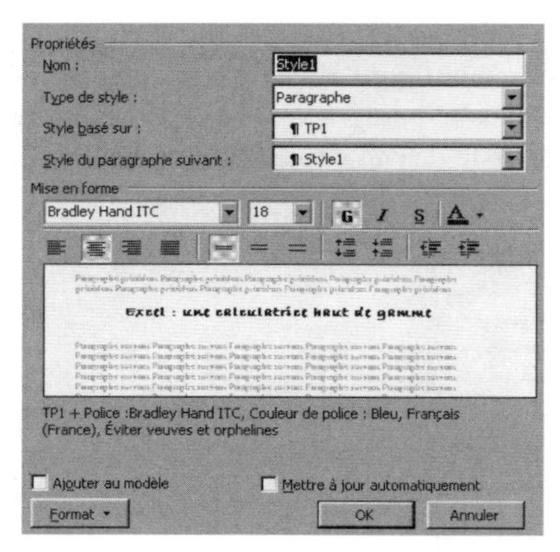

Figure 10.4 : La boîte de dialogue Styles.

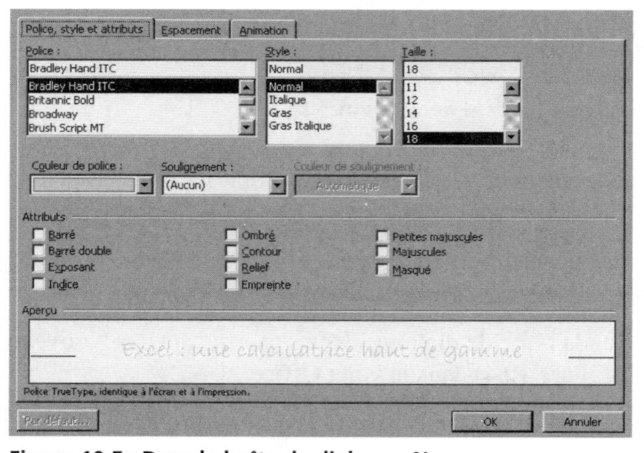

Figure 10.5 : Dans la boîte de dialogue Nouveau style, nommez votre style, indiquez son type, son niveau et le style d'enchaînement.

4. Dans la zone **Style du paragraphe suivant**, vous pouvez indiquer quel style doit suivre le style que vous créez après avoir pressé la touche **Entrée**. Par exemple, vous voulez que le style que vous créez soit suivi dans le texte par le style Titre 3. Dans cette zone, vous sélectionnez donc le style Titre 3.

   Maintenant que vous avez nommé votre style et indiqué vos choix, vous devez choisir les options de mise en forme.

5. Pour cela, cliquez sur le bouton **Format**. Définissez les différentes mises en forme (police, paragraphe, tabulations, bordure, etc.). Cliquez sur **OK** pour valider votre nouveau style.

Ce style est désormais disponible dans la liste déroulante du bouton **Style** de la barre d'outils Mise en forme.

Pour supprimer un style, cliquez du bouton droit dessus dans le volet Office, puis sélectionnez **Supprimer**. Confirmez la suppression en cliquant sur **Oui**.

Modifier un style personnalisé

En deux temps trois mouvements, modifiez un style, personnalisé ou non, de la façon suivante :

1. Dans le volet Office, cliquez du bouton droit sur le style à modifier, puis sélectionnez **Modifier** dans le menu contextuel.

2. Cliquez sur le bouton **Format**, puis sélectionnez les paramètres que vous voulez modifier (**Caractères**, **Paragraphes**, etc.).

3. Faites les modifications, et n'oubliez pas de valider en cliquant sur **OK**. Activez l'option **Mettre à jour automatiquement** pour que ces modifications s'appliquent à l'ensemble du document.

Pour annuler un style dans un paragraphe et lui affecter le style Normal, sélectionnez le paragraphe concerné, puis pressez les touches Ctrl+Maj+N.

Les touches de raccourci pour le choix d'un style

Pour pouvoir sélectionner plus rapidement un style, vous pouvez créer un raccourci clavier. Il suffira alors de presser ces touches pour affecter le style à un paragraphe. Pour cela, dans la boîte de dialogue Nouveau style, cliquez sur **Touche de raccourci** dans le menu du bouton Format. Dans la zone de texte **Nouvelle touche de raccourci**, saisissez une séquence de touches (par exemple Alt+W) [voir Figure 10.6]. Si la combinaison de touches de raccourci que vous saisissez existe déjà, Word l'indique. Dans ce cas, choisissez une autre combinaison de touches. Cliquez sur le bouton **Attribuer**, puis sur le bouton **Fermer**.

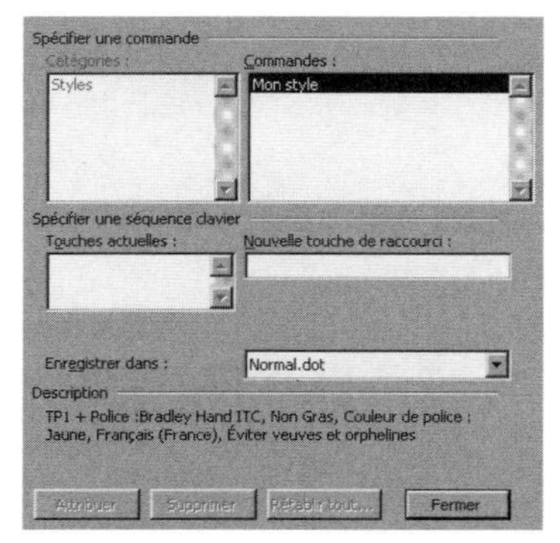

Figure 10.6 : Vous pouvez affecter des touches de raccourci à l'un de vos styles.

La procédure indiquée précédemment est valable au moment de la création d'un nouveau style. Si le style existe déjà, reprenez cette procédure après avoir choisi Modifier dans le menu contextuel du style concerné.

Utiliser un style personnalisé dans un autre document

Lorsque vous réalisez un document pour lequel vous avez défini un style, il est fort possible que ce style doive être utilisé dans un autre document. Par exemple, vous rédigez toutes les semaines un compte rendu de réunion et vous souhaitez que les titres et la mise en forme des paragraphes et des titres soient communs à tous les comptes rendus. Voici quelques solutions rapides à ce type de problèmes.

La première possibilité est de définir le style créé comme modèle. Pour cela, créez votre style comme indiqué plus haut dans ce chapitre puis, dans la boîte de dialogue Nouveau style, cochez l'option **Ajouter au modèle** pour l'activer. Cliquez sur **OK** pour valider ce choix. Par la suite, il suffira de sélectionner ce modèle pour créer un document avec les styles que vous avez définis.

Vous pouvez aussi copier les styles. Cette procédure est relativement simple :

1. Dans votre nouveau document, cliquez sur la flèche de l'option Afficher dans le volet Office et sélectionnez **Personnalisé**. Dans la boîte de dialogue qui s'affiche, cliquez sur le bouton **Styles**. Ensuite, cliquez sur le bouton **Organiser**. Dans l'onglet Styles, cliquez sur le bouton **Fermer le fichier**.

   Le bouton affiche désormais la commande Ouvrir (voir Figure 10.7).

2. Cliquez sur le bouton **Ouvrir le fichier**.

3. Double-cliquez sur le fichier contenant les styles que vous voulez affecter à votre document actif.

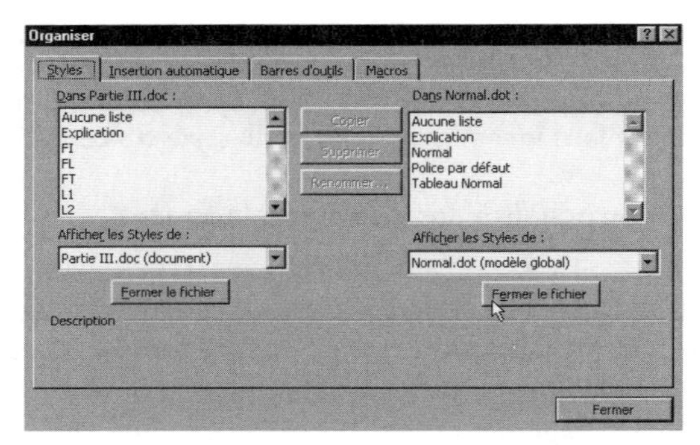

Figure 10.7 : Ouvrez le fichier à copier depuis la boîte Organiser.

La boîte de dialogue Organiser affiche dans la partie gauche la liste des styles du document actif, et dans la partie droite la liste des styles du document que vous venez d'ouvrir (voir Figure 10.8).

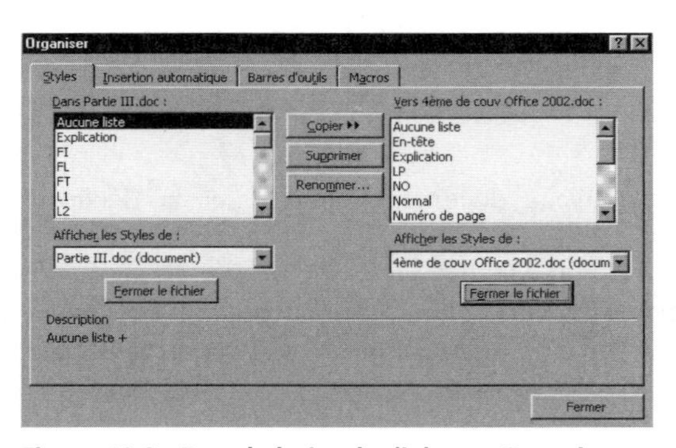

Figure 10.8 : Dans la boîte de dialogue Organiser, copiez les styles que vous voulez utiliser.

4. Sélectionnez le premier style que vous voulez utiliser dans la partie droite, puis cliquez sur le bouton **Copier**.

   Le style sélectionné s'affiche dans la partie gauche.

5. Reprenez ces procédures pour tous les styles que vous voulez copier. Cliquez sur le bouton **Fermer** quand vous avez terminé.

Vous pouvez imprimer la totalité de vos styles ainsi que leur mise en forme. Cette fonction est pratique si vous êtes plusieurs à travailler sur le même type de document : votre collègue pourra créer les mêmes styles que vous. Pour imprimer les styles, cliquez sur Fichier, Imprimer. Dans la boîte de dialogue Impression, cliquez sur la flèche de la zone Imprimer, puis sélectionnez Styles. Cliquez sur OK pour lancer l'impression.

La composition automatique

Vous pouvez créer un certain nombre de mises en forme, de bordures ou d'attributs de texte grâce à la composition automatique. Avant tout, assurez-vous que ces compositions automatiques sont activées : Pour activer la composition automatique, cliquez sur **Outils**, **Options de correction automatique**. Cliquez sur l'onglet **Lors de la frappe** (voir Figure 10.9). Cochez les cases non activées dans les différentes options, puis cliquez sur **OK**.

Dès lors, il suffit de saisir certains caractères pour générer une composition automatique. Référez-vous au Tableau 10.1 pour en découvrir toutes les possibilités.

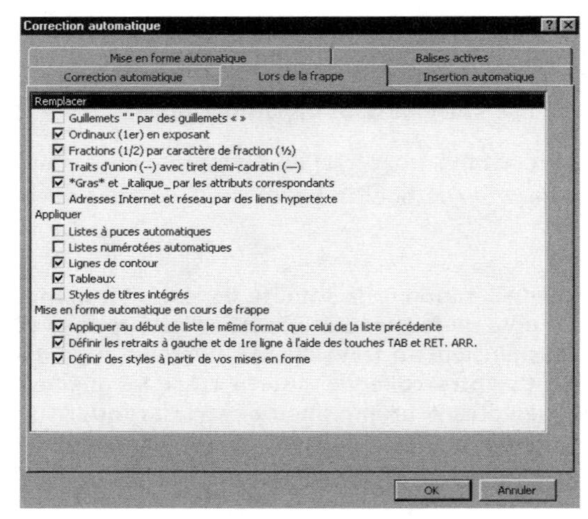

Figure 10.9 : Sélectionnez les types de compositions automatiques que vous voulez activer.

Tableau 10.1 : Les différentes compositions automatiques

Vous saisissez...	Vous obtenez...
Trois fois la touche du tiret (- ; touche 6 en minuscule) + Entrée	Une bordure simple
Trois fois la touche de soulignement (_ ; touche 8 en minuscule) + Entrée	Une bordure épaisse
Trois fois la touche du signe égale (=) + Entrée	Une bordure double
La touche étoile (*) + barre d'espacement + Entrée	Une liste à puces
La touche 1 + un point (.) + barre d'espacement + texte + Entrée	Une liste pointée
Une touche chiffre + slash + une touche chiffre	Un chiffre sous forme de fraction
Une touche chiffre + lettre + barre d'espacement	Un chiffre avec exposant

Tableau 10.1 : Les différentes compositions automatiques *(suite)*

Vous saisissez...	Vous obtenez...
La touche étoile (*) + texte + touche étoile (*)	Un texte en gras
La touche de soulignement + texte + touche de soulignement	Un texte en italique
Texte + deux fois Entrée	Un texte en style Titre 1
La touche Tab + texte + deux fois Entrée	Un texte en style Titre 2

Les insertions utiles

Il est souvent nécessaire d'insérer dans la page des éléments communs à tous les documents (date, heure, commentaire, etc.). Ces éléments permettent de réaliser plus rapidement un document.

Vous pouvez affecter un commentaire (explication, éclaircissement) à un mot ou un groupe de mots. Procédez comme suit :

1. Sélectionnez le mot (ou le groupe de mots) concerné. Cliquez sur **Insertion**, **Commentaire**.
2. Saisissez votre commentaire. Cliquez sur le bouton **Fermer**.

   Le mot (ou groupe de mots) est surligné, et le pointeur se transforme lorsque vous passez dessus.

Pour modifier un commentaire, cliquez du bouton droit dans le mot concerné, puis sélectionnez **Modifier le commentaire**. Faites votre modification, puis cliquez sur le bouton **Fermer**.

Pour supprimer un commentaire, cliquez du bouton droit dans le mot concerné, puis sélectionnez Supprimer.

Vous pouvez aussi insérer la date ou l'heure dans un document. Pour cela, cliquez à l'endroit où vous souhaitez l'insérer, puis cliquez sur **Insertion**, **Date et heure**. La boîte de dialogue Date et heure s'affiche (voir Figure 10.10). Sélectionnez le format, puis cliquez sur **OK**.

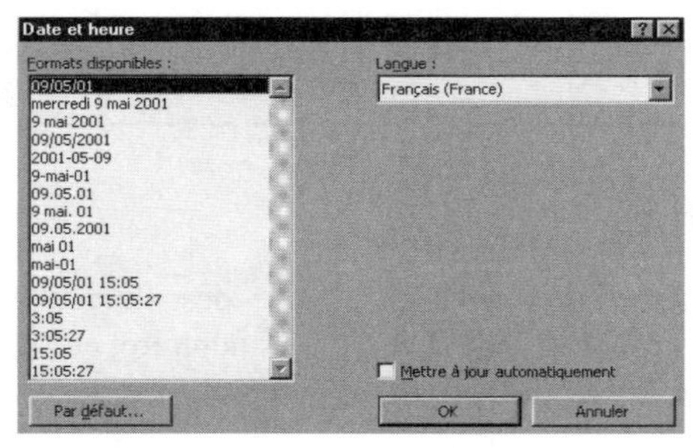

Figure 10.10 : La commande Date et heure propose plusieurs formats.

Vous avez appris à insérer des capitales accentuées dans le Chapitre 5. Vous accédez à cette commande en cliquant sur **Insertion**, **Caractères spéciaux**. Cette boîte propose aussi de nombreux symboles (fleurs, soleil, étoile, visage souriant, etc.). Pour afficher tous les symboles proposés, après avoir cliqué à l'endroit où vous voulez insérer le symbole, cliquez sur **Insertion**, **Caractères spéciaux**. Cliquez sur la flèche de la zone **Police**, et sélectionnez **Wingdings**. Cliquez sur le symbole voulu, puis sur le bouton **Insérer** et enfin sur le bouton **Fermer**.

Partie III

Excel : une calculatrice haut de gamme

Que vous soyez dirigeant d'une petite entreprise, directeur financier, comptable ou tout simplement un particulier souhaitant réaliser rapidement sa comptabilité personnelle, Excel est fait pour vous. En effet, il constitue la réponse à tous vos problèmes de calculs. Pensez un peu : finis les calculs fastidieux, les erreurs, les "je pose 2 et je retiens 1". Avec Excel, il suffit de saisir quelques chiffres, d'entrer quelques libellés, d'indiquer quelques formules, et il se charge d'exécuter en quelques millièmes de secondes tous les calculs que vous lui avez demandés. De plus, non content d'être un as du calcul, il peut afficher sous forme de graphiques la totalité de vos calculs et permettre ainsi une visualisation plus parlante de vos chiffres.

N'attendez pas plus longtemps, découvrez dans cette troisième partie comment utiliser de façon optimale les trésors que recèle ce logiciel.

Chapitre 11

Découverte d'Excel

Au sommaire de ce chapitre

- L'interface
- Le XML
- Les premiers pas
- La saisie des données
- La sélection et le déplacement des données
- L'aide à la saisie

Excel est un tableur haut de gamme qui, au fil de ses versions, s'est enrichi de nombreuses fonctionnalités. Cependant, ses concepteurs n'ont jamais oublié que son utilité première est de saisir des données et de mettre en forme des feuilles de calcul. Ces fonctions ont été grandement améliorées ; leur emploi est d'une simplicité quasi enfantine, que ce soit pour la création d'un tableau ou pour la saisie d'un plan comptable.

Dans ce chapitre, vous allez revoir les différentes saisies de données, vous apprendrez à ouvrir une nouvelle feuille de calcul et à choisir éventuellement un modèle. Une fois ces quelques procédures appréhendées, vous apprendrez à vous déplacer dans un tableau et à sélectionner une ou plusieurs cellules. Vous verrez comment insérer un commentaire dans une cellule et mettre en page la feuille de calcul.

L'interface

Par défaut, lorsque vous lancez Excel, un classeur vierge est affiché. Vous avez vu dans la Partie I comment ouvrir un classeur existant. Pour ouvrir un nouveau classeur, il suffit de cliquer sur **Nouveau classeur Excel** dans le volet Office.

L'écran

Avant d'aller plus loin, examinons l'écran et ses différents éléments (voir Figure 11.1). C'est à partir de la barre de menus que vous pouvez accéder à toutes les fonctionnalités d'Excel ; les différentes barres d'outils proposent des boutons de raccourci pour les commandes ou les fonctions les plus courantes. La cellule A1 est entourée d'un cadre noir indiquant qu'elle est sélectionnée.

Microsoft s'est mis à l'heure de l'euro depuis la version 2000 ! Au lancement d'Excel, une barre d'outils appelée EuroValue s'affiche : elle permet de sélectionner des fonctions utilisant l'euro. Si elle ne vous est d'aucune utilité, cliquez sur le bouton **Fermer** (symbolisé par un X) dans sa barre de titre.

Vous ne voyez pas la barre EuroValue ? Cliquez sur Affichage, Barre d'outils, EuroValue.

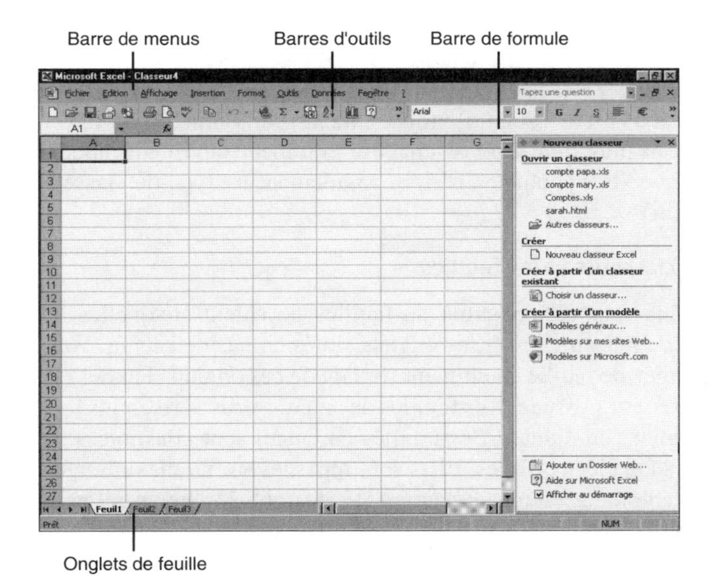

Figure 11.1 : L'écran d'Excel.

Le XML

Désormais, si vous souhaitez exploiter un Tableau Excel dans un site Web réalisé en XML, un clic suffit.

Pour enregistrer un classeur au format XML, cliquez sur **Fichier**, **Enregistrer sous**. Cliquez sur la flèche de l'option Type de fichier et sélectionnez **Feuille de calcul XML**. Validez.

Il est aussi possible d'ouvrir un tableau réalisé en XML. Il suffit, pour cela, de suivre les procédures habituelles, excepté que vous activez le type Tous les fichiers dans la boîte de dialogue Ouvrir.

Les premiers pas

Pour lancer Excel, cliquez sur **Démarrer**, **Programmes**, **Microsoft Excel**. Par défaut, il affiche un classeur vierge. Vous verrez un peu plus loin dans ce chapitre comment ouvrir un modèle lorsque vous souhaitez réaliser rapidement un type de classeur précis.

Les classeurs et les feuilles

Un classeur est constitué de feuilles de calcul auxquelles on accède par un clic sur les onglets situés en bas de l'écran. Vous changez de feuille en cliquant sur l'un de ces onglets. Par défaut, le classeur possède trois feuilles de calcul ; vous verrez plus loin comment en ajouter. Les feuilles de calcul sont constituées de cases appelées cellules. Elles sont réparties sur un maximum de 256 colonnes référencées de A à IV, et sur 65 336 lignes référencées de 1 à 65 336. Chaque cellule porte le nom de l'intersection entre la ligne et la colonne où elle est placée. Par exemple, la cellule B5 se situe à l'intersection de la deuxième colonne et de la cinquième ligne.

Les modèles

Excel propose un certain nombre de modèles. Ces outils sont parfaits lorsque vous devez réaliser rapidement un travail quelconque. Un modèle est un document vierge prédéfini dans lequel vous n'avez plus qu'à insérer vos données.

Pour sélectionner un modèle, cliquez sur **Modèles généraux** dans le volet Office. Excel propose l'onglet Feuilles de calcul qui contient différents modèles. Double-cliquez sur le modèle que vous voulez utiliser.

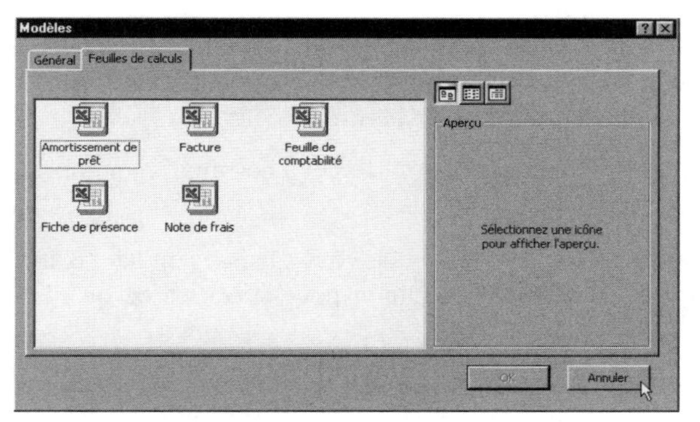

Figure 11.2 : L'onglet Feuilles de calcul permet de choisir un modèle de feuille.

La création d'un modèle

Il peut arriver que vous ne trouviez pas de modèle correspondant à votre recherche. Si vous voulez que plusieurs classeurs utilisent un modèle que vous aurez défini, vous devez enregistrer les différentes mises en forme, etc., en tant que modèle. Ces procédures sont assez simples. Pour les découvrir, reportez-vous à la Partie I.

La saisie des données

Avant d'effectuer vos calculs, vous devez saisir les différentes valeurs. A l'instar de la plupart des applications, Excel accepte à peu près toutes les données qui peuvent être numérisées. Vous pouvez insérer du son, des clips animés, des images, des adresses de pages Web, etc. Ce type de fonction ne concerne que la mise en forme de vos feuilles de calcul. Les données requises par une feuille de calcul sont les nombres, les étiquettes et les formules.

Les types de données

Excel permet d'insérer plusieurs types de données. En voici la liste ainsi que la définition (voir Figure 11.3) :

- **Nombres.** Données brutes dont Excel a besoin. Ces nombres se saisissent dans les cellules.
- **Etiquettes.** Libellés de texte que vous saisissez en haut d'une colonne ou au début d'une ligne pour spécifier ce qu'elles contiennent.
- **Formules.** Saisies qui indiquent quels sont les calculs à effectuer. Par exemple, la formule =A2–A5+B8 indique à Excel qu'il doit additionner les valeurs des cellules A2 et B8, puis en soustraire la valeur de la cellule A5.
- **Fonctions.** Formules prédéfinies qui exécutent des calculs un peu plus complets avec un seul opérateur. Par exemple, la fonction Moyenne détermine la moyenne d'un ensemble de valeurs.

Excel comprend rapidement quel type de données vous saisissez. Pour les différencier, il les affiche différemment dans les cellules. Par exemple, un libellé est aligné à gauche dans une cellule tandis qu'un nombre est aligné à droite, tout comme les fonctions, les dates et les formules.

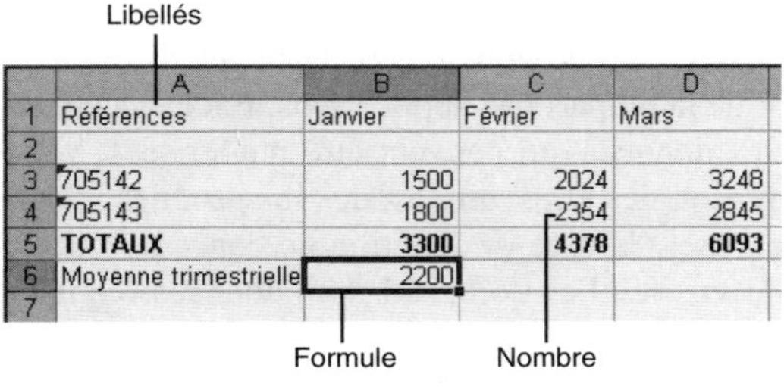

Libellés

	A	B	C	D
1	Références	Janvier	Février	Mars
2				
3	705142	1500	2024	3248
4	705143	1800	2354	2845
5	**TOTAUX**	**3300**	**4378**	**6093**
6	Moyenne trimestrielle	2200		
7				

Formule Nombre

Figure 11.3 : Excel permet d'insérer plusieurs types de données dans les feuilles de calcul.

Se déplacer dans une feuille de calcul

Vous allez étudier un peu plus loin les façons de saisir des données dans les cellules. Mais avant, il est nécessaire de savoir comment se déplacer rapidement dans une feuille de calcul.

Pour se déplacer dans une feuille de calcul, plusieurs méthodes sont disponibles :

- Utilisez les flèches de direction pour naviguer de cellule en cellule.
- Cliquez sur la cellule désirée.
- Pressez les touches **Ctrl+Origine** ou **Home** pour vous rendre à la cellule A1.
- Pressez les touches **Ctrl+Bas** pour vous rendre à la dernière cellule de saisie.
- Pressez la touche **F5** ou ouvrez le menu **Edition**, **Atteindre**. Saisissez la référence de la cellule où vous voulez vous rendre, puis cliquez sur le bouton **Atteindre**. Pour atteindre des cellules particulières, cliquez sur le bouton **Cellules**, définissez votre recherche, puis cliquez sur **OK**.

Saisir des données

Pour saisir des données, placez-vous dans la cellule concernée. Un cadre noir apparaît autour de la cellule, indiquant qu'elle est sélectionnée. Dès que vous commencez à saisir des données, elles apparaissent à la fois dans la cellule active et dans la barre de formule. Cette barre est située au-dessous de la barre d'outils Mise en forme. Deux boutons s'affichent dans cette barre : un X rouge et une coche verte. Cliquez sur la **coche verte** pour valider votre saisie et l'insérer dans la cellule ; vous pouvez aussi presser la touche **Entrée**. Cliquez sur le **X rouge** pour annuler l'entrée, ou pressez la touche **Echap**.

Si votre saisie est relativement longue, elle dépasse de la cellule. Au moment où vous la validez — si la cellule placée à droite est renseignée —, votre saisie est tronquée s'il s'agit d'un libellé, ou s'affiche sous forme de dièse (#) s'il s'agit d'un nombre. Vous devez donc adapter la colonne à son contenu. Pour cela, sélectionnez **Format**, **Colonne** (voir Figure 11.4). Dans le sous-menu, sélectionnez **Ajustement automatique**.

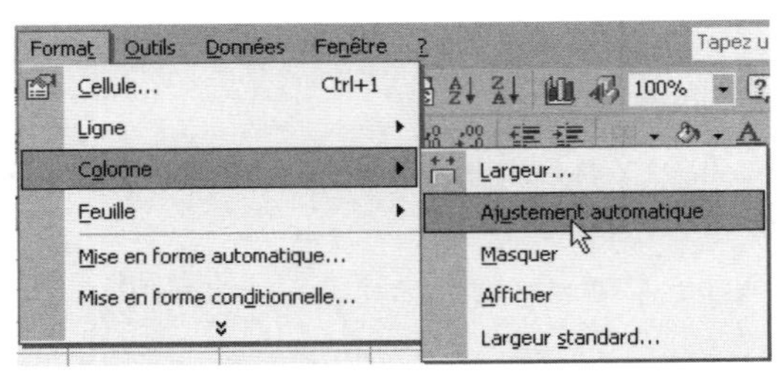

Figure 11.4 : Afin de gagner du temps, choisissez d'ajuster automatiquement la largeur de vos colonnes.

Pour ajuster une colonne au contenu des cellules, vous pouvez aussi pointer entre les en-têtes des colonnes. Le pointeur se transforme en flèche à deux pointes. Double-cliquez.

Pour redimensionner une colonne, reprenez la procédure précédente, mais faites glisser la souris au lieu de double-cliquer.

Pour modifier le contenu de votre cellule en cours de saisie, utilisez la touche **Retour arrière** ou la touche **Suppr**, puis saisissez votre correction. Une fois que la saisie est validée, vous pouvez soit double-cliquer sur la cellule concernée puis la modifier directement, soit cliquer sur la cellule et modifier son contenu dans la barre de formule.

Excel permet de corriger automatiquement les entrées de libellés à condition que celles-ci soient référencées dans la boîte Correction automatique. Pour l'activer, sélectionnez Outils, Options de Correction automatique. Reportez-vous à la Partie I pour voir comment personnaliser cette fonction.

Les données particulières

Comme indiqué précédemment, un libellé est aligné à gauche, et une valeur (nombre, fonction ou formule) est alignée à droite. Cependant, il peut arriver au cours de vos saisies que vous vouliez insérer des chiffres, mais que ceux-ci doivent être considérés en tant que libellé (par exemple un code postal). Dans ce cas, vous devez indiquer à Excel qu'il s'agit d'un libellé en l'alignant à gauche. Pour cela, avant de commencer la saisie de votre libellé, pressez la touche **apostrophe** (').

En revanche, une date et une heure, bien qu'étant du texte, doivent être considérées comme étant des valeurs puisque vous pouvez avoir à effectuer des calculs en fonction d'elles. Pour insérer des valeurs de date ou d'heure dans votre feuille de calcul, saisissez-les sous la forme que vous voulez obtenir (voir Tableau 11.1).

Tableau 11.1 : Les différents formats des dates

Format	Exemple
JJ/MM	1/1 ou 01/01
JJ/MM/AA	1/1/98 ou 01/01/98
MMM-AA	Janv-98 ou janvier-98
JJ-MMM-AA	1-jan-98
JJ-MMM	1 janvier
JJ Mois AAAA	1 janvier 1998

Tableau 11.1 : Les différents formats des dates *(suite)*

Format	Exemple
HH:MM	17:15
HH:MM:SS	10:25:59
JJ/MM/YY HH:MM	25/12/98 13:15

La sélection et le déplacement des données

Vous savez maintenant comment saisir les différentes données dans vos cellules. Vous aurez parfois besoin de copier, couper ou coller des données. Ou encore, vous souhaiterez sélectionner plusieurs cellules (une plage) pour effectuer un calcul (voir Chapitre 12). Vous devez donc savoir sélectionner rapidement des cellules.

La sélection de cellules et de feuilles

Voici les différentes procédures de sélection :

- Pour sélectionner une cellule, cliquez dessus. Ensuite, utilisez les touches de direction pour sélectionner les cellules situées à gauche, à droite, au-dessus, au-dessous.
- Pour sélectionner plusieurs cellules contiguës, cliquez sur la première cellule, puis faites glisser la souris jusqu'à la dernière cellule de la plage.
- Pour sélectionner plusieurs cellules non contiguës, cliquez sur la première cellule, pressez la touche **Ctrl** puis, tout en maintenant la touche enfoncée, cliquez sur la deuxième cellule, etc. Lorsque vous avez terminé la sélection, relâchez la touche **Ctrl**.
- Pour sélectionner une ligne, cliquez sur son numéro dans l'en-tête de ligne.

- Pour sélectionner une colonne, cliquez sur sa lettre dans l'en-tête de colonne.
- Pour sélectionner toute la feuille de calcul, cliquez sur le bouton grisé à l'intersection de l'en-tête de ligne et de l'en-tête de colonne.

La navigation dans une feuille

Pour déplacer une cellule ou un bloc, il suffit de cliquer sur la cellule concernée ou de sélectionner le bloc, puis d'amener le pointeur dans le cadre de la cellule ou du bloc : le pointeur se transforme en croix fléchée. Cliquez puis, tout en maintenant le bouton de la souris enfoncé, faites glisser vers l'endroit désiré et relâchez le bouton.

A mesure de votre saisie, votre feuille va prendre de l'ampleur. Il arrivera un moment où vous ne verrez plus les en-têtes de colonnes ou les en-têtes de lignes ; de ce fait, vous ne saurez plus où insérer vos données. La solution est de fractionner la fenêtre en deux volets, ce qui permettra non seulement de visualiser les colonnes et les lignes dans lesquelles vous saisissez, mais aussi de voir les en-têtes de colonnes et de lignes.

Pour fractionner la feuille de calcul, faites glisser le curseur de fractionnement jusqu'à la position où vous souhaitez placer la barre de fractionnement. Les curseurs de fractionnement sont situés juste au-dessus de la barre de défilement verticale ou à droite de la barre de défilement horizontale (voir Figure 11.5).

	A	B	C	D	E	F	G	H	I
1		Janvier	Février	Mars	Avril	Mai	Juin		
1		Janvier	Février	Mars	Avril	Mai	Juin		
2									

Figure 11.5 : En fractionnant une fenêtre en volets, vous pouvez afficher deux sélections de la fenêtre de calcul.

Pour supprimer une barre de fractionnement, faites-la glisser vers le bas ou vers le haut de l'écran.

Les plages de cellules

Il arrivera que vous deviez sélectionner plusieurs fois le même groupe de cellules. Pour accélérer le travail, vous pouvez créer une plage de cellules. Par la suite, vous n'aurez plus qu'à sélectionner cette plage pour y effectuer vos modifications, mises en forme, etc. Procédez comme suit :

- Pour une plage de cellules contiguës, cliquez sur la première cellule, puis faites glisser la souris jusqu'à la dernière cellule à englober.
- Pour une plage de cellules non contiguës, cliquez sur la première cellule, maintenez la touche **Ctrl** enfoncée, cliquez sur la deuxième cellule, etc.

Pour nommer une plage, procédez comme suit :

1. Après avoir sélectionné la plage, cliquez sur la zone de référence (partie gauche de la barre de formule, voir Figure 11.6). Saisissez le nom en respectant les règles suivantes :
   - Le nom de la plage doit commencer par une lettre ou un trait de soulignement.
   - Le nom de la plage ne doit pas être la référence d'une cellule quelconque.
   - Ne mettez pas d'espace entre les caractères ou les chiffres.
   - Utilisez le trait de soulignement pour séparer deux mots.
   - Saisissez un maximum de 255 caractères.
2. Pressez la touche **Entrée** pour valider.

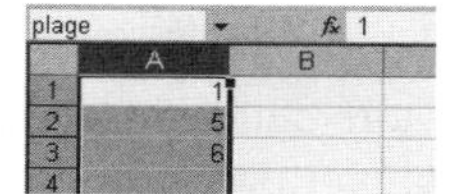

Figure 11.6 : Nommez la plage de cellules dans la zone de référence.

Une fois votre plage nommée, il suffit, pour la sélectionner, d'ouvrir le menu **Edition**, **Atteindre** et d'indiquer la plage voulue (voir Figure 11.7).

Pour atteindre rapidement une plage de cellules, vous pouvez aussi presser les touches Ctrl+T ou cliquer sur la flèche de l'option Zone nom et sélectionner la plage dans la liste qui se déroule.

Figure 11.7 : Rechercher une plage de cellules.

Vous souhaitez envoyer une plage de données à l'un de vos collaborateurs ? Sélectionnez la plage de cellules concernée, puis cliquez sur Message électronique dans la barre d'outils Standard. Procédez ensuite comme d'ordinaire pour envoyer un message (voir Partie V).

Les commentaires de cellules

Vous pouvez insérer un commentaire dans une cellule. Cette fonction permet de noter la signification de cellules particulières et ainsi de guider plus facilement les personnes qui, éventuellement, consultent vos données.

Pour créer un commentaire, cliquez sur la cellule concernée. Sélectionnez **Insertion**, **Commentaire**. Une info-bulle apparaît avec votre nom (celui que vous avez indiqué lors de l'installation d'Office) ; saisissez votre commentaire. Ensuite, cliquez en dehors de la zone de texte. Pour signaler que la cellule possède un commentaire, Excel affiche un triangle rouge dans l'angle supérieur droit de celle-ci. Pour visualiser le contenu du commentaire, pointez dans la cellule le contenant (voir Figure 11.8).

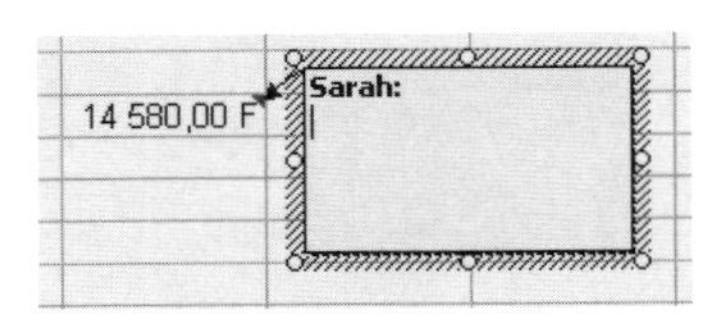

Figure 11.8 : Affectez un commentaire à une cellule pour renseigner vos collègues.

Pour modifier un commentaire, cliquez du bouton droit dans la cellule contenant le commentaire, puis sélectionnez **Modifier le commentaire**.

Pour supprimer un commentaire, cliquez du bouton droit dans la cellule concernée, puis sélectionnez Effacer l'annotation.

L'aide à la saisie

Excel propose plusieurs fonctions d'aide à la saisie qui permettent d'accélérer le travail.

Recopier

Pour recopier une cellule, utilisez la poignée de recopie (voir Figure 11.9). En effet, la commande Recopier du menu Edition a disparu. Avant d'utiliser cette poignée, prenez connaissance de ses différentes utilisations :

- La poignée de recopie d'une ligne apparaît dans la partie inférieure droite de son en-tête lorsque vous la sélectionnez.
- La poignée de recopie d'une colonne apparaît dans la partie inférieure droite de son en-tête lorsque vous la sélectionnez.
- La poignée de recopie d'une cellule (symbolisée par un petit carré) apparaît dans la partie inférieure droite. Cliquez dessus, puis faites-la glisser sur les cellules à remplir.

Figure 11.9 : La poignée de recopie d'une cellule.

Selon le contenu de la cellule, Excel va recopier de différentes façons :

- La cellule contient une valeur numérique ; Excel recopie cette valeur.
- La cellule contient une forme, par exemple A1+A2 ; Excel incrémente de 1 la copie : A2+A3.
- La cellule contient, par exemple, un mois ; Excel insère le mois qui suit celui à partir duquel la fonction de recopie est réalisée (recopie de série).

Désormais, lorsque vous réalisez une copie avec la poignée de recopie, au moment ou vous relâchez le bouton de la souris pour terminer la recopie, une balise s'affiche (voir Figure 11.10). Cliquez dessus pour ouvrir son menu, et sélectionnez le type de recopie à réaliser (Copier les cellules, Ne recopier que la mise en forme ou Recopier les valeurs sans la mise en forme).

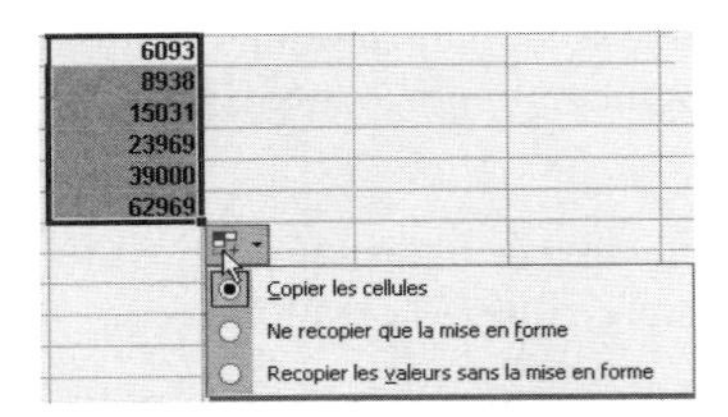

Figure 11.10 : Lorsque la recopie est terminée, une balise s'affiche. Elle contient un menu qui permet d'activer le type de recopie à réaliser.

Vous venez de découvrir la fonction de recopie par insertion d'une série. Excel propose plusieurs séries intégrées qu'il utilise pour la recopie automatique. Vous pouvez créer vos propres séries de recopie.

Pour créer une série de recopie automatique, procédez comme suit :

1. Sélectionnez **Outils**, **Options**, puis cliquez sur l'onglet **Listes pers**. Au besoin, cliquez sur **Nouvelle liste** dans le volet gauche. Saisissez la nouvelle liste dans le volet droit et cliquez sur le bouton **Ajouter**.
2. Cliquez sur **OK** pour valider votre série automatique.

Pour copier une ou plusieurs cellules, vous pouvez aussi utiliser les boutons Copier, Coller ou Couper, Coller de la barre d'outils Standard.

Pour recopier une valeur, une date ou une étiquette dans une autre feuille de calcul du classeur, procédez comme suit :

1. Affichez la feuille de calcul à partir de laquelle vous voulez recopier la valeur. Pressez la touche **Ctrl**. Cliquez sur l'onglet de la feuille de calcul dans laquelle vous voulez copier la valeur. Copiez les cellules.
2. Cliquez sur l'onglet de la feuille de calcul dans laquelle vous voulez coller la copie.
3. Sélectionnez **Edition**, **Coller**. La copie s'affiche automatiquement au bon endroit.

La saisie automatique

Dès que le contenu d'une cellule est répétitif, la fonction de saisie automatique permet d'insérer automatiquement ce contenu dans une autre cellule. En effet, Excel garde en mémoire le contenu des cellules que vous venez de saisir. Pour déclencher cette fonction, cliquez du bouton droit dans la cellule à laquelle vous voulez appliquer la saisie automatique, puis sélectionnez **Liste de choix**. La liste des dernières entrées apparaît, il suffit de sélectionner la saisie que vous voulez insérer.

Cette fonction se déclenche aussi toute seule. Vous saisissez le début d'un mot que vous avez déjà entré : Excel affiche le reste de la saisie. Si c'est le mot correct, cessez votre saisie. Si ce n'est pas le cas, continuez la saisie.

La saisie automatique concerne aussi les valeurs, mais il est préférable de désactiver cette fonction, car elle peut être dangereuse si vous n'y prêtez pas attention. Sélectionnez Outils, Options, puis cliquez sur l'onglet Modification. Désactivez l'option Saisie semi-automatique des valeurs de cellule. Cliquez sur OK.

Chapitre 12

La mise en forme de la feuille de calcul

Au sommaire de ce chapitre

- Les cellules, lignes et colonnes
- La mise en forme
- Les bordures, l'arrière-plan et le remplissage
- Insérer des images

Au Chapitre 11, vous avez appris à vous déplacer dans une feuille de calcul, à insérer des libellés, des valeurs, des dates, etc. Avant de commencer à calculer, vous allez étudier la mise en forme de votre feuille de calcul. Dans ce chapitre, vous verrez comment insérer et supprimer des lignes ou des colonnes. Nous aborderons ensuite les différentes mises en forme possibles. Vous verrez aussi comment encadrer une cellule ou un tableau. Enfin, vous apprendrez à insérer des images dans votre feuille de calcul.

Les cellules, les lignes et les colonnes

Au cours de la création d'un tableau dans une feuille de calcul, il est souvent nécessaire d'insérer ou de supprimer des cellules, des lignes ou des colonnes. Vous allez découvrir les différentes procédures pour réaliser ce type de manipulation.

Insérer et supprimer des cellules

Pour insérer une cellule, cliquez du bouton droit sur la cellule placée avant ou après l'insertion, et sélectionnez **Insérer** (voir Figure 12.1). Cliquez sur l'option choisie (**Décaler les cellules vers la droite** ou **Décaler les cellules vers le bas**). Cliquez sur **OK**.

Pour insérer plusieurs cellules, après avoir sélectionné une plage de cellules correspondant au nombre de cellules à insérer, reprenez la même procédure que pour l'insertion d'une seule cellule.

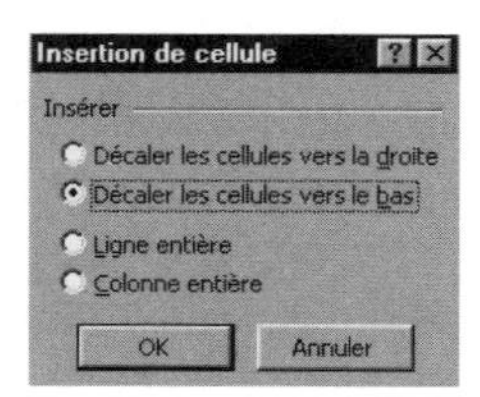

Figure 12.1 : La boîte de dialogue Insertion de cellule permet de définir à quel endroit la cellule va s'insérer.

Pour insérer rapidement une cellule, pressez la touche Maj, puis utilisez la poignée de recopie, comme indiqué au Chapitre 11.

Pour supprimer une ou plusieurs cellules vierges, après les avoir sélectionnées, cliquez du bouton droit sur la sélection, puis sélectionnez **Supprimer**. Vous pouvez aussi cliquer sur **Edition**,

Supprimer. La boîte de dialogue Supprimer s'affiche (voir Figure 12.2). Sélectionnez le choix voulu dans la liste, puis cliquez sur **OK**.

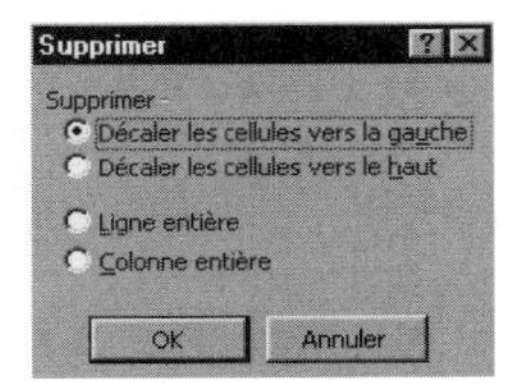

Figure 12.2 : Faites votre choix de suppression dans la boîte de dialogue Supprimer.

Pour supprimer le texte ou les valeurs d'une ou plusieurs cellules, après les avoir sélectionnées, pressez la touche **Suppr**. Les cellules sont maintenues, mais leur contenu disparaît. En revanche, pour supprimer le contenu des formules, mais pas le format ou le commentaire, etc., après les avoir sélectionnées, cliquez sur **Edition**, **Effacer**, puis sélectionnez l'option adéquate dans le menu en cascade (voir Figure 12.3). Sachez que :

- **Tout** supprime l'ensemble des choix définis précédemment.
- **Formats** efface la mise en forme, mais conserve le texte existant.
- **Contenu** efface le texte de la cellule.
- **Commentaires** supprime le commentaire.

Fusionner et fractionner les cellules

Au cours de la réalisation d'un tableau, il peut se révéler nécessaire de fusionner plusieurs cellules. Prenons deux exemples concrets pour plus de clarté. Vous souhaitez fusionner les cellules de la première ligne afin d'insérer un titre centré pour votre tableau.

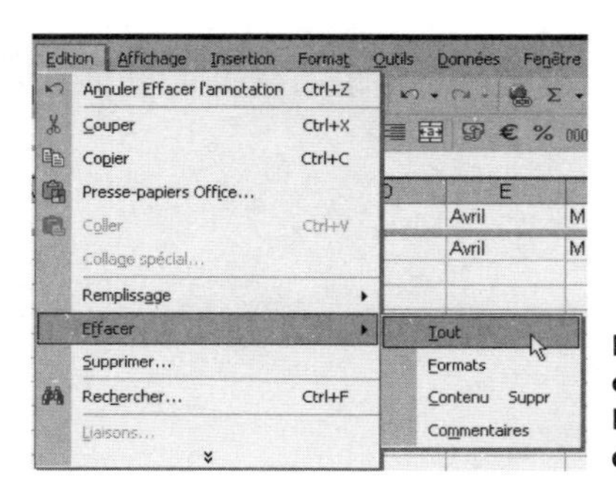

Figure 12.3 : Le menu en cascade de la commande Edition, Effacer permet de définir la suppression.

Sélectionnez les cellules de la première ligne jusqu'à la fin des colonnes (par exemple, si votre tableau contient dix colonnes, sélectionnez les cellules de A1 à A10). Cliquez sur le bouton **Fusionner et centrer** dans la barre d'outils Mise en forme. Dans le cadre du second exemple, imaginons que vous souhaitiez fusionner plusieurs cellules contenant déjà du texte. Sélectionnez les cellules concernées, puis ouvrez le menu **Format**, **Cellule** (voir Figure 12.4). Cliquez sur l'onglet **Alignement**, puis cochez la case **Fusionner les cellules** pour l'activer. Cliquez sur **OK** pour valider votre choix.

Vous venez de le voir, vous pouvez fusionner des cellules. Pour que les cellules soient divisées afin qu'elles retrouvent leur état initial, cliquez à nouveau sur le bouton **Fusionner et centrer**.

Insérer des lignes et des colonnes

Tout comme il est possible d'insérer des cellules, vous pouvez aisément insérer des lignes ou des colonnes. Procédez comme suit :

- Pour insérer une ou plusieurs lignes, sélectionnez le nombre de lignes que vous voulez insérer. Cliquez du bouton droit dans la sélection et choisissez **Insérer**. Les lignes s'insèrent au-dessus des lignes sélectionnées.

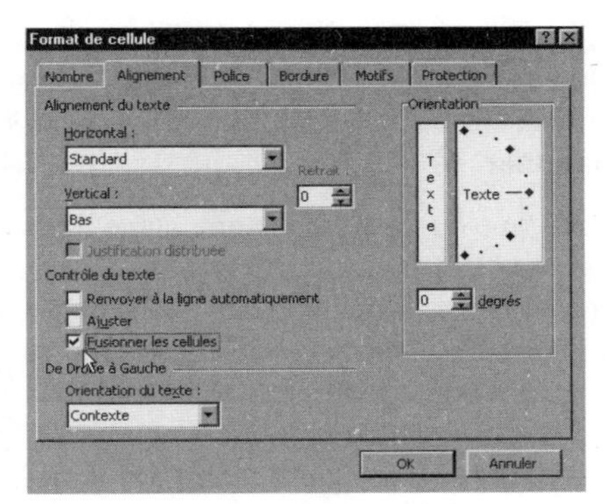

Figure 12.4 : La fusion de cellules est accessible dans la boîte de dialogue Format de cellule.

- Pour insérer une ou plusieurs colonnes, sélectionnez le nombre de colonnes que vous voulez insérer, puis cliquez du bouton droit sur la sélection et choisissez **Insérer**. Les colonnes s'insèrent à gauche des colonnes sélectionnées.

Lorsque vous avez déjà saisi des valeurs, des formules ou des fonctions, le fait d'insérer des lignes peut modifier la plage de calcul !

Supprimer des lignes et des colonnes

La suppression de lignes et de colonnes est à manipuler avec précaution. En effet, lorsque vous avez déjà défini les formules ou les fonctions, la suppression peut perturber l'ensemble de votre tableau. Plusieurs cas de figure se présentent. Procédez comme suit, en fonction de la suppression voulue :

- Pour supprimer le contenu d'une colonne ou d'une ligne, sélectionnez-la, puis pressez la touche **Suppr**.

- Pour supprimer une ligne entière ou une colonne entière, sélectionnez-la, puis ouvrez le menu **Edition**, **Supprimer**. Vous pouvez aussi cliquer du bouton droit sur la sélection, puis sélectionner **Supprimer**.

Pour supprimer la mise en forme ou un commentaire d'une ligne ou d'une colonne, sélectionnez la colonne ou la ligne à supprimer, puis ouvrez le menu **Edition**, **Effacer**. Dans le menu en cascade, sélectionnez l'option adéquate en fonction des critères décrits plus haut (**Contenu**, **Formats**, **Commentaire** ou **Tout**).

Lorsque vous supprimez une ligne entière, les lignes situées au-dessous remontent. Lorsque vous supprimez une colonne entière, les colonnes situées à droite se décalent vers la gauche.

Une autre fonction est intéressante pour la construction d'un tableau : le déplacement de colonne ou de ligne. Imaginons, par exemple, que vous ayez placé, contre toute logique, la colonne TVA après la colonne TOTAL TTC...

Pour déplacer une colonne, procédez comme suit :

1. Sélectionnez la colonne à déplacer. Cliquez du bouton droit sur la sélection, puis sur **Couper** dans le menu contextuel (voir Figure 12.5).
2. Cliquez du bouton droit à l'endroit où vous voulez insérer la colonne. Sélectionnez **Coller** dans le menu contextuel.

Pour déplacer une ligne, reprenez les procédures du déplacement de colonnes.

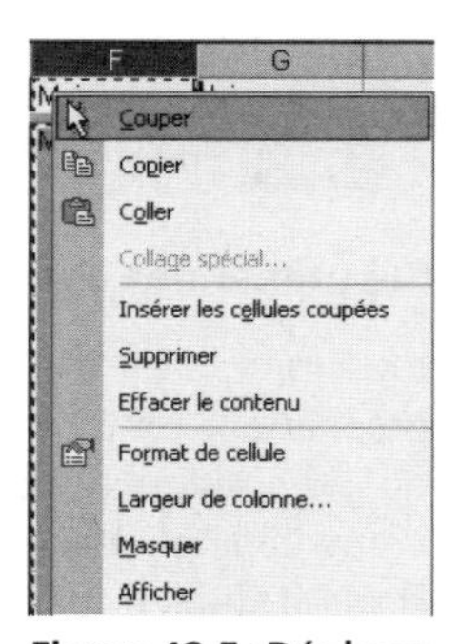

Figure 12.5 : Déplacez une colonne à l'aide du bouton droit de la souris.

La mise en forme

Excel propose de multiples possibilités pour la mise en forme de votre tableau. Vous pouvez définir la mise en forme des cellules, encadrer le tableau, afficher un arrière-plan, etc.

Pour commencer, vous allez étudier la mise en forme des cellules et de leur contenu. Mais, avant d'aborder ces fonctions, faites connaissance avec la mise en forme automatique.

La mise en forme automatique

La mise en forme automatique permet, en deux ou trois clics, de mettre en forme un tableau.

Pour utiliser la mise en forme automatique, procédez comme suit :

1. Sélectionnez votre tableau. Ouvrez le menu **Format**, **Mise en forme automatique** (voir Figure 12.6).

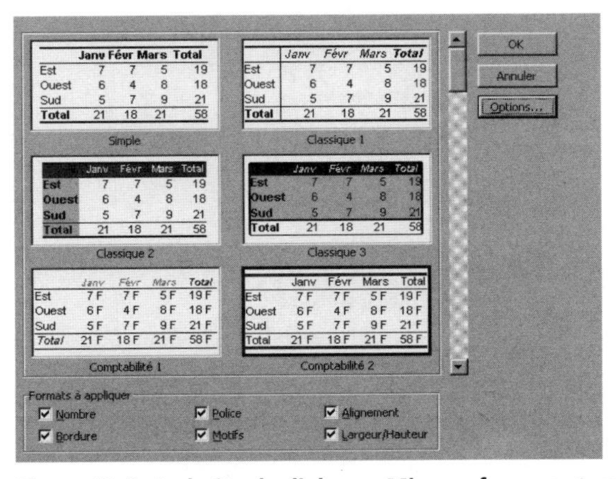

Figure 12.6 : La boîte de dialogue Mise en forme automatique permet de choisir un format prédéfini pour votre tableau.

2. Sélectionnez la mise en forme voulue dans la liste **Format du tableau**. La zone Aperçu visualise le choix de mise en forme sélectionné.

3. Si vous souhaitez modifier l'un des attributs de mise en forme prédéfinie, cliquez sur la case concernée dans la zone **Options**, puis faites vos modifications et cliquez sur **OK**. A nouveau, cliquez sur **OK** pour valider le format sélectionné.

La barre d'outils Mise en forme

Avant d'étudier les diverses mises en forme proposées par Excel, faites connaissance avec les différents boutons que propose la barre d'outils Mise en forme (voir Tableau 12.1).

Tableau 12.1 : Les boutons de la barre d'outils Mise en forme

Bouton	Description
Arial	Modifie la police.
10	Modifie la taille de la police.
G	Met en gras.
I	Met en italique.
S	Souligne.
	Aligne à gauche.
	Centre.
	Aligne à droite.
a	Fusionne et centre.

Tableau 12.1 : Les boutons de la barre d'outils Mise en forme *(suite)*

Bouton	Description
	Affiche au format monétaire.
€	Insère le symbole monétaire européen.
%	Affiche un pourcentage.
000	Affiche une virgule.
+,0 ,00	Ajoute une décimale.
,00 +,0	Supprime une décimale.
	Augmente le retrait.
	Diminue le retrait.
	Crée une bordure.
	Offre le choix d'une couleur de remplissage.
A	Offre le choix d'une couleur pour les caractères.

Après avoir sélectionné la ou les cellules à mettre en forme, cliquez sur le bouton de votre choix dans la barre d'outils Mise en forme.

La mise en forme des cellules

En plus des boutons proposés dans la barre d'outils Mise en forme, il existe d'autres possibilités de mise en forme des cellules.

La première des mises en forme concerne l'affichage du contenu de votre cellule. En effet, par défaut, les valeurs numériques n'ont pas de format. Pour choisir l'affichage du contenu numérique d'une cellule, outre les boutons **Monétaire** et **Ajouter une décimale**, vous devez ouvrir la boîte de dialogue Format de cellule. Pour cela, après avoir sélectionné la cellule concernée, ouvrez le menu **Format**, **Cellule**. Cliquez ensuite sur l'onglet **Nombre** (voir Figure 12.7). Dans la liste **Catégorie**, cliquez sur le choix adéquat. Il peut arriver qu'Excel demande de spécifier certains paramètres, comme le nombre de décimales ou le format des valeurs numériques négatives. Définissez vos choix, puis cliquez sur **OK**.

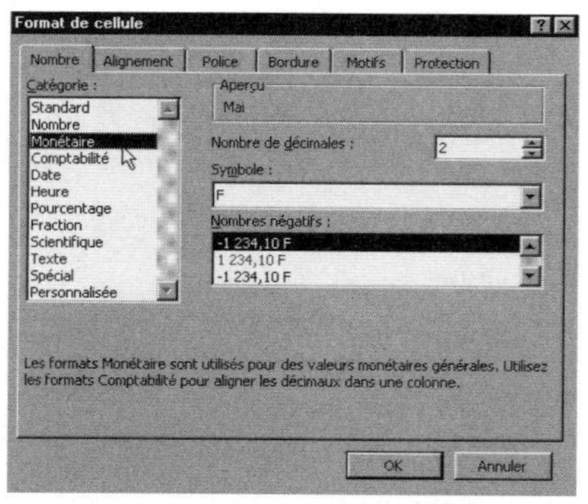

Figure 12.7 : Modifiez l'affichage de vos chiffres dans l'onglet Nombre de la boîte de dialogue Format de cellule.

En plus des formats proposés, vous pouvez parfaitement créer un format personnalisé pour vos cellules. Après avoir sélectionné la ou les cellules concernées, ouvrez le menu **Format**, **Cellule**. Cliquez sur l'onglet **Nombre**. Dans la liste **Catégorie**, cliquez sur **Personnalisé**. Choisissez ou saisissez le format dans la zone **Type**, puis cliquez sur **OK**.

Pour supprimer un format personnalisé, ouvrez la boîte de dialogue Format de cellule, comme nous l'avons vu précédemment, puis cliquez sur l'onglet Nombre. Sélectionnez le format à supprimer dans la zone Catégories, puis cliquez sur le bouton Supprimer. Cliquez ensuite sur OK pour valider votre suppression.

Vous l'avez vu au Chapitre 11, les cellules sont alignées en fonction de leur contenu. Ainsi, les cellules contenant du libellé sont alignées à gauche, et celles qui affichent des valeurs, des formules ou des fonctions sont alignées à droite. Cela étant, vous pouvez parfaitement personnaliser l'alignement de vos cellules. Après avoir sélectionné la cellules concernées, cliquez sur l'un des boutons proposés dans la barre d'outils Mise en forme (**Aligner à gauche**, **Aligner à droite**, **Justifier** ou **Centrer**).

Cependant, malgré les possibilités d'alignement, il arrive que le texte de votre cellule soit très long et d'aspect assez laid. Bien sûr, vous pouvez élargir la colonne (voir Chapitre 11), mais ce n'est pas toujours la bonne méthode. Imaginons, par exemple, que le titre de l'une des colonnes soit un texte relativement long, alors que le contenu des autres cellules de cette colonne est peu important. Pour permettre à la cellule de contenir la totalité du texte sans élargir la colonne, la solution consiste à placer le texte sur plusieurs lignes.

Pour insérer plusieurs lignes dans une cellule, procédez comme suit :

1. Saisissez le texte dans la cellule concernée. Sélectionnez la cellule.

2. Cliquez du bouton droit dans la sélection, puis choisissez **Format de cellule**. Cliquez sur l'onglet **Alignement** (voir Figure 12.8).

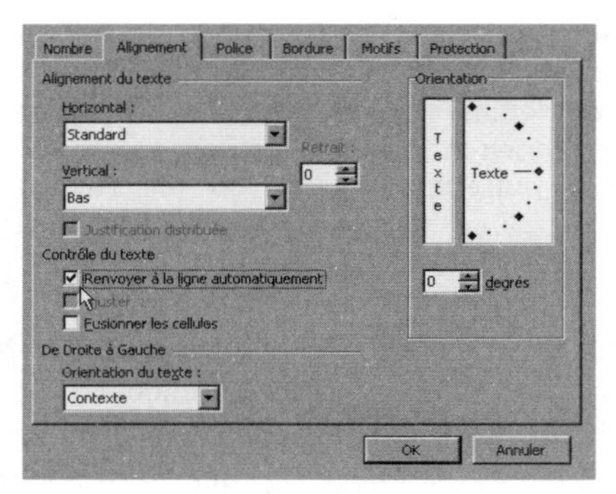

Figure 12.8 : L'onglet Alignement permet de définir certaines options pour le contenu des cellules.

3. Cochez l'option **Renvoyer à la ligne automatiquement** pour l'activer. Cliquez sur **OK** pour valider votre choix (voir Figure 12.9).

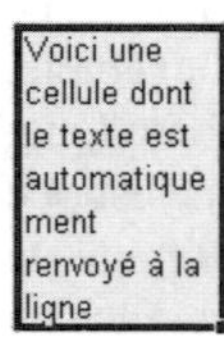

Figure 12.9 : Le texte de votre cellule tient sur plusieurs lignes.

Lorsque vous modifiez la hauteur d'une cellule, cette modification s'applique à toutes les cellules de la ligne.

Vous pouvez aussi choisir de modifier l'orientation du contenu de vos cellules. Dans ce cas, après avoir sélectionné la cellules concernées, cliquez du bouton droit dans la sélection, puis sélectionnez **Format de cellule**. Cliquez sur l'onglet **Alignement**. Dans la zone **Orientation**, sélectionnez celle que vous voulez appliquer en cliquant sur les flèches de l'option **Degrés**. Le choix

que vous définissez s'affiche dans l'aperçu. La zone Alignement du texte permet de modifier les alignements vertical et horizontal dans les options du même nom.

Si une colonne a une largeur spécifique et que vous deviez copier ses données dans une feuille dont les colonnes sont de taille standard, il est désormais possible de coller les données sans perdre la mise en forme en utilisant la balise. Pour cela, copiez la colonne, collez-la dans la feuille voulue, puis cliquez sur la balise qui s'affiche. Sélectionnez l'option voulue : Conserver la mise en forme source, Respecter la mise en forme de destination, etc.

La mise en forme conditionnelle

Cette fonction permet d'appliquer une mise en forme en fonction de certains critères. Par exemple, vous souhaitez que, dans votre tableau, la cellule contenant le bénéfice s'affiche dans une couleur différente si le montant est négatif. Pour que cette fonction soit plus explicite, nous allons prendre un exemple précis : vous souhaitez que le montant de l'une de vos cellules s'affiche en bleu s'il est supérieur ou égal à 150.

Pour créer une mise en forme conditionnelle, procédez comme suit :

1. Sélectionnez la cellule concernée. Ouvrez le menu **Format**, **Mise en forme conditionnelle**.
2. Dans la deuxième option de la zone **Condition 1**, sélectionnez **Supérieure ou égale à**.
3. Dans la troisième option de la zone **Condition 1**, saisissez 150. Cliquez sur le bouton **Format**.
4. Dans l'option **Couleur**, sélectionnez la couleur bleue, puis cliquez sur **OK** (voir Figure 12.10).

Figure 12.10 : Définissez une mise en forme conditionnelle pour l'une de vos cellules.

Pour supprimer une mise en forme conditionnelle, sélectionnez-la dans la boîte de dialogue Mise en forme conditionnelle, pressez la touche **Suppr**, puis cliquez sur **OK** pour valider la suppression.

Vous pouvez définir jusqu'à deux conditions de mise en forme pour vos cellules. Après avoir créé la première condition de mise en forme, cliquez sur le bouton Ajouter, puis définissez la seconde condition dans la zone Condition 2.

Les bordures, l'arrière-plan et le remplissage

Par défaut, une feuille de calcul Excel s'imprime sans aucun quadrillage, ce qui la rendre relativement difficile à lire. Vous pouvez, bien sûr, affecter un quadrillage à l'ensemble de votre feuille de calcul, mais cela ne serait guère esthétique. La meilleure des solutions est de créer un encadrement pour le tableau et l'ensemble des colonnes et des lignes.

Pour créer l'encadrement d'un tableau, procédez comme suit :

1. Sélectionnez tout le tableau. Ouvrez le menu **Format**, **Cellule**. Cliquez sur l'onglet **Bordure** (voir Figure 12.11). Cliquez sur l'option **Contour** dans la zone Présélections.

2. Sélectionnez un style de trait dans l'option **Style**. Choisissez éventuellement la couleur des traits dans l'option **Couleur**. Cliquez sur **OK** pour valider l'encadrement de votre tableau.

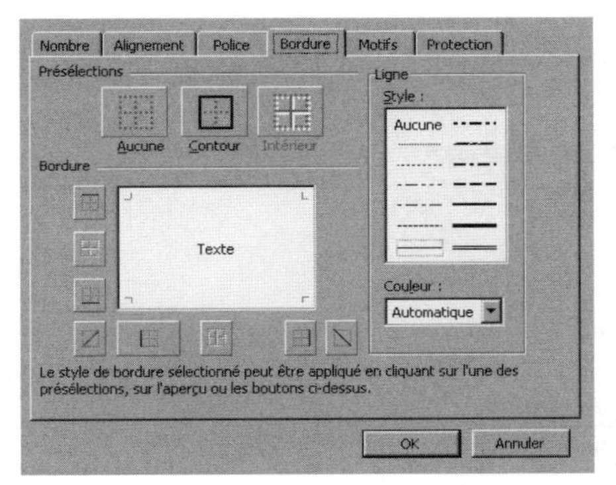

Figure 12.11 : L'onglet Bordures permet de définir l'encadrement d'un tableau ou d'une cellule.

Dans la boîte de dialogue Cellule, le fait de cliquer sur une des bordures actives la supprime.

Pour créer rapidement l'encadrement d'une cellule, utilisez plutôt les différents boutons de création de bordure proposés dans la barre d'outils Mise en forme.

Tout comme vous pouvez dessiner un tableau dans Word, vous pouvez dessiner les bordures dans la version 2002 d'Excel. Cliquez sur le bouton **Bordures**. Dans le menu contextuel, sélectionnez **Traçage des bordures**. Le pointeur se transforme en crayon. Dessinez les bordures aux endroits voulus. Pour mettre en forme lesdites bordures, procédez comme pour l'encadrement d'un tableau (voir plus haut).

Le remplissage et l'arrière-plan

Pour tramer les cellules d'un tableau, après les avoir sélectionnées, cliquez du bouton droit sur la sélection, puis choisissez **Format de cellule**. Cliquez sur l'onglet **Motifs** (voir Figure 12.12). Sélectionnez la couleur de remplissage, puis cliquez sur **OK**.

L'option **Motif** permet de sélectionner un motif de remplissage pour vos cellules.

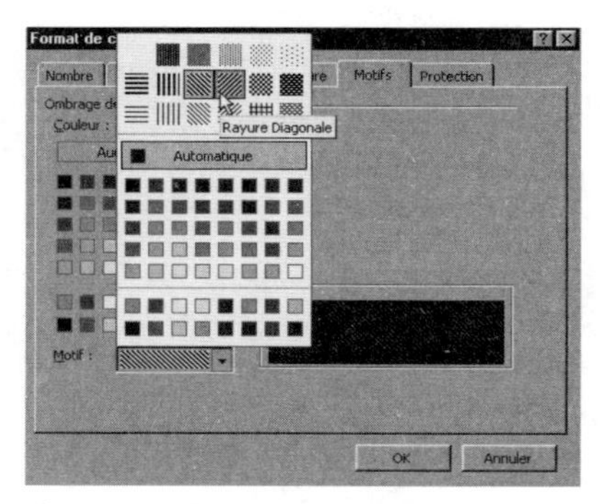

Figure 12.12 : Vous pouvez ajouter des motifs de remplissage pour vos cellules.

Excel propose encore une autre option de mise en forme pour les feuilles de calcul : l'arrière-plan. Pour insérer un arrière-plan, ouvrez le menu **Format**, **Feuille**. Sélectionnez l'option **Arrière-plan** dans le menu en cascade. Dans la boîte de dialogue Feuille de fond, sélectionnez un dossier dans la zone **Regarder dans**, cliquez sur le fichier de l'arrière-plan voulu, puis sur **Ouvrir**. Pour visualiser l'arrière-plan sélectionné dans la boîte de dialogue active, cliquez sur le fichier de l'arrière-plan à activer, puis sur le bouton **Aperçu**. Bien sûr, vous devez disposer de fichiers images sur votre disque dur. Dans le cas contraire, recherchez un arrière-plan dans le ClipArt (voir Partie II).

Convertir en euros, en dollars, etc.

Conscients que la mondialisation est en marche et que, de plus en plus, les entreprises devront facturer dans de multiples devises, les concepteurs d'Office ont mis au point un outil qui permet de convertir rapidement une monnaie en une autre.

Pour utiliser le convertisseur, sélectionnez la cellule contenant le chiffre à convertir. Ensuite, ouvrez le menu **Outils**, **Conversion euro** (voir Figure 12.13). Dans l'option Plage de destination, indiquez la cellule devant contenir le montant dans la nouvelle devise. Ensuite, définissez la devise de départ et la devise finale, puis validez la conversion et cliquez sur **OK**.

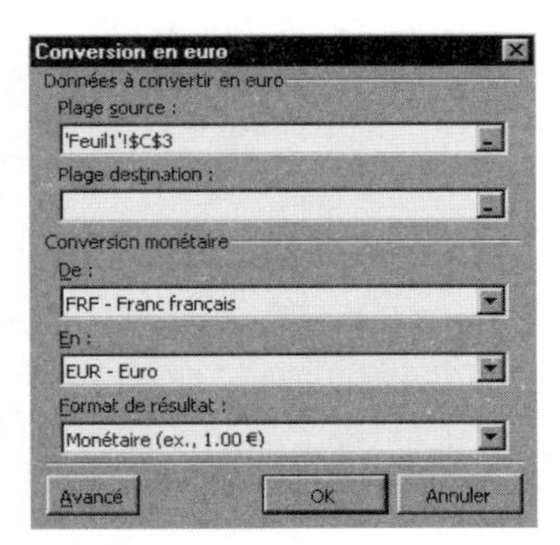

Figure 12.13 : Convertissez rapidement vos calculs en euros.

Dans la boîte de dialogue Conversion en euro, le bouton Avancé permet de définir les options de conversion : Conversion uniquement en valeur, Lier les formules aux données d'origine, etc.

Insérer des images

Maintenant que vous avez réalisé la mise en forme d'un tableau, vous pouvez l'agrémenter d'images du ClipArt (voir Partie I), d'images numérisées, de formes automatiques et d'organigrammes. Etant donné que vous avez déjà étudié certaines fonctions et que les autres seront expliquées précisément dans la Partie IV, nous ne nous appesantirons pas sur le sujet.

Cependant, voici la procédure pour insérer une image du Clip-Art :

1. Ouvrez le menu **Insertion**, **Image**, **Images de la bibliothèque**. Dans le volet Office, cliquez sur une catégorie.
2. Cliquez sur une image dans le volet central, puis tout en maintenant le bouton de la souris enfoncé, faites-la glisser dans la feuille (voir Figure 12.14). Relâchez le bouton.

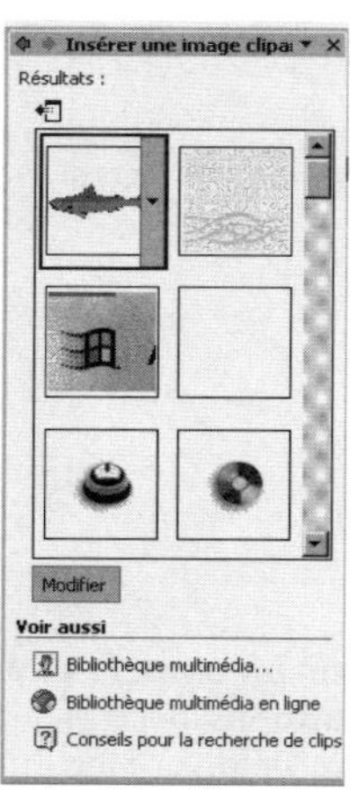

Figure 12.14 : Le ClipArt permet d'insérer une image dans votre feuille de calcul.

Chapitre 13

Le calcul

Au sommaire de ce chapitre

- Les formules
- Les fonctions
- Copier et déplacer des formules
- Les scénarios
- Trier et filtrer les données
- L'audit

Vous venez d'étudier la création de feuilles de calcul ainsi que leur mise en forme. Nous allons maintenant aborder toutes les notions de calcul. Avec Excel, vous allez pouvoir calculer vos totaux, vos pourcentages, etc., à la vitesse de la lumière. Dans ce chapitre, vous allez apprendre à utiliser les différentes possibilités de calcul : les fonctions et les formules. Ensuite, vous étudierez les fonctions de tri et de regroupement des données. Enfin, vous apprendrez à créer des scénarios grâce auxquels vous pourrez simuler les résultats en fonction de certains paramètres.

Les formules

Une formule permet d'exécuter une opération arithmétique simple comme une addition, une soustraction, en utilisant les différentes données de votre feuille de calcul.

Avant de commencer, prenez connaissance des niveaux de priorité des différents opérateurs utilisés :

- toutes les opérations entre parenthèses ;
- élévation à une puissance ;
- multiplication et division ;
- addition et soustraction.

Retenez bien cet ordre de priorité et tenez-en toujours compte lorsque vous créez vos formules de calcul, sinon les résultats seraient erronés. Par exemple, si vous entrez =(2 + 4) *4 + (5 – 8), vous obtenez 27. Par contre, lorsque vous saisissez =2 + 4*4 + 5 – 8, vous obtenez 15 ! En effet, dans le second cas, Excel a d'abord multiplié 4 par 4 puis fait les additions et la soustraction, alors que, dans le premier cas, il a d'abord additionné 2 et 4, puis multiplié le résultat, etc.

Maintenant que vous connaissez l'ordre de priorité des opérateurs, vous devez prendre connaissance de quelques notions indispensables avant de commencer la création de vos formules :

- La formule est insérée dans la cellule devant contenir le résultat.
- Une formule commence toujours par le signe égale (=).
- Une formule utilise la référence de chaque cellule concernée pour effectuer le calcul. Par exemple : =A1–B5.
- Une formule peut utiliser des nombres. Par exemple : =4*5.

- Une formule utilise un ou tous les symboles suivants : + pour additionner, – pour soustraire, * pour multiplier, / pour diviser, et "exposant" pour indiquer une puissance.

La création de formules

Vous venez de le voir, pour créer une formule, vous pouvez soit sélectionner des références de cellule, soit saisir la formule.

Pour saisir une formule en utilisant des nombres, procédez comme suit :

1. Sélectionnez la cellule dans laquelle doit s'afficher le résultat de la formule. Pressez la touche =, puis saisissez votre formule. La formule s'insère dans la barre de formule.
2. Pressez la touche **Entrée** pour valider votre formule, ou cliquez sur la **coche verte** dans la barre de formule. Excel calcule le résultat et l'affiche dans la cellule sélectionnée au départ.

Pour saisir une formule en utilisant les références de cellules, procédez comme suit :

1. Sélectionnez la cellule dans laquelle doit s'afficher le résultat. Pressez la touche =. Cliquez ensuite sur la première cellule de référence de la formule ; elle s'affiche dans la barre de formule.
2. Entrez l'opérateur arithmétique de votre choix. Cliquez dans la deuxième cellule de référence, et ainsi de suite. Reprenez ces procédures pour chaque cellule.
3. Lorsque vous avez terminé, pressez la touche **Entrée** pour valider la formule (voir Figure 13.1) ou cliquez sur la **coche verte** dans la barre de formule.

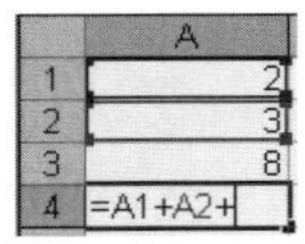

Figure 13.1 : Une formule dans Excel.

Pour annuler la saisie d'une formule au cours de sa création, pressez la touche Suppr.

Pour modifier une formule au moment où vous la saisissez, il suffit de presser la touche **Retour arrière** puis de saisir votre correction. Par contre, si vous avez déjà validé la formule (à l'aide de la touche Entrée ou de la coche verte située dans la barre de formule), vous devez double-cliquer dans la cellule, ou bien cliquer dans la cellule, puis modifier la formule dans la barre de formule (voir Figure 13.2).

Figure 13.2 : Modifiez votre formule dans la barre de formule.

A mesure de la création de vos formules, Excel effectue les calculs et les fait apparaître dans les cellules appropriées.

Le calcul automatique, qui s'opère à mesure de la création des formules, ralentit l'élaboration de votre feuille de calcul. Pour le désactiver, cliquez sur Outils, Options. Cliquez sur l'onglet Calcul, puis sur l'option Sur ordre. Cliquez sur OK pour valider votre choix.

Les fonctions

Excel propose un certain nombre de fonctions prédéfinies, qui sont des formules toutes prêtes. Elles sont à votre disposition pour exécuter une série d'opérations sur plusieurs valeurs ou sur une plage de valeurs. Par exemple, pour calculer le chiffre

d'affaires moyen d'un trimestre, vous pouvez utiliser la fonction @MOYENNE(A6:D6) au lieu de la formule =a6+b6+c6+d6/3.

Les fonctions représentent donc un gain de temps considérable. Certaines fonctions peuvent exécuter des calculs très complexes, tels que la part des intérêts dans un paiement.

Chaque fonction contient trois éléments distincts :

- **Le signe @.** Marque le début d'une formule. Si vous saisissez le signe =, Excel le remplacera automatiquement par @.
- **Le nom de la fonction.** Indique le type d'opération à effectuer (dans notre exemple MOYENNE).
- **L'argument.** Indique les références des cellules sur les valeurs desquelles doit agir la fonction (dans notre exemple A6:D6). L'argument est souvent une plage de cellules. Parfois, il s'agit d'un taux d'intérêt, d'un ordre de tri, etc.

Vous pouvez combiner une fonction et une formule. Pour reprendre notre exemple, vous souhaitez cumuler votre moyenne avec celle qui est réalisée en D8. Dans ce cas de figure, vous devez saisir @MOYENNE(A6:D6)+D8.

Une fois que vous avez créé vos formules, vos fonctions, bref, vos calculs, vous pouvez activer un "espion" qui vous permettra d'effectuer, aisément, le suivi des cellules. Pour l'afficher, ouvrez le menu Outils, Audit de formules, Afficher la fenêtre Espions. Ensuite, cliquez sur Ajouter un espion, puis indiquez les cellules à surveiller.

L'assistant Fonction

S'il est exact que vous pouvez saisir vous-même vos fonctions ainsi que leurs arguments, Excel vous facilite la tâche avec l'assistant Fonction, qui assistera et accélérera la création de vos fonctions.

Pour utiliser l'assistant Fonction afin de créer une fonction, procédez comme suit :

1. Cliquez sur la cellule dans laquelle vous voulez insérer la fonction. Sélectionnez **Insertion**, **Fonction**. Vous pouvez aussi cliquer sur le bouton **Coller une fonction** dans la barre d'outils Standard (voir Figure 13.3).

2. Sélectionnez la catégorie de fonctions dans la liste **Catégorie de fonctions**. Sélectionnez la fonction voulue dans la liste **Nom de la fonction**. Une description textuelle de la fonction sélectionnée s'affiche au bas de la boîte. Cliquez sur **OK** pour valider votre fonction. Une boîte de dialogue relative à la fonction sélectionnée s'affiche.

3. Remplissez les différentes options en tenant compte des instructions affichées au bas de la boîte. Cliquez sur **OK** ou pressez la touche **Entrée**. Excel insère la fonction ainsi que son argument dans la cellule sélectionnée, puis affiche le résultat.

Dans la boîte de dialogue Coller une fonction, cliquez sur Tous dans la liste des catégories pour afficher les noms de toutes les fonctions proposées par l'assistant.

Pour modifier une fonction, vous pouvez aussi utiliser l'assistant. Cliquez sur la cellule contenant la fonction à modifier, puis sélectionnez **Insertion**, **Fonction**. Dans la boîte de dialogue qui s'affiche, procédez à vos modifications, puis cliquez sur **OK** pour les valider.

Au cours de l'élaboration d'une feuille de calcul, l'une des fonctions les plus fréquemment utilisées est le calcul d'un total. Excel met à votre disposition un bouton spécifique pour cette fonction.

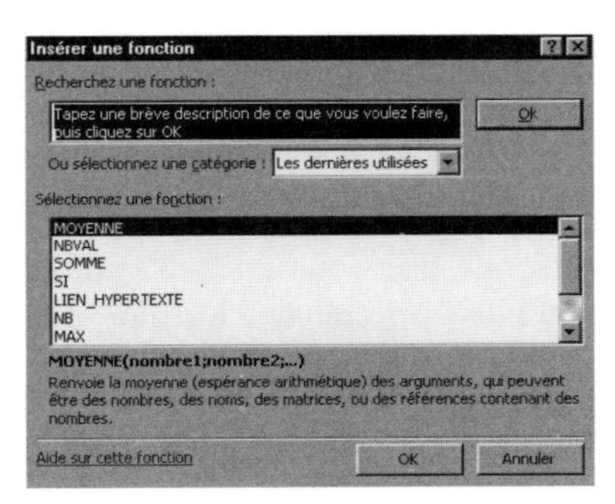

Figure 13.3 : Utilisez l'assistant pour créer rapidement des fonctions.

Pour calculer rapidement le total d'une ligne ou d'une colonne, cliquez sur la cellule placée à son extrémité. Cliquez sur le bouton **Somme automatique** dans la barre d'outils Standard. Dans la cellule, la plage de la colonne ou de la ligne s'affiche. Si elle correspond à votre souhait, pressez la touche **Entrée**, ou cliquez sur la **coche verte** dans la barre de formule (voir Figure 13.4).

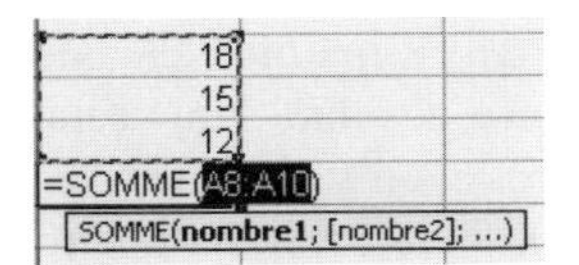

Figure 13.4 : Le bouton Somme automatique permet d'additionner rapidement le contenu d'une colonne ou d'une ligne.

Lorsque vous utilisez la fonction Somme automatique, la plage de cellules que vous voulez additionner ne doit présenter aucune cellule vierge.

Copier et déplacer des formules

Vous savez déjà déplacer et copier des cellules contenant du texte. Quand vous devez déplacer ou copier des cellules contenant une formule ou une fonction, la procédure n'est pas tout à fait la même. En effet, étant donné que vous utilisez comme référence dans un calcul une ou plusieurs cellules, lorsque vous déplacez ou copiez celles-ci, les références ne sont plus valables ! Vous allez étudier les différentes méthodes pour ne pas subir cet inconvénient.

La référence relative et la référence absolue

Lorsque vous copiez une formule d'un point à un autre de votre feuille de calcul, Excel ajuste automatiquement les références en fonction du nouvel emplacement. Par exemple, lorsque vous copiez la cellule C11 contenant la formule =SOMME(C4:C10) et que vous l'insérez en D11, elle affiche =SOMME(D4:D10). Dans ce cas de figure, tout est simple, mais si vous souhaitez qu'Excel n'adapte pas les références et conserve les références de cellules de départ, c'est une procédure différente. Vous allez devoir indiquer à Excel que les cellules de référence sont fixes et non modifiables. Dans ce cas, vous devez marquer chaque cellule de référence en tant que référence absolue. Pour cela, pressez la touche **F4** immédiatement après avoir saisi cette référence. Un symbole dollar s'affiche devant la lettre et le numéro de la référence (par exemple D11).

Si vous redoutez d'utiliser la touche de fonction F4, saisissez vous-même le signe $ devant chaque lettre ou chaque numéro de référence.

Lier des données

Lorsque vous réalisez des calculs dans une feuille et que vous souhaitez, dans une autre feuille ou un autre classeur, "coller" certaines des données, il est préférable de lier ces données, ce qui revient à créer un lien entre les cellules. Ainsi, si l'une des données est modifiée, la modification est reportée dans toutes les feuilles et classeurs qui la contiennent.

Pour lier des données, cliquez dans la cellule devant contenir la donnée collée, et insérez le symbole =. Ensuite, affichez ou ouvrez le classeur, puis la feuille à partir de laquelle vous allez copier la donnée. Cliquez dans la cellule la contenant, puis pressez la touche **Entrée**. C'est tout !

Lorsque les données sont liées au travers de plusieurs classeurs, la boîte de dialogue Edition des liaisons permet d'en vérifier l'état. Pour l'ouvrir, à partir du classeur dans lequel les données ont été collées, cliquez sur **Edition, Liaison** (voir Figure 13.5). Dans la boîte de dialogue, définissez le type de mise à jour (automatique ou manuelle), vérifiez l'état des liens, modifiez la source, etc.

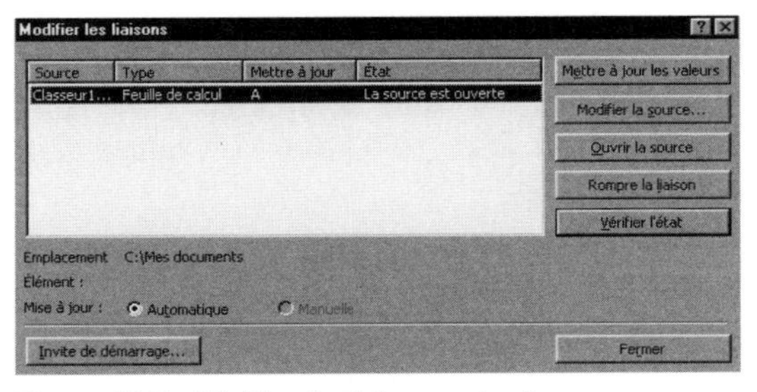

Figure 13.5 : Vérifiez la liaison entre les données collées et les données d'origine.

Les scénarios

Les scénarios permettent de faire des calculs en fonction de différents jeux de valeurs et de déterminer ainsi les effets de ces différentes valeurs sur les résultats. Prenons un exemple précis : vous êtes écrivain... et vous souhaitez simuler vos droits d'auteur selon que vous vendrez 5 000, 10 000 ou... 2 500 exemplaires. Bien sûr, vous pourriez parfaitement créer une feuille de calcul différente pour chacune des possibilités, mais pourquoi ne pas vous faire un petit "cinéma" en utilisant la fonction de scénario ?

Créer un scénario

Vous allez créer un scénario en deux temps, trois mouvements. Même si le terme paraît bien présomptueux et que vous ne vous sentiez pas l'âme d'un metteur en scène, vous allez être subjugué par la facilité de cette fonction.

Pour créer un scénario, procédez comme suit :

1. Dans la feuille de calcul, cliquez sur **Outils**, **Gestionnaire de scénarios**. Le Gestionnaire de scénarios s'affiche et indique que la feuille de calcul ne contient aucun scénario. Cliquez sur le bouton **Ajouter**. La boîte de dialogue Ajouter un scénario s'affiche (voir Figure 13.6).

2. Nommez le scénario dans la zone appropriée. Pour notre exemple, nous pourrions saisir 10 000@6 %. Cliquez dans l'option **Cellules variables**.

3. Dans votre feuille de calcul, cliquez sur la cellule qui doit contenir le scénario (dans notre exemple, la cellule contenant le total des ventes). Si vous souhaitez modifier plusieurs cellules en fonction du scénario, sélectionnez chacune d'elles en les séparant par un point-virgule. Cliquez sur **OK** pour valider vos cellules. La boîte de dialogue Valeurs de scénario affiche les valeurs présentes dans les cellules à modifier.

4. Saisissez les valeurs à utiliser pour ce scénario, puis cliquez sur **OK**. Pour notre exemple, vous devriez saisir 2 500 et 5 000. Le Gestionnaire de scénarios affiche le nom du scénario que vous venez de créer.

5. Pour afficher le résultat d'un des scénarios, cliquez sur son nom, puis sur le bouton **Afficher**.

   Excel remplace la valeur des cellules variables par les valeurs que vous avez saisies pour votre scénario.

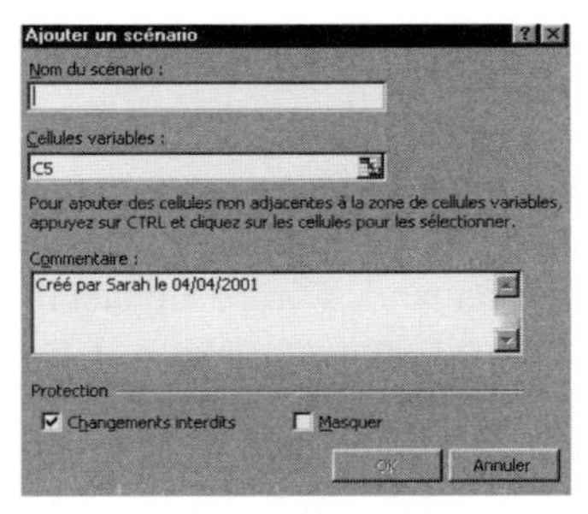

Figure 13.6 : La boîte de dialogue Ajouter un scénario permet de créer un scénario dans une cellule précise.

Le Gestionnaire de scénarios propose différentes options. Pour y accéder, sélectionnez **Outils**, **Gestionnaire de scénarios**. Prenez connaissance des différents boutons que le Gestionnaire de scénarios propose :

- **Afficher.** Indique les résultats du scénario sélectionné dans la feuille de calcul.
- **Ajouter.** Permet de créer un nouveau scénario.
- **Supprimer.** Efface le scénario sélectionné.
- **Modifier.** Permet de modifier les cellules variables et d'y saisir d'autres valeurs.

- **Fusionner.** Recherche des scénarios dans plusieurs feuilles de calcul pour les placer ensuite dans une seule et même feuille.
- **Synthèse.** Affiche les résultats de différentes feuilles de calcul dans une seule feuille de calcul.

Trier et filtrer les données

Une fois que vous avez terminé d'insérer vos fonctions et formules, certains outils d'Excel permettent de gérer, trier et filtrer les données.

Le tri des données

Lorsque vous saisissez les données, vous ne tenez pas toujours compte de certains critères. Par exemple, en saisissant une liste de villes, vous ne vous êtes pas préoccupé de l'ordre alphabétique. Ou alors, vous souhaitez que les différents montants d'une colonne soient triés selon un ordre croissant. Pour pouvoir gérer l'ordre de ces critères, vous devez utiliser la fonction de tri. Attention ! Lorsque vous triez des données, vous devez déterminer une clé de tri qui corresponde à la colonne à partir de laquelle Excel va effectuer le tri.

Pour trier des données, procédez comme suit :

1. Sélectionnez le bloc de cellules que vous voulez trier. Cliquez sur **Données**, **Trier** (voir Figure 13.7). Sélectionnez le critère de tri dans la zone **Trier par**.
2. Sélectionnez éventuellement un second critère de tri dans la zone **Puis par**. Cliquez sur l'option correspondant à votre choix en regard de chaque critère (**Décroissant** ou **Croissant**).
3. Si votre tableau contient un en-tête, indiquez-le dans la zone **Ligne de titres**. Cliquez sur **OK** pour valider le tri.

Pour trier rapidement une colonne, utilisez les boutons Tri croissant ou Tri décroissant dans la barre d'outils Standard.

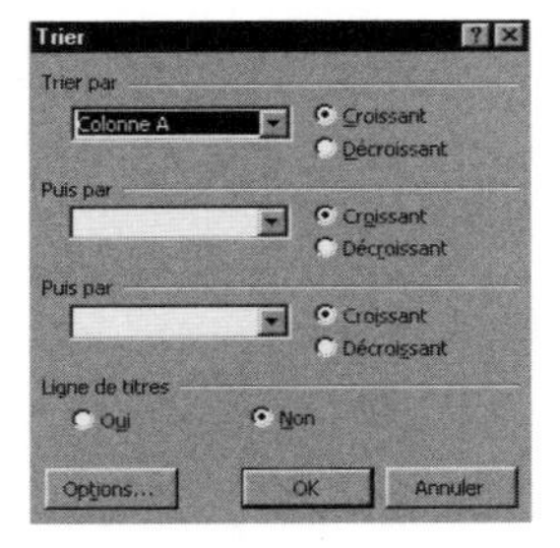

Figure 13.7 : Indiquez les critères de tri dans la boîte de dialogue Trier.

Le filtrage des données

Lorsque la feuille de calcul contient beaucoup de lignes ou de colonnes, vous n'avez qu'un petit aperçu de celle-ci à l'écran. Pour accéder à une donnée précise, vous pouvez vous servir de la fonction Rechercher, mais cette fonction est quelque peu complexe à utiliser pour ce type de recherche et ne permet d'accéder qu'à une donnée particulière.

La fonction Filtre, quant à elle, permet d'accéder en quelques secondes à n'importe quelle donnée. Par exemple, vous souhaitez afficher rapidement les données concernant un produit précis ou encore un client. Plusieurs types de filtres des données sont proposés par Excel.

Vous ne pouvez pas utiliser la fonction de tri si votre tableau ne contient pas d'en-tête de colonne.

Tout d'abord, voyons le filtre automatique. Pour créer un filtre automatique, procédez comme suit :

1. Cliquez dans une des cellules du tableau, puis sélectionnez **Données**, **Filtrer**, **Filtre automatique**. Chaque en-tête de colonne apparaît sous la forme d'une liste déroulante (voir Figure 13.8).

2. Pour effectuer un tri, cliquez sur la flèche d'un des en-têtes, puis sélectionnez le critère de filtre. Excel affiche en bleu les numéros de lignes ainsi que les flèches des en-têtes des données filtrées.

Figure 13.8 : Les en-têtes de colonnes affichent des flèches permettant de sélectionner un filtre.

Pour supprimer un filtre, cliquez sur la flèche de l'en-tête concerné, puis sur Tous.

Pour personnaliser le filtre, procédez comme suit :

1. Cliquez sur la flèche de l'en-tête dont vous souhaitez personnaliser le tri, puis sélectionnez **Personnalisé**.

2. Dans la boîte de dialogue Filtre automatique personnalisé (voir Figure 13.9), définissez le premier critère de filtre dans la zone portant le nom de la colonne, puis définissez éventuellement le second critère de filtre après avoir coché l'option appropriée (**et**, **ou**).

3. Dans la cellule, saisissez la date, la ville, le client, etc., puis cliquez sur **OK**.

Pour désactiver un filtre automatique, sélectionnez Données, Filtrer, Filtre automatique.

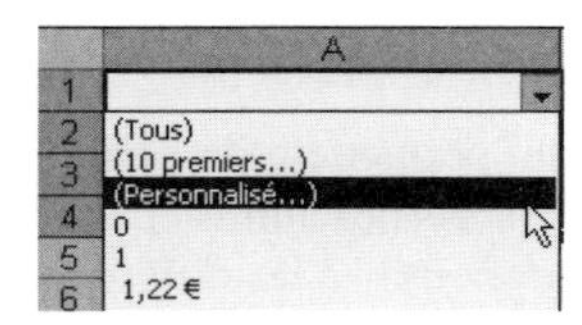

Figure 13.9 : Personnalisez le filtre de votre feuille de calcul.

Maintenant que vous savez utiliser le filtre automatique, apprenez à créer un filtre élaboré. Celui-ci permet, à l'inverse du filtre automatique, de filtrer en fonction de plus de deux critères dans une colonne.

Pour créer un filtre élaboré, procédez comme suit :

1. Dans une des cellules du tableau, sélectionnez **Données**, **Filtrer**, **Filtre élaboré** (voir Figure 13.10). Laissez active la case **Filtrer la liste sur place** pour afficher le filtre dans la feuille de calcul. La zone **Plages** affiche les références actuelles du tableau à filtrer.
2. Sélectionnez la plage sur laquelle effectuer le filtre dans la zone **Zones de critères**. Cochez l'option **Extraction sans doublon** pour éviter qu'Excel n'affiche deux fois la même ligne.
3. Cliquez sur **OK** pour valider le filtre élaboré.

   Pour annuler un filtre élaboré, sélectionnez **Données**, **Filtre**, **Afficher tout**.

Figure 13.10 : Créez un filtre élaboré.

L'audit

Excel propose plusieurs outils d'audit qui permettent de vérifier les dépendances des cellules les unes vis-à-vis des autres et ainsi d'éviter toute erreur. Une fois que vous avez utilisé les différents boutons d'audit proposés dans la barre d'outils du même nom, vous avez la garantie de l'exactitude des résultats que vous avez obtenus au cours de vos différents calculs.

Avant de commencer la vérification d'une feuille de calcul, affichez la barre d'outils Audit. Sélectionnez **Outils**, **Audit de formules**, puis un type d'audit.

Pour procéder aux différentes vérifications, après avoir cliqué sur la cellule dont vous voulez vérifier les interdépendances, cliquez sur le bouton correspondant à la vérification concernée dans la barre d'outils Audit.

Chapitre 14

Les graphiques

Au sommaire de ce chapitre

- Créer un graphique
- Modifier un graphique
- Les types de graphiques
- La mise en forme des éléments du graphique
- L'insertion de texte, de flèches et d'autres objets

Un petit dessin a toujours plus d'impact qu'un long discours. Les concepteurs d'Excel ont donc créé un outil qui permet de créer un graphique à partir des données d'une feuille de calcul.

Plongez-vous dans ce chapitre qui montre comment créer un graphique à l'aide des données de calcul.

Créer un graphique

Afin de vous faciliter la tâche lors de la création de votre graphique, Excel met à votre disposition un assistant Graphique. Cet assistant permet, dès que vous l'activez, de tracer aisément les axes, de les graduer, de dessiner la courbe, etc.

Pour lancer l'assistant Graphique, procédez comme suit :

1. Après avoir sélectionné les données que vous voulez faire apparaître dans le graphique, cliquez sur le bouton **Assistant Graphique** dans la barre d'outils Standard.

   L'assistant Graphique propose quatre étapes pour la création de votre graphique. La boîte de dialogue de la première étape s'affiche (voir Figure 14.1) :

   - **Type de graphique.** Cette liste propose les différents graphiques que vous pouvez réaliser.
   - **Sous-type de graphique.** Cette liste affiche les sous-types disponibles pour le type de graphique sélectionné. La description textuelle du sous-type sélectionné s'affiche au-dessous de cette liste.

2. Cliquez sur le type de graphique voulu dans la liste du même nom. Cliquez sur le sous-type de graphique retenu dans la liste du même nom. Le bouton **Maintenir appuyé pour visionner** permet, quand on le maintient enfoncé, de visualiser le graphique que vous êtes en train de créer. Cliquez sur le bouton **Suivant** (voir Figure 14.2) :

   - **Plage de données.** Cet onglet permet de modifier la plage auparavant sélectionnée et de spécifier si les données se trouvent dans les lignes ou dans les colonnes.
   - **Série.** Cet onglet permet de modifier une série, d'en ajouter ou d'en supprimer une.

Figure 14.1 : Première étape de l'assistant Graphique : choisissez le type et le sous-type du graphique.

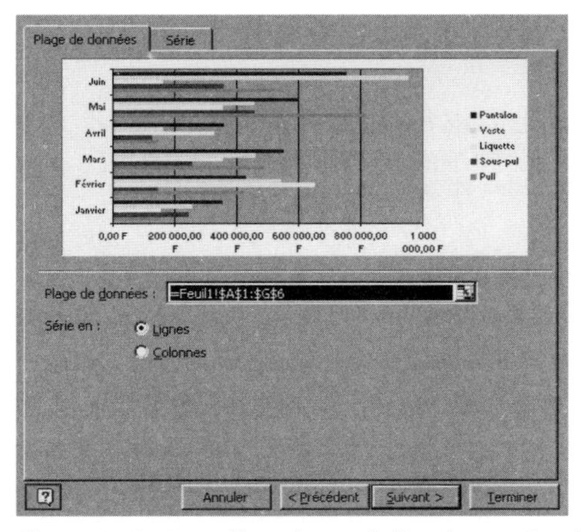

Figure 14.2 : Deuxième étape de l'assistant Graphique : modifiez la plage des données et les séries.

3. Après avoir fait les modifications nécessaires, cliquez sur le bouton **Suivant**. La boîte de dialogue de la troisième étape s'affiche. Cette étape permet de paramétrer un ou plusieurs éléments du graphique. Elle propose plusieurs onglets à partir desquels vous pourrez faire vos modifications : Titre du graphique, Afficher la table des données, Axe des abscisses, Ajouter une légende, Entrer des étiquettes de données, etc. (voir Figure 14.3).

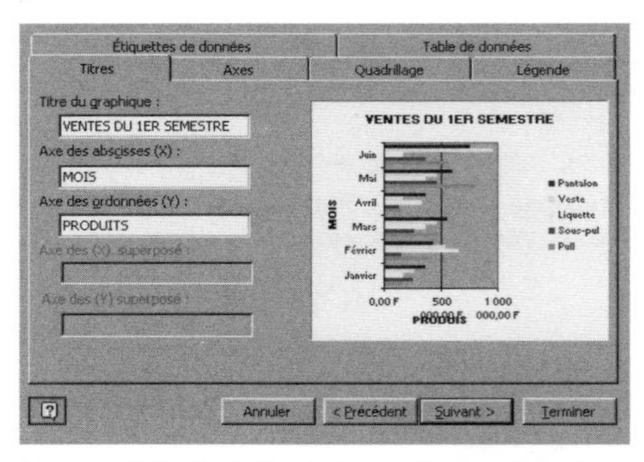

Figure 14.3 : Troisième étape de l'assistant Graphique : choisissez une légende, l'affichage de la table des données, la modification des étiquettes des données, etc.

4. Après avoir fait vos modifications dans les différents onglets, cliquez sur le bouton **Suivant**. La boîte de dialogue de la quatrième étape s'affiche. Cette ultime étape permet de préciser où vous voulez insérer le graphique (voir Figure 14.4). Elle propose deux options :

   – **Sur une nouvelle feuille.** Permet d'ajouter une feuille graphique au classeur. Si vous choisissez cette option, pensez à saisir le nom de la nouvelle feuille.

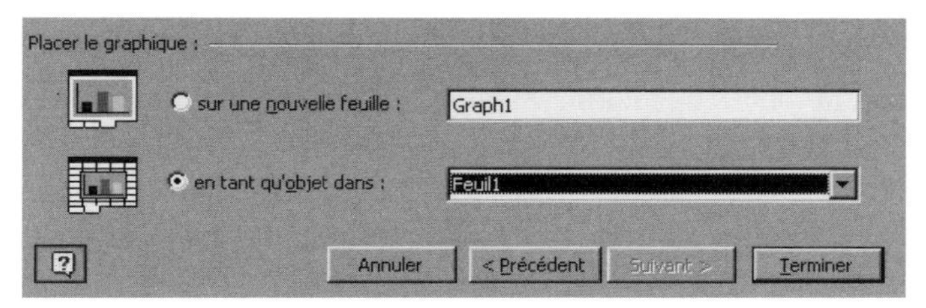

Figure 14.4 : Quatrième étape de l'assistant Graphique : choisissez l'endroit où insérer le graphique.

– **En tant qu'objet dans.** Permet d'insérer le graphique dans la feuille de calcul où vous avez sélectionné les données. Cela étant, c'est un objet incorporé, mais indépendant. Vous pouvez aisément le déplacer ou le redimensionner, car il n'est pas lié aux cellules de la feuille.

5. Une fois ces options déterminées, cliquez sur le bouton **Terminer**.

Selon que vous avez choisi l'une ou l'autre des options de la quatrième étape, votre graphique s'insère dans une feuille graphique ou dans la feuille de calcul active. La barre d'outils Graphique s'affiche.

Pour sélectionner un graphique, cliquez dessus. Excel affiche tout autour du graphique des petits carrés nommés poignées.

Pour déplacer le graphique, cliquez dedans, puis, tout en maintenant le bouton de la souris enfoncé, faites-le glisser jusqu'à l'endroit voulu. Relâchez le bouton de la souris.

Pour réduire ou agrandir un graphique, cliquez sur l'une des poignées, puis faites glisser dans le sens voulu.

Modifier un graphique

Excel propose de multiples options pour contrôler l'aspect et le fonctionnement d'un graphique. Pour modifier un graphique, plusieurs possibilités s'offrent à vous :

- **Menu Graphique.** Accessible lorsque le graphique est sélectionné. Propose des options permettant de modifier le type, de sélectionner d'autres données, d'en ajouter, etc. (voir Figure 14.5).

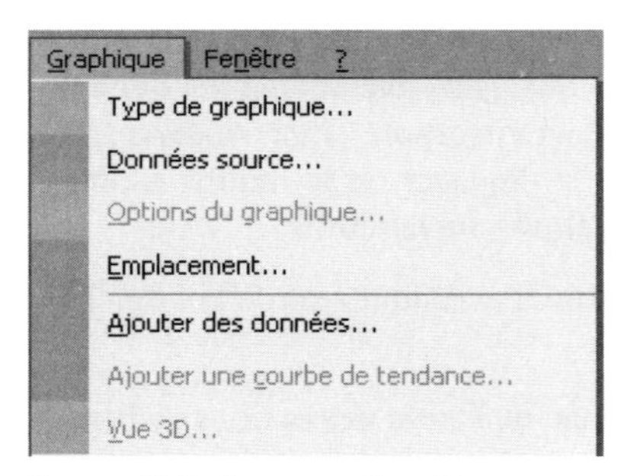

Figure 14.5 : Le menu Graphique.

- **Menu contextuel.** Accessible d'un clic droit sur n'importe quel objet du graphique. Un menu contextuel s'affiche et propose des options relatives à l'élément sélectionné.
- **Barre d'outils Graphique.** Permet de modifier le format, les objets, le type, la légende, d'afficher la table de données, etc. Pour l'afficher, cliquez du bouton droit sur l'une des barres d'outils, puis sélectionnez **Graphique** (voir Tableau 14.1).

Tableau 14.1 : Les boutons de la barre d'outils Graphique

Bouton	Description
Zone de graphique	Affiche la liste des éléments composant le graphique. Cliquez sur un élément de cette liste pour le sélectionner.
	Affiche une boîte de dialogue proposant des mises en forme applicables à l'élément que vous avez sélectionné.
	Offre le choix d'un autre type de graphique.
	Affiche ou masque la légende.
	Active ou désactive la table de données dans laquelle s'affiche les données traitées dans le graphique.
	Présente les données sélectionnées en lignes.
	Présente les données sélectionnées en colonnes.
	Permet d'incliner les étiquettes des entrées vers le bas, de gauche à droite.
	Incline les étiquettes des entrées vers le haut, de gauche à droite.

Effectuez vos modifications à l'aide des différents boutons. Afin de mieux montrer les différentes modifications proposées, voici quelques exemples.

Pour modifier la couleur d'une série, procédez comme suit :

1. Affichez la feuille de calcul contenant le graphique à modifier. Cliquez du bouton droit sur la série à modifier, et sélectionnez **Format de la série de données**. Cliquez sur la nouvelle couleur, puis sur **OK** pour la valider.

2. Au besoin, cliquez sur l'onglet **Motifs** (voir Figure 14.6). Le bouton **Motifs et textures** permet de choisir un motif ou une texture pour la série de données sélectionnées.

3. A partir de la boîte de dialogue **Format de la série de données**, vous pouvez aussi modifier la forme, les étiquettes, ainsi que l'ordre de la série.

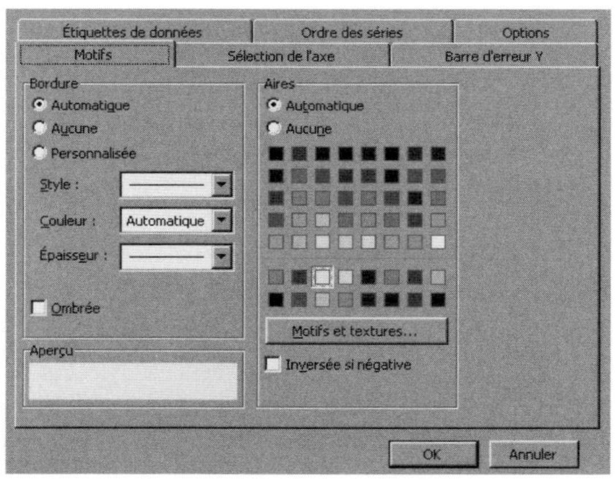

Figure 14.6 : La boîte de dialogue Format de la série de données permet de modifier les éléments.

Pour modifier un titre de graphique, procédez comme suit :

1. Cliquez du bouton droit sur le titre que vous voulez renommer. Sélectionnez **Format du titre de graphique**.

2. Cliquez sur l'onglet **Alignement** (voir Figure 14.7). Faites votre choix, puis validez par **OK**.

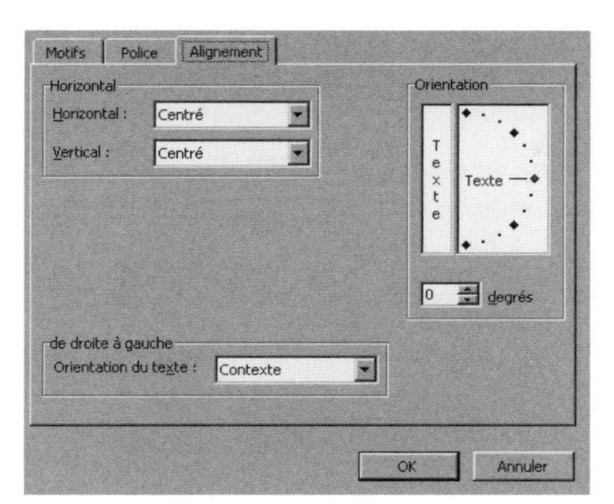

Figure 14.7 : La boîte de dialogue Format du titre de graphique permet de modifier un titre.

Les types de graphiques

Vous l'avez vu au cours de la création du graphique avec l'assistant Graphique, Excel propose plusieurs types et sous-types pour les graphiques. Selon les données que vous souhaitez représenter, vous devez choisir un certain type de graphique. Par exemple, un graphique à barres aide à comparer les données. Par contre, pour représenter des pourcentages, il est préférable d'utiliser un graphique à secteurs. Voici une liste non exhaustive des types proposés :

- **Barres.** Permet de comparer les différentes données.
- **Courbes.** Permet d'afficher les tendances des données à intervalles réguliers.
- **Secteurs.** Permet de représenter la taille proportionnelle des éléments qui représentent la série de données par rapport à la somme de ces éléments.

- **Nuages de points.** Permet de mettre en évidence les intervalles irréguliers. Ce type est particulièrement utilisé pour les données scientifiques.
- **Aires.** Permet de mettre en évidence l'amplitude d'un changement sur une période donnée.
- **Anneau.** Permet de mettre en évidence la relation entre des éléments individuels et l'ensemble des données.
- **Radar.** Permet de créer un axe pour chaque catégorie. Des traits relient entre elles toutes les valeurs d'une même série.
- **Surface.** Permet de rechercher une combinaison optimale en deux séries de données.

Pour changer de type de graphique, cliquez du bouton droit sur votre graphique, puis sélectionnez **Type de graphique**. Vous pouvez aussi sélectionner **Graphique**, **Type de graphique** (voir Figure 14.8). Une liste de types et deux onglets — **Types standard** et **Types personnalisés** — s'affichent. Sélectionnez dans la liste **Type de graphique** celui que vous voulez utiliser. Cliquez sur **OK** pour valider votre choix.

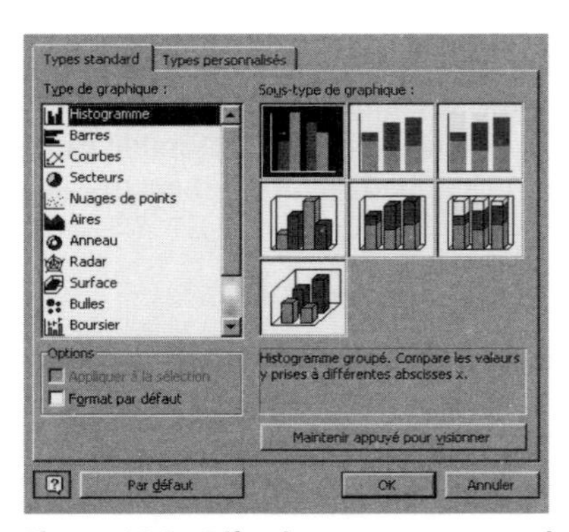

Figure 14.8 : Sélectionnez votre type de graphique dans la boîte du même nom.

La mise en forme des éléments du graphique

Pour gérer la mise en forme d'un graphique et éventuellement ajouter un objet tel qu'une légende, vous devez utiliser la boîte de dialogue Options du graphique.

Pour utiliser la boîte de dialogue Options du graphique, procédez comme suit :

1. Cliquez du bouton droit dans le graphique, puis sélectionnez **Options du graphique** (voir Figure 14.9). Vous pouvez utiliser les onglets pour modifier la mise en forme des éléments ou encore en ajouter. Prenez connaissance des différents onglets proposés et de ce qu'ils permettent :
   - **Titres.** Permet de modifier le titre du graphique ainsi que les différents axes.
   - **Axes.** Permet de masquer l'un ou l'autre des axes (abscisses ou ordonnées). Bien sûr, cet onglet n'apparaît pas si votre graphique ne contient pas d'axe.
   - **Quadrillage.** Permet de modifier la graduation des axes.
   - **Légende.** Permet d'ajouter une légende à un graphique. Celle-ci indique à quel type de données correspond chaque couleur du graphique.
   - **Etiquettes de données.** Permet d'ajouter des entrées de texte extraites de la feuille de calcul au-dessus des différents tracés ou barres qui représentent les données. Attention ! Les étiquettes alourdissent le graphique.
   - **Table de données.** Permet d'afficher la table des données spécifiques à la création du graphique.
2. Cliquez sur **OK** une fois que vous avez terminé la mise en forme ou les ajouts.

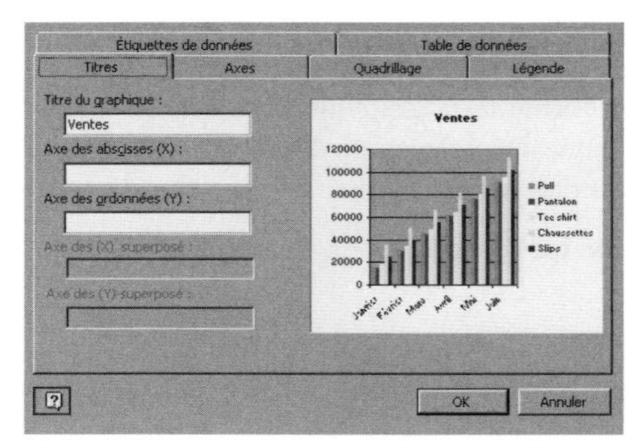

Figure 14.9 : Pour mettre en forme les éléments ou en ajouter, utilisez la boîte de dialogue Options du graphique.

L'insertion de texte, de flèches et autres objets

Votre graphique a désormais belle allure, mais vous pouvez le parfaire en y ajoutant des bulles de texte, des flèches, etc.

Pour ajouter des éléments à un graphique, vous devez utiliser la barre d'outils Dessin. Pour l'afficher, cliquez du bouton droit sur une barre d'outils active, puis sélectionnez **Dessin**.

Pour ajouter des éléments à un graphique, procédez de la façon suivante :

- Pour insérer un texte, cliquez sur le bouton **Zone de texte** dans la barre d'outils Dessin. Cliquez, puis faites glisser jusqu'à l'endroit voulu.
- Pour insérer une flèche, cliquez sur le bouton **Flèche** dans la barre d'outils Dessin. Cliquez, puis faites glisser jusqu'à l'endroit voulu.

Afin d'accélérer votre travail, utilisez les boutons de la barre d'outils Dessin dont vous trouverez le descriptif dans le Tableau 14.2.

Tableau 14.2 : Les boutons de la barre d'outils Dessin

Bouton	Description
Dessin	Ouvre un menu déroulant pour déplacer, modifier, etc., un objet sélectionné.
	Sélectionne des objets.
Formes automatiques	Insère une forme automatique.
	Insère un trait.
	Insère une flèche.
	Insère un rectangle.
	Insère une ellipse.
	Insère une zone de texte.
	Insère un objet WordArt.
	Insère un diagramme ou un organigramme hiérarchique.
	Insère une image du ClipArt.
	Insère un fichier image.
	Modifie la couleur de remplissage.
	Modifie le contour de l'objet.
	Modifie la couleur de la police.

Tableau 14.2 : Les boutons de la barre d'outils Dessin ***(suite)***

Bouton	Description
	Modifie le style de trait.
	Modifie le style de ligne.
	Modifie le style de flèche.
	Crée un effet d'ombre.
	Affiche en 3D ou en 2D.

Chapitre 15

La gestion des feuilles de calcul

Au sommaire de ce chapitre

- Sélectionner et faire défiler des feuilles de calcul
- Gérer des feuilles de calcul
- La mise en pages des feuilles de calcul

Pour l'instant, vous avez travaillé sur des feuilles de calcul. Nous allons maintenant aborder la notion de classeur. En effet, les feuilles de calcul constituent les éléments d'un classeur (voir Chapitre 11).

Sélectionner et faire défiler des feuilles de calcul

Afin de naviguer entre les feuilles de calcul, ou bien pour en sélectionner une en particulier, vous devez utiliser les onglets situés en bas à gauche de l'écran. Vous pouvez aussi recourir aux astuces suivantes :

- Utilisez les quatre boutons de défilement situés à gauche des onglets. Les deux boutons du milieu permettant de reculer ou d'avancer d'un onglet ; le bouton gauche renvoie au premier onglet ; le bouton droit avance jusqu'au dernier.
- Pressez la touche **Maj** et maintenez-la enfoncée, puis cliquez sur l'un des boutons du milieu pour avancer, ou reculer, dans les onglets.
- Cliquez du bouton droit sur l'un des boutons de défilement pour sélectionner la feuille voulue.
- Pour sélectionner plusieurs feuilles de calcul, pressez la touche **Ctrl** et maintenez-la enfoncée, puis cliquez sur l'onglet de chaque feuille à sélectionner. Vous pouvez aussi cliquer sur le premier onglet de la feuille de calcul, puis presser la touche **Maj** et cliquer sur le dernier onglet de la dernière feuille de calcul que vous voulez sélectionner.

Gérer des feuilles de calcul

Un classeur propose, par défaut, trois feuilles de calcul. Cependant, vous pouvez parfaitement en ajouter ou en supprimer.

L'ajout et la suppression de feuilles de calcul

Vous pouvez à loisir ajouter des feuilles de calcul dans le classeur actif.

Pour ajouter une feuille de calcul, cliquez sur l'onglet de la feuille de calcul devant laquelle vous voulez insérer la nouvelle feuille. Sélectionnez **Insertion**, **Feuille**. Excel insère la nouvelle feuille de calcul. Par défaut, cette feuille s'appelle FeuilleX (X représentant le nombre de feuilles dans votre classeur).

Cependant, cette procédure présente un inconvénient : vous ne pouvez insérer une nouvelle feuille à la fin des onglets — ce qui est justement l'endroit où elle doit être. Pour remédier à cela, insérez une feuille de calcul n'importe où, puis faites-la glisser derrière l'onglet final.

Pour insérer une feuille de calcul, vous pouvez aussi cliquer du bouton droit sur l'un des onglets, puis cliquer sur **Insérer** (voir Figure 15.1). Dans la boîte de dialogue Insérer, cliquez sur **Feuille**, puis sur **OK**.

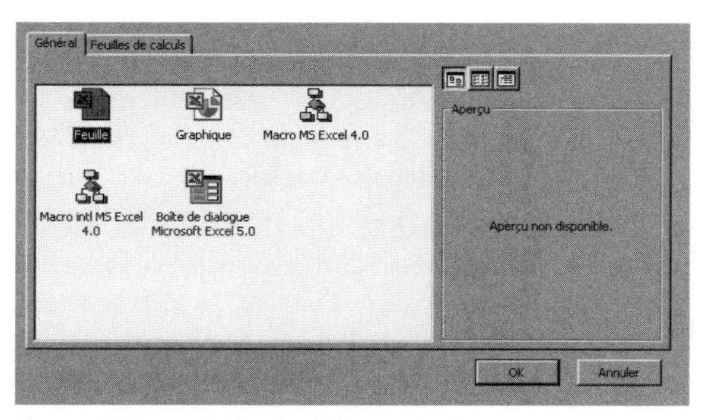

Figure 15.1 : La boîte de dialogue Insérer permet d'ajouter une feuille de calcul à votre classeur.

Pour insérer rapidement un modèle de feuille de calcul, dans la boîte de dialogue Insérer, cliquez sur l'onglet Feuille de calculs. Choisissez un modèle, puis cliquez sur OK.

Pour supprimer une feuille de calcul, cliquez du bouton droit sur l'onglet de la feuille de calcul concernée, puis sélectionnez **Supprimer**. Dans la boîte d'avertissement qui s'affiche, cliquez sur **OK** pour confirmer la suppression de la feuille (voir Figure 15.2).

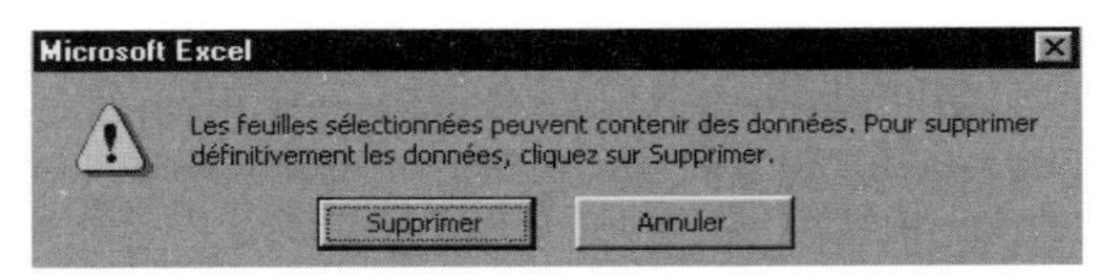

Figure 15.2 : Confirmez la suppression de la feuille de calcul.

Le déplacement et la copie de feuilles de calcul

Il est évident que, lorsque vous travaillez dans un classeur, certaines des feuilles de calcul servent plus souvent que d'autres. Si les feuilles de calcul que vous affichez souvent sont placées à la fin des onglets, vous serez obligé de faire défiler tous les onglets à chaque manipulation. La solution consiste à déplacer ces feuilles de calcul vers le début des onglets.

Pour déplacer l'onglet d'une feuille de calcul, cliquez sur cet onglet, maintenez le bouton de la souris enfoncé, puis faites-le glisser vers l'emplacement requis. Pendant le déplacement, Excel affiche une petite flèche qui indique où se placera la feuille (voir Figure 15.3).

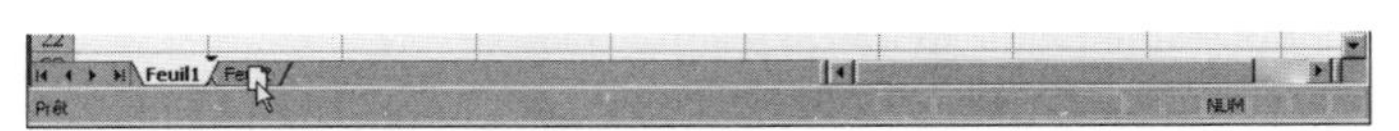

Figure 15.3 : Le déplacement de feuille est extrêmement simple.

Pour copier une feuille de calcul ainsi que son contenu, pressez la touche **Ctrl**, maintenez-la enfoncée, et faites glisser jusqu'à l'endroit où vous voulez placer la copie.

Les procédures de déplacement et de copie que vous venez de découvrir ne sont valables que lorsque vous effectuez ces manipulations dans le même classeur.

Pour copier ou déplacer une feuille de calcul dans un autre classeur, procédez comme suit :

1. Après vous être assuré que les deux classeurs concernés sont ouverts, cliquez du bouton droit sur l'onglet de la feuille de calcul que vous voulez déplacer ou copier. Sélectionnez l'option **Déplacer ou Copier** (voir Figure 15.4).
2. Cliquez sur la flèche de la zone déroulante **Dans le classeur**. Sélectionnez le classeur dans lequel vous voulez coller ou placer la feuille de calcul sélectionnée.
3. Dans la liste **Avant la feuille**, cliquez sur la feuille devant laquelle vous voulez placer le nouvel onglet de la feuille de calcul. Cliquez sur **OK** pour valider votre choix.

Figure 15.4 : Cette boîte de dialogue permet de sélectionner un classeur.

Copier et lier des données

Vous venez de le voir, vous pouvez coller les données d'un classeur dans un autre. Pour l'instant, vous savez copier/coller les données. L'inconvénient de cette procédure est que si vous effectuez une modification de la donnée copiée dans son classeur, celle-ci ne se répercutera pas sur la donnée que vous avez collée dans l'autre classeur. Par exemple, vous copiez le chiffre d'affaires du premier trimestre et vous le collez dans la feuille du récapitulatif de l'année. Si vous modifiez ce montant dans le tableau du premier trimestre, il ne se modifiera pas dans la feuille des totaux ! Pour remédier à cet inconvénient, vous pouvez lier les données. Ainsi, toute modification effectuée dans la cellule copiée sera répercutée sur la cellule collée.

Pour copier une donnée et la lier à la donnée initiale dans le classeur concerné, procédez comme suit :

1. Sélectionnez la donnée à copier. Après vous être assuré que les deux classeurs concernés sont ouverts, cliquez du bouton droit sur l'onglet de la feuille de calcul dont vous voulez copier la cellule. Cliquez sur **Edition**, **Copier**.

2. Sélectionnez le classeur dans lequel vous voulez coller la cellule sélectionnée. Placez-vous dans la cellule, puis cliquez sur **Edition**, **Collage spécial**.

Masquer et afficher une feuille de calcul

Au cours de vos travaux, il peut être nécessaire de masquer une des feuilles de votre classeur. En effet, si votre PC est connecté à l'intranet de votre société, il est préférable de masquer certaines données.

Pour masquer une feuille de calcul, sélectionnez-la, puis ouvrez le menu **Format**, **Feuille**. Sélectionnez **Masquer** (voir Figure 15.5).

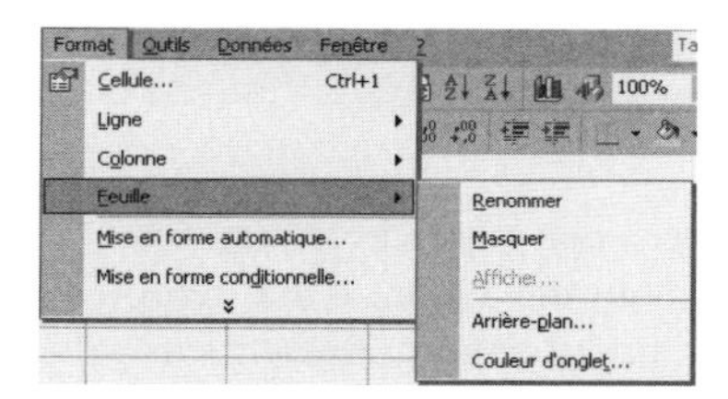

Figure 15.5 : Le menu en cascade de la commande Feuille.

Pour afficher de nouveau une feuille que vous avez masquée, dans votre classeur, sélectionnez **Format**, **Feuille**. Cliquez sur **Afficher**. Dans la zone **Afficher la feuille**, double-cliquez sur le nom de la feuille concernée.

Grouper et dissocier des feuilles de calcul

Lorsque plusieurs de vos feuilles de calcul sont analogues dans leur conception et/ou par leur contenu, Excel permet de les grouper afin de travailler dessus comme si elles n'étaient qu'une seule et même feuille. Cette fonction permet de réaliser plus vite la mise en forme des cellules ou l'insertion de données identiques.

Pour grouper plusieurs feuilles de calcul, vous devez au préalable les sélectionner. Cliquez sur l'onglet de la première feuille de calcul concernée, puis pressez la touche **Ctrl**, maintenez-la enfoncée. Ensuite, cliquez sur les onglets des autres feuilles de calcul que vous voulez grouper.

Désormais, tout ce que vous saisissez dans une cellule de l'une des feuilles de calcul s'insère automatiquement dans la cellule correspondante de toutes les autres feuilles du groupe. Cette possibilité s'applique aussi aux options de mise en forme.

Pour dissocier les feuilles de calcul, cliquez sur l'onglet d'une feuille de calcul qui ne fait pas partie du groupe. Vous pouvez

aussi faire un clic du bouton droit sur l'onglet d'une des feuilles de calcul du groupe, puis sélectionner **Dissocier**.

Nommer une feuille de calcul

Vous l'avez vu, lorsque vous créez une nouvelle feuille, Excel la nomme automatiquement. Le nom par défaut d'une feuille de calcul est "Feuille", suivi d'un numéro correspondant à son ordre d'insertion dans le classeur. Il faut bien le reconnaître, ce n'est guère parlant lorsqu'on effectue une recherche particulière. Vous devez donc, pour faciliter vos recherches, renommer les feuilles de calcul.

Pour renommer une feuille de calcul, cliquez du bouton droit sur l'onglet de la feuille de calcul dont vous voulez modifier le nom, puis sélectionnez **Renommer**. Le nom choisi par Excel s'affiche en surbrillance. Saisissez un nouveau nom pour votre feuille de calcul (voir Figure 15.6), puis pressez la touche **Entrée**.

Figure 15.6 : Renommez votre feuille de calcul.

Vous pouvez utiliser jusqu'à 31 caractères pour le nom de vos feuilles de calcul. Cependant, étant donné que l'onglet s'adapte à la largeur du nom, veillez à n'utiliser que des noms courts, sinon un onglet prendrait la moitié d'une page à lui tout seul !

Pour différencier plus rapidement les différentes feuilles de calcul, vous pouvez colorer leurs onglets. Cliquez du bouton droit sur un onglet et sélectionnez Couleur d'onglet. Cliquez sur le pavé de couleur à activer dans le nuancier et validez par OK.

La mise en pages des feuilles de calcul

Avant d'imprimer une feuille de calcul, visualisez-la dans l'Aperçu avant impression. Ainsi, vous aurez une vue parfaite de ce que vous allez imprimer.

Pour ouvrir l'Aperçu avant impression, cliquez sur le bouton **Aperçu avant impression** dans la barre d'outils Standard (voir Figure 15.7).

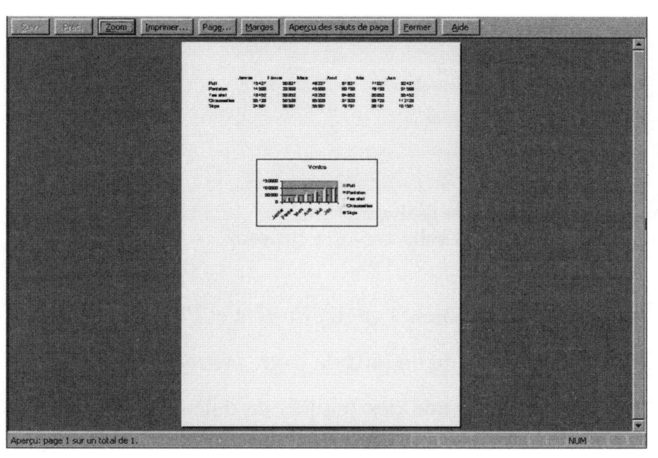

Figure 15.7 : Dans l'Aperçu avant impression, vous visualisez votre feuille de calcul telle qu'elle sera imprimée.

Reportez-vous au Chapitre 7 pour l'utilisation des différents boutons proposés dans la barre d'outils Aperçu avant impression.

La définition de la mise en pages

Pour accéder aux différentes options de mise en pages, cliquez sur **Fichier**, **Mise en page** (voir Figure 15.8). Dans l'onglet Page, vous pouvez modifier l'orientation de votre classeur, réduire ou

agrandir la feuille de calcul, voire l'ajuster. Vous pouvez aussi choisir le format du papier et la qualité de l'impression. L'onglet Marges permet de définir les différentes marges de la feuille de calcul.

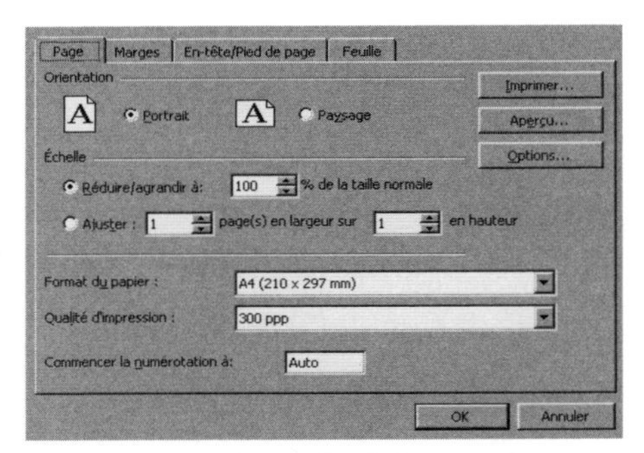

Figure 15.8 : La boîte de dialogue Mise en page permet de définir celle de votre classeur.

Etudions plus précisément l'onglet En-tête et Pied de page.

Pour créer un en-tête ou un pied de page, procédez comme suit :

1. Placez-vous dans une des feuilles de calcul du classeur, et sélectionnez **Fichier**, **Mise en page**. Cliquez sur l'onglet **En-tête/Pied de page**.
2. Cliquez sur le bouton **En-tête personnalisé** (voir Figure 15.9). L'en-tête est séparé en trois parties. Saisissez le texte voulu dans les différentes zones.
3. Utilisez les différents boutons proposés pour insérer un numéro de page, un nom de fichier, etc. Cliquez sur **OK** pour valider votre en-tête.
4. Cliquez sur **OK** pour fermer la boîte de dialogue Mise en page.

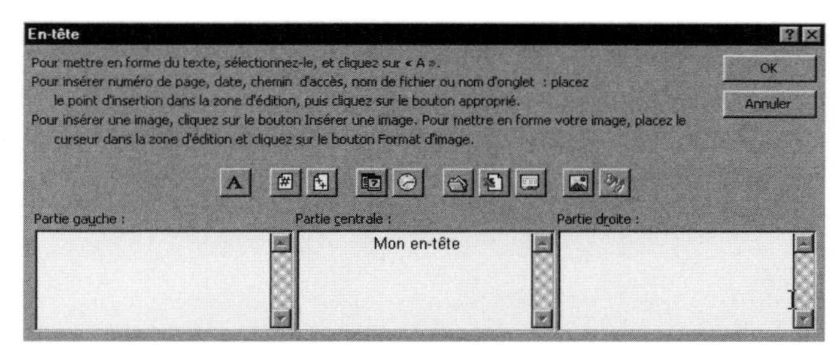

Figure 15.9 : Définissez votre en-tête dans la boîte de dialogue du même nom.

Reportez-vous au Chapitre 7 pour prendre connaissance des différents boutons proposés dans la barre d'outils En-tête et Pied de page.

Partie IV

PowerPoint : des présentations sensationnelles

Est-il nécessaire de le répéter : rien n'est plus parlant qu'une image ! Et si vous associez à celle-ci un mouvement, du son, une harmonie de couleurs, etc., il est certain que vous serez écouté et compris !

C'est ce que permet PowerPoint. Quel que soit le message que vous souhaitiez transmettre, dans quelque cadre que ce soit, avec ce logiciel, vous allez pouvoir créer des diapositives exceptionnelles contenant des graphiques, des dessins, du son, des animations et des effets spéciaux dignes des meilleurs cinéastes. Une fois ces diapositives conçues, vous les ferez défiler sous forme de diaporama, et vos spectateurs seront convaincus !

Chapitre 16

Découverte de PowerPoint

Au sommaire de ce chapitre

- L'interface
- Créer et ouvrir des présentations
- Visualiser les présentations
- Commencer à travailler

Avant d'entrer dans le vif du sujet, un petit mot sur PowerPoint. C'est un logiciel de PréAO, c'est-à-dire qu'il permet de créer des présentations à l'aide d'un ordinateur. Une présentation est composée d'un ensemble de diapositives. Dans ce chapitre, vous allez découvrir l'assistant Sommaire automatique qui permet de créer rapidement une présentation, de recourir à des modèles et d'utiliser des présentations vierges.

Vous verrez aussi comment ouvrir une présentation, la convertir, etc. Alors, précipitez-vous : l'étude de cette partie achevée, vous serez capable de créer un diaporama digne des meilleurs concepteurs, et vos spectateurs seront ravis.

L'interface

Commençons par le commencement, l'interface du logiciel.

Dès que vous lancez le logiciel, une nouvelle présentation s'affiche en mode Normal (voir Figure 16.1). Auparavant, c'était la boîte de dialogue PowerPoint qui s'affichait, permettant ainsi d'ouvrir une présentation existante, de créer une nouvelle présentation, ou bien d'utiliser un modèle ou un assistant pour la création de la présentation. Désormais, vous devez utiliser le volet Office pour toutes ces procédures.

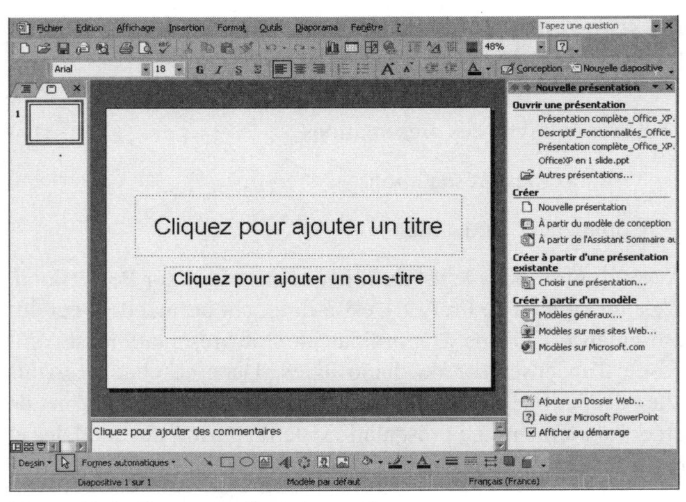

Figure 16.1 : Une nouvelle présentation s'affiche dès que vous ouvrez PowerPoint.

Si le volet Office ne s'est pas affiché, sélectionnez Affichage, Volet Office.

Créer et ouvrir des présentations

Vous allez maintenant voir comment créer une nouvelle présentation et ouvrir celles déjà créées. S'il est exact que ces notions ont été abordées au cours de la Partie I, il n'en reste pas moins que les procédures de PowerPoint étant légèrement différentes de celles des autres logiciels, il est nécessaire de préciser certains points.

Ouvrir une présentation

Vous pouvez aisément travailler avec PowerPoint 2002 dans une présentation déjà créée, par exemple avec une version plus ancienne du logiciel, ou même un autre logiciel.

Pour ouvrir une présentation existante créée avec une version antérieure, cliquez sur le nom de la présentation dans le volet Office ou, s'il n'apparaît pas, sur **Autres présentations**. Dans la boîte de dialogue qui s'affiche, double-cliquez sur la présentation de votre choix.

Par défaut, PowerPoint affiche les quatre dernières présentations ouvertes dans le volet Office. Pour augmenter ce nombre, sélectionnez Outils, Options. Cliquez sur l'onglet Général et modifiez le nombre dans l'option Derniers fichiers utilisés. Cliquez sur OK pour valider.

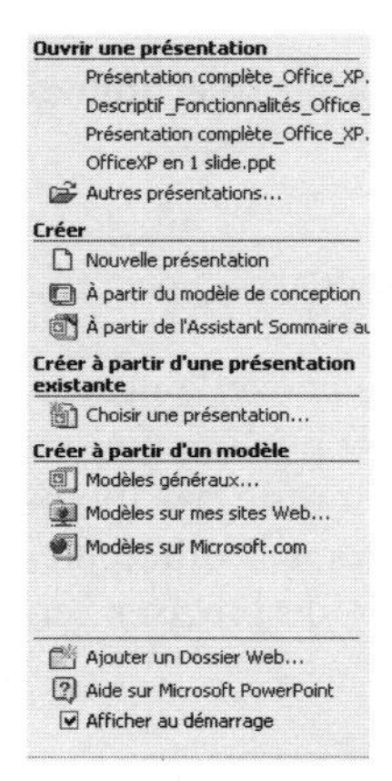

Figure 16.2 : Le volet Office liste les dernières présentations sur lesquelles vous avez travaillé.

Ouvrir une présentation créée à l'aide d'une autre application

Vous pouvez ouvrir une présentation créée à l'aide d'un autre logiciel de PréAO. Cliquez sur **Autres présentations** dans le volet Office. Dans la zone Type de fichiers, sélectionnez le logiciel concerné. Double-cliquez sur la présentation dans la liste qui s'affiche. PowerPoint convertit automatiquement la présentation afin qu'elle puisse être modifiée.

Créer une nouvelle présentation vierge

Vous venez de le voir, lorsque vous lancez PowerPoint, une nouvelle présentation est déjà ouverte. Cela étant, si vous l'avez malencontreusement fermée ou si vous voulez en créer une autre, vous devez savoir comment procéder.

Pour créer une nouvelle présentation, cliquez sur **Nouvelle présentation** dans le volet Office.

Vous pouvez créer une présentation en utilisant un modèle prédéfini. Pour appliquer un modèle à une nouvelle présentation, cliquez sur Modèles généraux dans le volet Office. Dans la boîte de dialogue qui s'affiche, double-cliquez sur le modèle que vous voulez utiliser. Les choix Modèles sur mes sites Web et Modèles sur Microsoft.com permettent pour l'un d'utiliser un site de votre disque dur comme modèle, et pour l'autre de télécharger depuis le site de Microsoft d'autres modèles de présentation.

Si vous avez déjà créé une présentation et que vous vouliez lui appliquer un modèle, cliquez sur le bouton Conception dans la barre d'outils. Dans le volet Office, cliquez sur le modèle à activer.

L'assistant Sommaire automatique

Pour réaliser rapidement une présentation, utilisez l'assistant Sommaire automatique :

1. Cliquez sur **A partir de l'assistant Sommaire automatique** dans le volet Office. Dans la première étape de l'assistant, cliquez sur **Suivant**.
2. Dans la deuxième étape (voir Figure 16.3), vous devez sélectionner le type de la présentation. PowerPoint propose plusieurs thèmes génériques couvrant de nombreux besoins professionnels. Sélectionnez le type dans la liste gauche, puis cliquez sur le sujet dans la liste droite. Cliquez sur **Suivant**.
3. Vous devez maintenant sélectionner le type de support sur lequel vous voulez présenter l'ensemble de vos diapositives. Cliquez sur **Suivant**.
4. Vous pouvez indiquer le titre de la présentation, le contenu du pied de page, la numérotation, etc. Cliquez sur **Suivant**, puis sur **Terminer**.

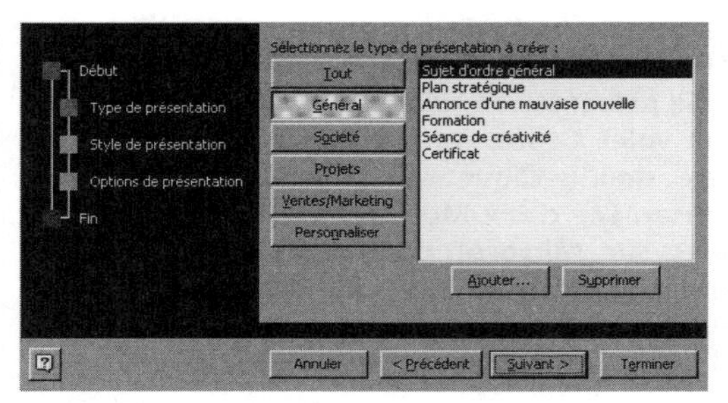

Figure 16.3 : Choisissez le type de votre présentation.

Si vous avez choisi de créer une présentation à l'aide de l'assistant Sommaire automatique, vous devez activer le mode Diapositive pour la mettre en forme.

Visualiser les présentations

PowerPoint propose plusieurs façons de visualiser une présentation. Vous allez le voir, les différents modes d'affichage permettent de travailler différemment dans la présentation. Les différents boutons de mode d'affichage que nous décrivons ici sont accessibles à partir de la partie inférieure gauche de la fenêtre :

Normal. Nouveau venu dans la version 2000, ce mode propose une vue triptyque composée, dans sa partie gauche, d'une vue en mode Plan, dans sa partie centrale, d'une vue en mode Diapositive, et, en bas, d'une vue correspondant à l'ancien mode Commentaires. Ces vues permettent de travailler à la fois sur la structure, le contenu et les annotions d'une présentation (voir Figure 16.4). C'est le mode d'affichage par défaut. Dans le volet Plan de ce mode, deux onglets sont proposés : plan et diapositives. Le premier permet de visualiser la structure hiérarchique de la présentation et le texte ; le second permet de visualiser la globalité des diapositives sous forme de miniatures.

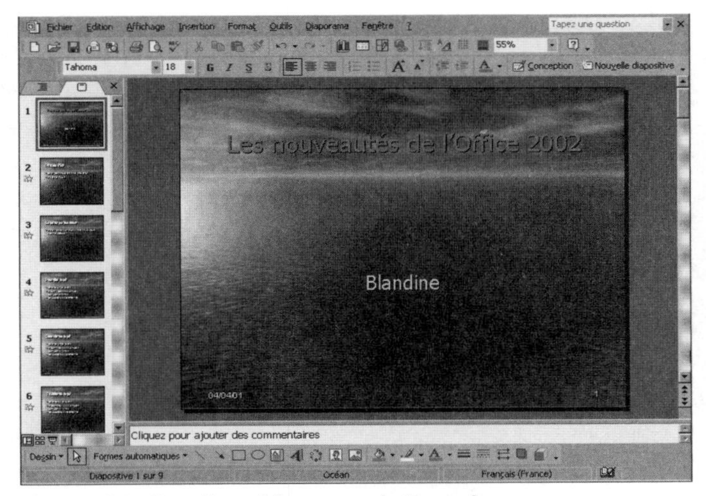

Figure 16.4 : Une diapositive en mode Normal.

Trieuse de diapositives. Permet de visualiser à l'écran la totalité des diapositives de votre présentation. C'est le mode idéal pour classer les diapositives, les déplacer, les copier, etc.

Diaporama. Permet de visualiser en enchaînement l'ensemble des diapositives. Dans ce mode, ces dernières s'affichent en plein écran. Vous pouvez y tester le défilement des diapositives et les effets d'animation que vous avez créés.

Zoomer

Pour modifier la taille du mode d'affichage, cliquez sur la flèche du bouton **Zoom** dans la barre d'outils Standard, puis sélectionnez la taille de zoom à activer. Vous pouvez aussi sélectionner **Affichage**, **Zoom** pour choisir le pourcentage de zoom.

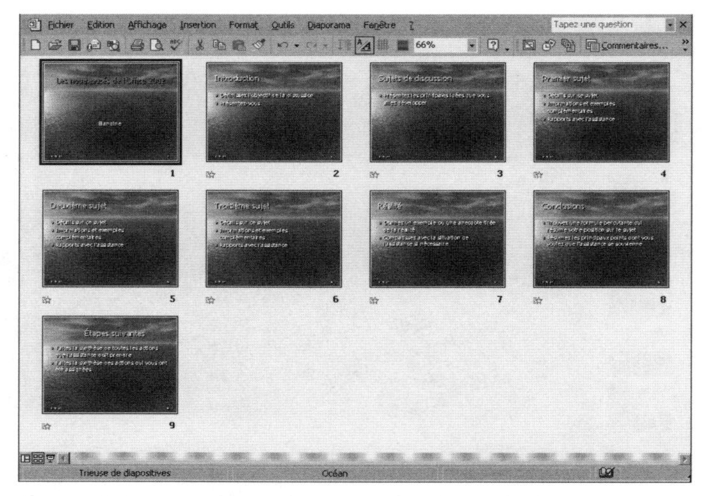

Figure 16.5 : Une présentation en mode Trieuse de diapositives.

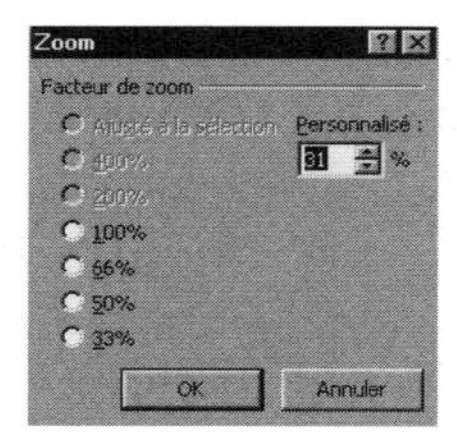

Figure 16.6 : Utilisez le zoom pour modifier la taille de l'affichage à l'écran.

Commencer à travailler

Si vous avez renoncé à utiliser l'assistant Sommaire automatique, vous devez créer vous-même l'ensemble de vos diapositives. Dans cette section, nous ferons le tour de tout ce que vous devez savoir pour commencer à travailler.

Insérer des diapositives

Lorsque vous créez une nouvelle présentation, celle-ci ne contient qu'une diapositive de type Titre. Il est fort rare qu'une présentation contienne une seule diapositive. Vous devez donc être à même d'en insérer d'autres.

Sachez, au préalable, que PowerPoint met à votre disposition plusieurs types de diapositives. En voici un bref descriptif :

- **Diapositive de titre.** Permet de créer une diapositive avec un titre et un sous-titre.
- **Titre seul.** Permet de créer une diapositive avec un titre.
- **Titre et texte.** Permet de créer une diapositive avec un titre et une liste à puces.
- **Titre et texte sur 2 colonnes.** Permet de créer une diapositive avec un titre et deux listes à puces.
- **Vide.** Permet d'afficher une diapositive vierge.
- **Contenu.** Permet de créer une diapositive avec l'emplacement prévu pour une image, un clip multimédia, un diagramme, un organigramme hiérarchique, une image du ClipArt, un graphique ou un tableau.
- **Titre et contenu.** Permet de créer le même type de diapositive que la précédente avec un titre.
- **Titre et 2 contenus.** Permet de créer le même type de diapositive que la précédente avec deux emplacements de contenu.
- **Titre, contenu et 2 contenus** et **Titre, 2 contenus et contenu**. Permet de créer le même type de diapositive que la précédente avec un emplacement de contenu supplémentaire.
- **Titre et 4 contenus.** Permet de créer le même type de diapositive que la précédente avec quatre emplacements de contenu.

- **Titre, texte et image de la bibliothèque.** Permet de créer une diapositive avec un titre, un texte et une image de la bibliothèque.
- **Titre, texte et diagramme.** Permet de créer une diapositive avec un titre, un texte et un diagramme.
- **Titre, diagramme et texte.** Identique au type précédent, excepté que le texte est proposé à droite.
- **Titre, texte et clip multimédia.** Permet de créer une diapositive avec un titre, un texte et un clip multimédia.
- **Titre et tableau.** Permet de créer une diapositive avec un titre et un tableau.
- **Titre et organigramme hiérarchique.** Permet de créer une diapositive avec un titre et un organigramme.
- **Titre et diagramme.** Permet de créer une diapositive avec un titre et un diagramme.

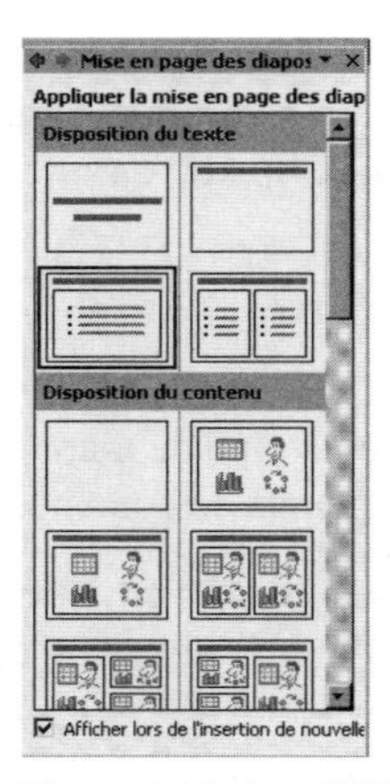

Figure 16.7 : Les différents types de diapositives sont accessibles à partir du volet Office.

Nouvelle diapositive

Pour insérer une nouvelle diapositive, cliquez sur le bouton **Nouvelle diapositive** dans la barre d'outils Mise en forme. Ensuite, dans le volet Office, cliquez sur le type de diapositive que vous voulez insérer.

Lorsque vous avez déjà choisi un type de diapositive et qu'il ne convient plus, vous pouvez en changer. Sélectionnez la diapositive à modifier en cliquant dessus dans le mode Trieuse de diapositives ou dans le mode Normal. Dans le volet Office, cliquez sur la petite flèche du type de diapositive à activer, et sélectionnez **Appliquer aux diapositives sélectionnées**.

Chapitre 17

La création et la mise en forme

Au sommaire de ce chapitre

- La gestion des diapositives
- L'insertion de texte
- Harmoniser la présentation
- La mise en forme des diapositives
- Le texte stylisé
- Organiser le texte

Vous avez étudié, dans le chapitre précédent, les procédures d'utilisation de l'assistant Sommaire automatique pour créer rapidement une présentation, ainsi que celles pour choisir un modèle prédéfini. Ensuite, vous avez pris connaissance des différents types de diapositives que propose PowerPoint.

Mais, si vous préférez définir vous-même la mise en forme des diapositives, vous devez étudier ce chapitre. Vous y découvrirez comment créer une diapositive, insérer du texte, choisir un arrière-plan, etc.

La gestion des diapositives

Il va sans dire qu'une présentation contient rarement une seule et unique diapositive. Vous devez donc savoir comment insérer, supprimer, etc., des diapositives. Vous avez vu dans le chapitre précédent comme insérer des diapositives, voyons maintenant comment les gérer au mieux.

Supprimer des diapositives

Lorsque vous avez utilisé l'assistant Sommaire automatique, il arrive souvent que le nombre de diapositives soit trop important ; vous devez donc en supprimer certaines. Affichez la diapositive en mode Plan ou en mode Trieuse de diapositives, cliquez sur la diapositive à supprimer, puis pressez la touche **Suppr**. Vous pouvez aussi supprimer la diapositive dans le mode Diapositive. Dans ce cas de figure, cliquez sur **Edition**, **Supprimer la diapositive**.

Insérer des diapositives

Les procédures d'insertion des diapositives ont été étudiées dans le chapitre précédent. En voici un bref rappel : cliquez sur le bouton **Nouvelle diapositive**, ou cliquez sur **Insertion**, **Nouvelle diapositive** (voir Figure 17.1).

Changer le type d'une diapositive

Lorsque vous avez déjà choisi un type de diapositive et qu'il ne convient plus, vous pouvez le changer. Pour ce faire, sélectionnez la diapositive à modifier en cliquant dessus dans le

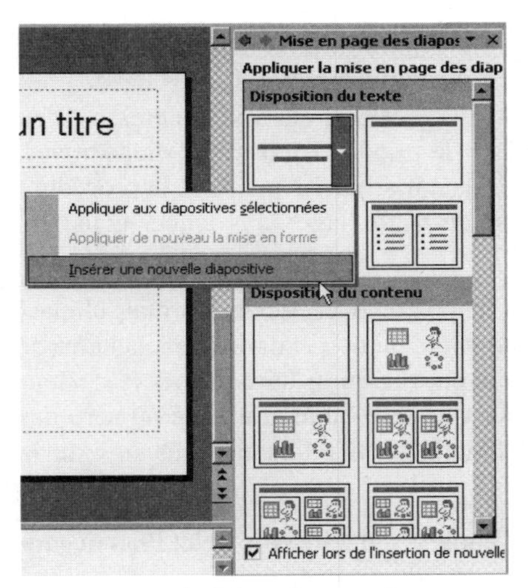

Figure 17.1 : Choisissez le type de diapositive que vous voulez créer.

mode Trieuse de diapositives ou dans le mode Normal. Dans le volet Office, cliquez sur la petite flèche du type de diapositive à activer et sélectionnez **Appliquer aux diapositives sélectionnées**.

Vous pouvez aussi insérer des objets, ou en supprimer, sans modifier le type de la diapositive. Pour découvrir ces procédures, lisez ce qui suit, ainsi que le Chapitre 18.

Pour modifier plusieurs diapositives en même temps, affichez tout d'abord votre présentation en mode Trieuse de diapositives. Cliquez sur la première diapositive à modifier, maintenez la touche Maj enfoncée, puis cliquez sur la deuxième diapositive, et ainsi de suite, afin de toutes les sélectionner. Ensuite, reprenez la procédure indiquée précédemment.

Naviguer entre les diapositives

Lorsque vous avez créé plusieurs diapositives, vous devez pouvoir rapidement afficher la diapositive qui vous intéresse. Bien sûr, vous pouvez utiliser le mode Trieuse de diapositives, comme nous vous l'avons déjà indiqué. Cependant, la procédure est différente selon le mode d'affichage dans lequel vous travaillez.

Pour naviguer entre les diapositives en mode Normal, cliquez sur la double-flèche remontante ou descendante dans la barre de défilement verticale. Vous pouvez aussi faire glisser le curseur de la barre de défilement. Une info-bulle affiche le numéro des pages à mesure du défilement. Lâchez lorsque vous êtes sur la diapositive à afficher.

L'autre procédure, plus simple, est d'utiliser le volet Plan (à gauche) en cliquant sur la diapositive voulue.

En mode Trieuse de diapositives, pour revenir au mode Normal, double-cliquez sur la diapositive à afficher.

L'insertion de texte

Une fois que vous avez sélectionné le type de diapositive que vous voulez créer, vous devez commencer par y insérer du texte. Quel que soit le type de diapositive choisie, les procédures sont les mêmes.

Pour insérer du texte, cliquez sur l'une des zones de texte affichant **Cliquez pour...** Le cadre de la zone de texte devient grisé et le pointeur clignote. Saisissez votre texte. Pour sortir de la zone de texte, cliquez en dehors de celle-ci. La saisie se fait au kilomètre, comme dans un traitement de texte, et le passage à la ligne est automatique (voir Figure 17.2).

Depuis la version 2000 de PowerPoint, le texte s'adapte automatiquement au cadre ; ce qui est un gain de temps considérable puisque vous n'avez plus à vous préoccuper de la taille du cadre. Auparavant, vous pouviez activer/désactiver cette option. Dans la version 2002, elle est inactive par défaut. Pour l'activer, cliquez sur **Outils**, **Options**. Cliquez sur l'onglet **Edition**. Cochez l'option **Ajuster automatiquement le texte à l'espace réservé**. Cliquez sur **OK**. Procédez de même pour désactiver cette option.

La fonctionnalité qui permet que le texte s'adapte automatiquement au cadre de texte n'est pas active pour les titres.

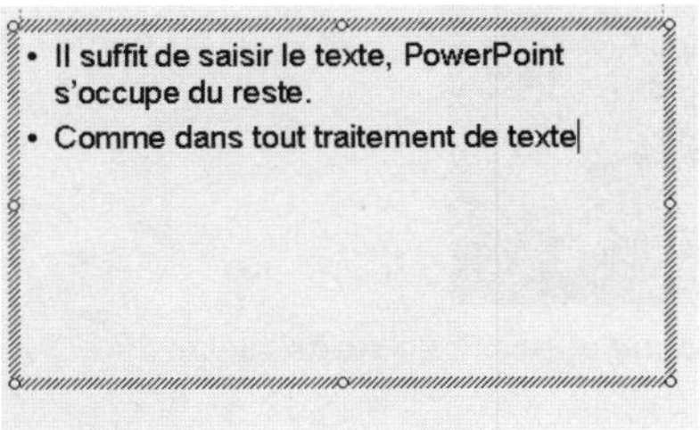

- Il suffit de saisir le texte, PowerPoint s'occupe du reste.
- Comme dans tout traitement de texte

Figure 17.2 : La saisie se fait au kilomètre, comme dans un traitement de texte.

La sélection de texte

Pour toute modification, suppression, etc., vous devez savoir sélectionner le texte sur lequel vous voulez travailler. Voici les procédures.

Pour sélectionner rapidement, procédez comme suit :

- Double-cliquez sur un mot pour le sélectionner.

- Double-cliquez dans une zone pour la sélectionner. Vous pouvez aussi cliquer dans la zone, puis presser les touches **Ctrl+A**.
- Pour faire une sélection en continu dans une zone, cliquez sur le premier mot, maintenez la touche **Maj** enfoncée, puis utilisez les touches d'orientation.
- Cliquez en dehors d'une sélection pour l'annuler.

Pour modifier le texte, il suffit de le sélectionner à l'aide de l'une de ces méthodes, puis de saisir le nouveau texte.

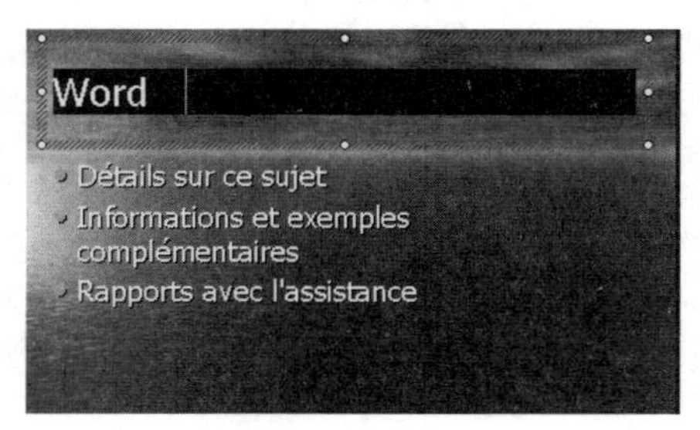

Figure 17.3 : Un texte sélectionné apparaît en surbrillance.

Les zones de texte

Les différents types de diapositives proposent des cadres permettant d'insérer du texte. Cela étant, vous pouvez parfaitement insérer une zone de texte supplémentaire, dans quelque type que ce soit.

Ce bouton est situé dans la barre d'outils Dessin. Cliquez dessus, maintenez le bouton enfoncé, puis faites glisser dans la diapositive (voir Figure 17.4). Relâchez le bouton lorsque la zone de texte a les dimensions voulues. Saisissez votre texte. Cliquez en dehors de la zone lorsque vous avez terminé.

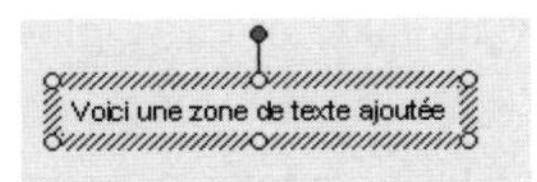

Figure 17.4 : Insérez rapidement une zone de texte à l'aide du bouton Zone de texte.

Pour insérer une zone de texte, vous pouvez aussi sélectionner Insertion, Zone de texte. Reprenez ensuite les procédures indiquées précédemment.

Pour déplacer une zone de texte dans la diapositive, cliquez dedans, puis sur le cadre l'entourant, et faites glisser jusqu'à l'emplacement voulu.

Pour redimensionner une zone de texte, cliquez dedans. Cliquez sur l'une des poignées, puis faites-la glisser jusqu'à obtenir la taille requise (voir Figure 17.5).

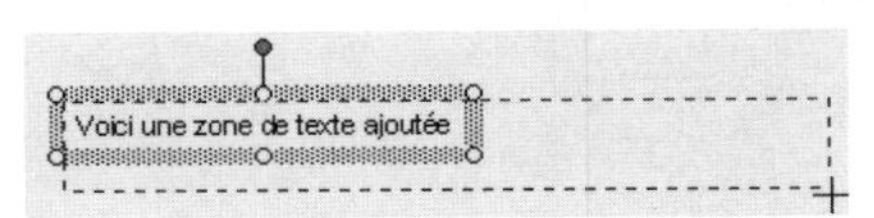

Figure 17.5 : Utilisez les poignées pour redimensionner votre zone de texte.

Pour conserver les proportions d'une zone de texte, maintenez la touche Maj enfoncée tout le temps du redimensionnement.

Pour modifier précisément la zone de texte, faites un clic droit dessus, sélectionnez **Format de la zone de texte**, et cliquez sur l'onglet **Taille** (voir Figure 17.6). Dans la zone Echelle, définissez la taille. Cliquez sur **OK**.

La boîte de dialogue Format de la zone de texte propose plusieurs onglets :

- **Couleurs et traits.** Permet de modifier le cadre entourant la zone de texte (couleur, remplissage, etc.).
- **Position.** Permet de modifier précisément la position de la zone de texte dans la diapositive.
- **Zone de texte.** Permet de définir précisément l'emplacement du texte dans le cadre de la zone de texte.
- **Web.** Permet, lorsque vous avez joint une image à la zone de texte, de définir un texte en remplacement de l'image qui s'affiche dans le navigateur tout le temps que dure le chargement de l'image.

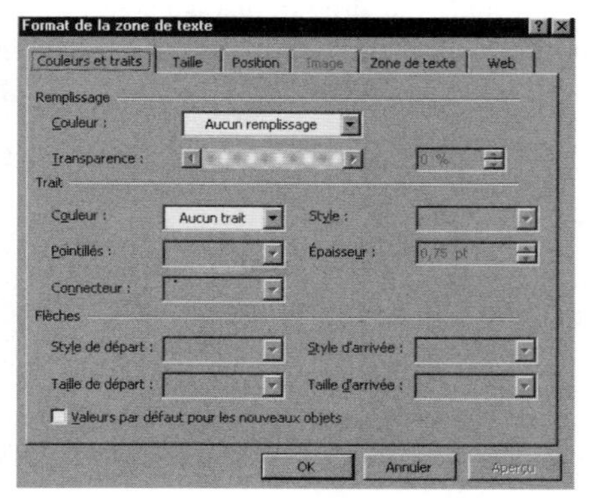

Figure 17.6 : La boîte de dialogue Format de la zone de texte permet de modifier la taille, la position, l'encadrement, etc., de la zone de texte.

Créer une liste à puces

Une liste à puces est une suite d'arguments structurés sur différents niveaux. Ce type de présentation de texte est extrêmement pratique, car il permet d'afficher point par point chaque argument dans la diapositive. Pour afficher une diapositive de ce type (voir Figure 17.7), cliquez sur le type **Titre et texte** dans le volet Office.

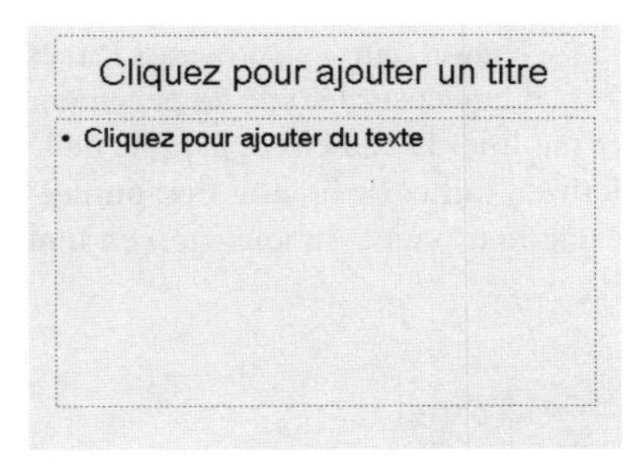

Figure 17.7 : Une diapositive avec liste à puces.

La puce est le symbole qui s'affiche à gauche de chaque argument. Dans la zone contenant la liste à puces, saisissez votre texte, puis pressez la touche **Entrée** chaque fois que vous voulez afficher une nouvelle puce. PowerPoint affiche par défaut des petites puces rondes et noires (voir Figure 17.8).

• Cliquez pour ajouter du texte

Figure 17.8 : Les puces proposées par défaut sont de simples ronds noirs.

Pour créer une liste à puces, vous pouvez aussi sélectionner un texte classique, puis cliquer sur le bouton **Puces** dans la barre d'outils Mise en forme.

Pour transformer une liste à puces en texte normal, sélectionnez la liste, puis cliquez sur le bouton Puces pour le désactiver.

La mise en forme d'une liste à puces

Si les puces proposées par défaut ne conviennent pas, vous pouvez les modifier. Dans le cadre de la liste à puces, pressez les touches **Ctrl+A** pour sélectionner l'ensemble de la liste à puces. Cliquez du bouton droit sur la sélection, puis sélectionnez **Puces et numéros** (voir Figure 17.9). Cliquez sur le type de puce pour le sélectionner. Vous pouvez modifier la couleur et la taille de la puce dans les options **Couleur** et **Taille**. Le bouton **Personnaliser** permet de sélectionner une lettre, un symbole, etc., en tant que puce. Cliquez sur **OK**.

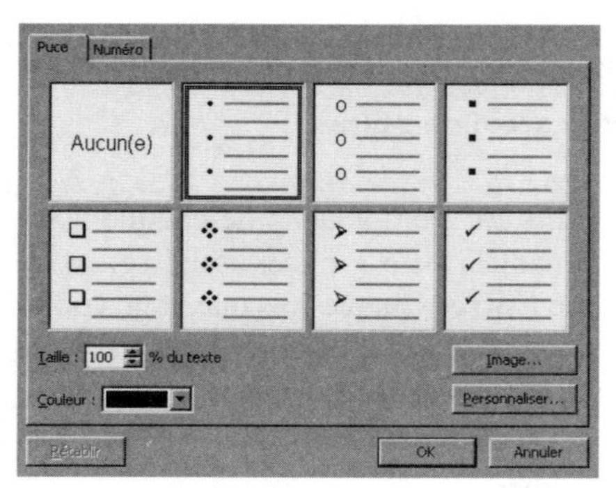

Figure 17.9 : Choisissez un autre type de puce dans la boîte de dialogue Puce.

PowerPoint permet d'utiliser une image du ClipArt en tant que puce. Dans la boîte de dialogue Puces et numéros, onglet **Puce**, cliquez sur le bouton **Image**. Dans la boîte de dialogue qui s'affiche, cliquez sur la puce adéquate, puis validez par **OK**.

PowerPoint insère un très petit retrait entre la puce et le début du texte de l'item, ce qui peut être disgracieux. Voici la solution à ce problème.

Pour modifier les retraits de votre liste à puces, procédez comme suit :

1. Sélectionnez **Affichage**, **Règle**. Les marqueurs de retrait apparaissent ; ils affichent la valeur des retraits actuels.
2. Pour modifier les retraits (voir Figure 17.10) :
   – Faites glisser le triangle gris du bas pour déplacer le texte.
   – Faites glisser le triangle gris du haut pour déplacer la puce.
   – Faites glisser le carré gris pour déplacer les puces et le texte en même temps.

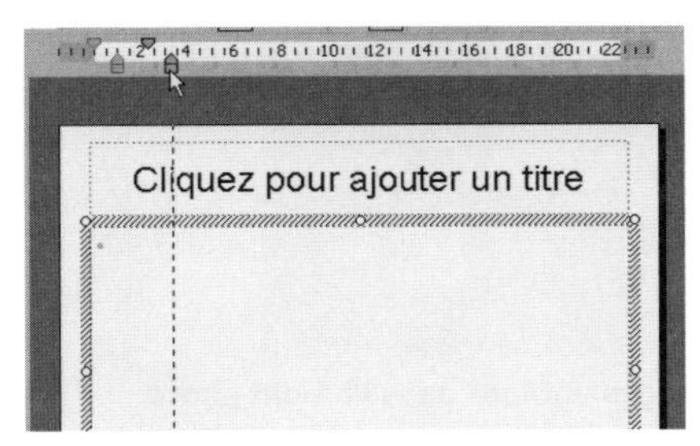

Figure 17.10 : Utilisez les marqueurs de la règle pour modifier les retraits de la liste à puces.

Créer un album photo

L'album photo est une nouveauté d'Office 2002. Il facilite et accélère le chargement de photos à partir du disque dur, du scanner ou de l'appareil photo numérique. Vous allez voir qu'un grand nombre d'options de mise en pages sont disponibles

pour les albums photo : cadres ovales, légendes sous chaque image, etc., et que vous pouvez ainsi créer une présentation contenant la totalité des photos voulues en quelques clics.

Pour créer un album photo, sélectionnez **Insertion**, **Image**, **Nouvel album photo**. Ensuite, cliquez sur le bouton correspondant à la méthode d'insertion de l'image (Fichier/disque, Scanneur/caméra). Sélectionnez le fichier de l'image ; il s'ajoute à la liste. Reprenez ces procédures pour toutes les images à insérer (voir Figure 17.11).

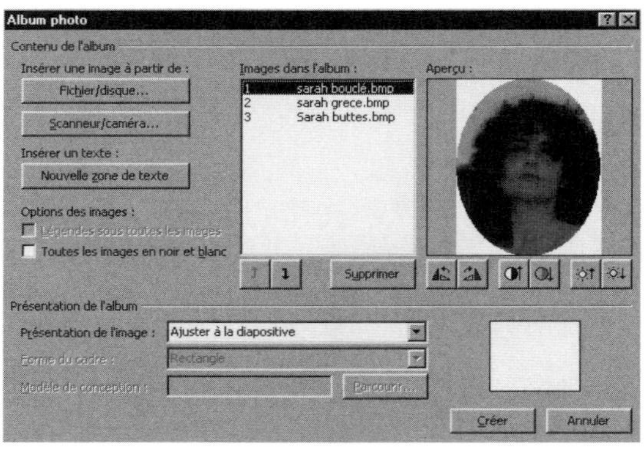

Figure 17.11 : Insérez les images voulues dans l'album photo.

Pour supprimer, modifier, etc., les images de l'album, utilisez les boutons placés au-dessous de la liste des images et de leur visualisation.

Pour modifier un album photo, après l'avoir ouvert, cliquez sur **Format**, **Album photo**. Pour définir la présentation de l'album, utilisez les options proposées dans cette zone (présentation de l'image, forme du cadre, modèle de conception, etc.). Cliquez sur le bouton **Mettre à jour** lorsque vous avez terminé.

Figure 17.12 : L'album photo a belle allure !

Harmoniser la présentation

PowerPoint est conçu pour donner une apparence harmonieuse à vos présentations. Il propose plusieurs manières de contrôler l'aspect des diapositives : les masques et le jeu de couleurs. Vous avez déjà étudié le choix d'un modèle au Chapitre 16. Sachez qu'il contient des jeux de couleurs, des masques de diapositives et de titre, avec une mise en pages personnalisée et des polices stylées conçues pour obtenir un aspect donné.

Le masque des diapositives

Le masque des diapositives contrôle la police, la taille de caractères de tous les titres, les listes à puces, les sous-titres, etc., et contient les graphismes communs à toutes les diapositives. Par ailleurs, il permet d'insérer éventuellement la date, le numéro de la diapositive, ainsi que toutes les informations que vous pourriez vouloir inclure.

Pour afficher le masque d'une diapositive, sélectionnez **Affichage**, **Masque**. Dans le menu en cascade, sélectionnez **Masque des diapositives** (voir Figure 17.13). Ensuite, suivez les instructions suivantes pour utiliser ou modifier le masque des diapositives :

- Pour modifier l'aspect des titres, sélectionnez le titre du masque, puis utilisez les listes déroulantes **Police** et **Taille** dans la barre d'outils Mise en forme. Pour des modifications plus élaborées, utilisez la boîte de dialogue Police. Pour l'ouvrir, cliquez sur **Format**, **Police**.
- Pour modifier le texte des listes à puces, sélectionnez la liste à puces dans le masque, puis utilisez les listes déroulantes **Police** et **Taille**. Vous pouvez utiliser les autres boutons de la barre d'outils Mise en forme, tels que **Augmenter la taille**, **Diminuer la taille**, etc.
- Pour ajouter du texte ou des graphiques, reprenez les procédures indiquées au Chapitre 16.

Figure 17.13 : Affichez le masque d'une diapositive.

Le masque des diapositives contrôle la totalité des aspects de vos diapositives. Dès que vous modifiez une zone du masque, la modification s'applique à la totalité des diapositives de la présentation.

Si vous souhaitez que cette mise en forme ne s'applique pas à l'une des diapositives, après l'avoir affichée en mode Diapositive, cliquez sur **Format**, **Arrière-plan**. Dans la boîte de dialogue qui s'affiche, cochez l'option **Cacher les graphiques du masque** pour l'activer, puis cliquez sur **Appliquer** pour que cette option s'applique à la diapositive sélectionnée.

Le jeu de couleurs

Chaque modèle prédéfini propose un jeu de couleurs constitué de couleurs différentes pour chacun des éléments des diapositives : titres, listes à puces, listes numérotées, remplissages, etc. Vous pouvez parfaitement modifier la couleur de chaque catégorie d'éléments de la manière suivante :

1. Cliquez sur **Conception**. Dans le volet, cliquez sur **Jeux de couleurs** (voir Figure 17.14).

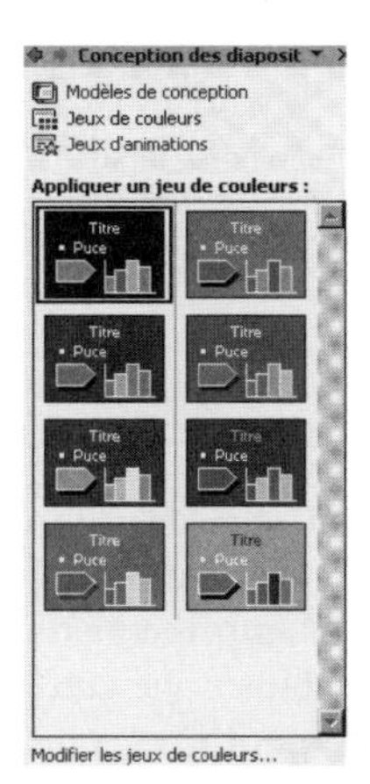

Figure 17.14 : Le jeu de couleurs permet d'harmoniser les couleurs de la présentation.

2. Dans la liste qui s'affiche, vous pouvez choisir un jeu standard ou créer votre propre jeu de couleurs. Mieux vaut cependant utiliser un jeu standard pour éviter certains écueils

(couleurs mal assorties, etc.). Si aucun jeu de couleurs ne convient, cliquez sur **Modifier les jeux de couleurs** (voir Figure 17.15), puis sélectionnez une couleur pour chaque élément des diapositives. Une fois vos choix terminés, cliquez sur **Appliquer** pour que le jeu de couleurs s'applique à la diapositive sélectionnée.

Figure 17.15 : Vous pouvez modifier un jeu de couleurs afin de créer le jeu correspondant parfaitement à vos souhaits.

La mise en forme des diapositives

Lorsque vous utilisez l'assistant Sommaire automatique ou un modèle pour créer une présentation, PowerPoint adopte le même style pour l'ensemble des diapositives. Mais il permet de modifier entièrement la mise en forme de tous les éléments. Si vous avez choisi de travailler sans le masque, vous devez indiquer les différents choix de mise en forme ; si vous avez choisi l'assistant Sommaire automatique ou un modèle, vous pouvez modifier certains éléments.

L'arrière-plan

Chaque diapositive possède un arrière-plan, coloré ou non selon la façon dont vous avez créé la diapositive.

Pour modifier l'arrière-plan, cliquez sur **Format**, **Arrière-plan** (voir Figure 17.16). Pour choisir simplement une couleur d'arrière-plan, cliquez sur la flèche de la liste déroulante **Remplissage de l'arrière-plan**, puis choisissez la couleur. Pour choisir une autre couleur, cliquez sur le bouton **Couleurs supplémentaires**, puis choisissez la couleur, ou bien définissez-la vous-même. Cliquez sur **OK** pour valider votre choix.

Figure 17.16 : Choisissez une couleur d'arrière-plan.

Pour choisir un motif d'arrière-plan ou une texture, ouvrez la boîte de dialogue Arrière-plan, comme indiqué précédemment. Cliquez sur la flèche de l'option **Remplissage de l'arrière-plan**, puis sélectionnez **Motifs et textures** (voir Figure 17.17). Les différents onglets permettent de choisir un motif, un dégradé, une texture ou encore une image d'arrière-plan. La zone d'aperçu permet de visualiser le choix sélectionné. Cliquez sur **OK** pour valider.

Figure 17.17 : Choisissez un motif ou une texture pour l'arrière-plan de vos diapositives.

Conseils pour la mise en forme du texte

Selon le type de mise en forme à réaliser, il est préférable d'utiliser l'un ou l'autre des modes d'affichage. Pour faire votre choix, prenez connaissance des conseils suivants :

- **Le mode Masque des diapositives.** Permet de modifier l'apparence du texte de toutes les diapositives. Pour donner une cohérence à la mise en forme, effectuez les modifications dans le masque. Attention ! Si vous avez ajouté des zones de texte dans certaines diapositives, le masque ne peut les contrôler.
- **Le mode Diapositive.** Affiche une par une les différentes diapositives de la présentation. Pour affecter au texte d'une diapositive un aspect différent de celui du masque, effectuez votre modification dans ce mode : il permet de voir exactement le texte tel qu'il apparaîtra dans le diaporama.
- **Le mode Plan.** N'affiche que le texte. Ce mode permet d'afficher l'effet du texte de chaque diapositive par rapport aux autres. Il est idéal si vous voulez modifier la police ou la taille des caractères de tout le texte dans toutes les diapositives de la présentation. Ouvrez le menu **Edition**, **Sélectionner tout**, puis choisissez une police. Vous pouvez aussi utiliser les différents boutons de la barre d'outils Mise en forme.

Pour mettre en forme votre texte, vous devez tout d'abord le sélectionner. En mode Plan, pour sélectionner tout le texte d'une diapositive, cliquez sur son icône. En mode Diapositive, il suffit de presser les touches **Ctrl+A**.

La barre d'outils Mise en forme

La barre d'outils Mise en forme propose les principales commandes de mise en forme. Une fois le texte sélectionné, cliquez sur l'un des boutons pour activer sa commande. Par exemple, pour mettre en gras la sélection, cliquez sur le bouton **Gras**. Le Tableau 17.1 liste les différents boutons de la barre d'outils Mise en forme.

Tableau 17.1 : Les boutons de la barre d'outils Mise en forme

Bouton	Description
Arial	Modifie le style de la police.
32	Modifie la taille.
G	Met en gras.
I	Met en italique.
S	Souligne.
S	Ombre.
	Aligne le texte à gauche.
	Centre le texte.
	Aligne le texte à droite.
	Active ou désactive une liste numérotée.

Tableau 17.1 : Les boutons de la barre d'outils Mise en forme *(suite)*

Bouton	Description
	Active ou désactive une liste à puces.
	Augmente la taille des caractères.
	Réduit la taille des caractères.
	Diminue le retrait.
	Augmente le retrait.
	Modifie la couleur de police.
Conception	Ouvre le volet Office pour choisir un modèle.
Nouvelle diapositive	Ouvre le volet Office pour choisir un type de diapositive.

La plupart de ces mises en forme sont également proposées dans la boîte de dialogue Police. Pour l'ouvrir, après avoir sélectionné le texte concerné, cliquez sur **Format**, **Police** (Figure 17.18).

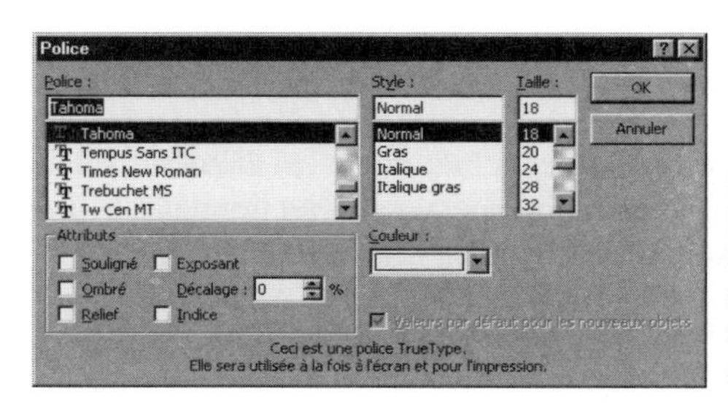

Figure 17.18 : La boîte de dialogue Police permet de sélectionner en une fois la totalité des mises en forme.

Pour modifier l'interligne, utilisez la commande **Format**, **Interligne**.

Le texte stylisé

Tout comme dans les autres logiciels d'Office, vous pouvez insérer dans une diapositive un objet WordArt, qui permet de créer des titres, des logos, etc. Pour connaître les procédures d'utilisation de WordArt, reportez-vous à la Partie I.

Organiser le texte

La plupart du temps, vous travaillez en mode Normal, car ce mode permet de visualiser immédiatement les modifications et les insertions effectuées. Cependant, pour avoir une vue d'ensemble de votre présentation, le volet Plan est indispensable. En effet, celui-ci permet de déplacer rapidement vos diapositives, de réorganiser les différents éléments, de déplacer des listes et d'effectuer bien d'autres modifications pour améliorer l'enchaînement logique de votre présentation.

Pour travailler efficacement dans le volet Plan, affichez la barre d'outils Plan, comme indiqué dans la Partie I de cet ouvrage, puis utilisez les différents boutons en tenant compte des indications suivantes.

Hausse d'un niveau dans la hiérarchie les éléments sélectionnés. Par exemple, lorsque vous sélectionnez un sous-titre puis cliquez sur ce bouton, il se transforme en titre.

Abaisse d'un niveau dans la hiérarchie les éléments sélectionnés. Par exemple, lorsque vous sélectionnez un titre puis cliquez sur ce bouton, il se transforme en sous-titre.

Déplace vers le haut du plan les éléments sélectionnés.

Déplace vers le bas du plan les éléments sélectionnés.

Masque le texte secondaire ou les éléments à puces d'une diapositive. Vous devez au préalable cliquer sur le titre de la diapositive concernée ou sur son icône.

Développe le texte secondaire ou les éléments à puces d'une diapositive. Cette commande est utilisée lorsque vous avez au préalable réduit ces éléments.

Masque tout le texte secondaire de votre diapositive ; seul les titres apparaissent.

Affiche la totalité des textes. Cette commande est utilisée lorsque vous avez au préalable masqué le texte secondaire.

Crée une diapositive de résumé de votre présentation. Cette diapositive reprend tous les titres de votre diaporama. Elle représente donc le sommaire de votre présentation.

Affiche la mise en forme du texte de vos diapositives.

Chapitre 18

Les images, les organigrammes et le multimédia

Au sommaire de ce chapitre

- Les images
- Les diagrammes
- Le multimédia
- L'Organigramme hiérarchique

Vous savez maintenant créer rapidement une présentation à l'aide de l'assistant Sommaire automatique, choisir un modèle et insérer du texte. Cependant, ces notions ne sauraient suffire pour créer une présentation digne d'intérêt. Etant donné que le principe du diaporama se fonde sur l'apparence, pour soutenir l'intérêt de vos spectateurs, il est indispensable d'ajouter des images, des dessins, du son et des organigrammes.

Les images

Les images sont des éléments évidemment précieux dans un diaporama : elles renforcent le propos et explicitent rapidement le contenu d'une diapositive.

PowerPoint permet d'insérer plusieurs types d'images :

- Images numérisées, issues d'un scanner ou d'une carte d'acquisition (en noir et blanc, en niveaux de gris ou en couleur).
- Images vectorielles en provenance de logiciels de création, tels qu'Illustrator. Elles sont créées à partir de formes mathématiques et sont constituées d'éléments de base : traits, surfaces régulières, etc.
- Images de la bibliothèque ClipArt Gallery d'Office.

Pour insérer une image, procédez comme suit :

1. Dans le mode Normal, cliquez à l'endroit où vous voulez insérer l'image. Cliquez sur **Insertion**, **Image**. Vous pouvez aussi utiliser un type de diapositive prévue à cet effet. Dans ce cas de figure, double-cliquez sur le symbole de l'image.
2. Dans le menu en cascade, cliquez sur **A partir du fichier**. La boîte de dialogue Insérer une image s'affiche (voir Figure 18.1). Vous devez d'abord choisir le type d'image en cliquant sur la flèche de la zone **Type de fichiers**. Ensuite, double-cliquez sur le fichier contenant l'image.

ClipArt Gallery

Office 2002 propose une bibliothèque d'images accessible à partir de toute application d'Office. Cette bibliothèque contient de multiples images, développées par thèmes ou par catégories.

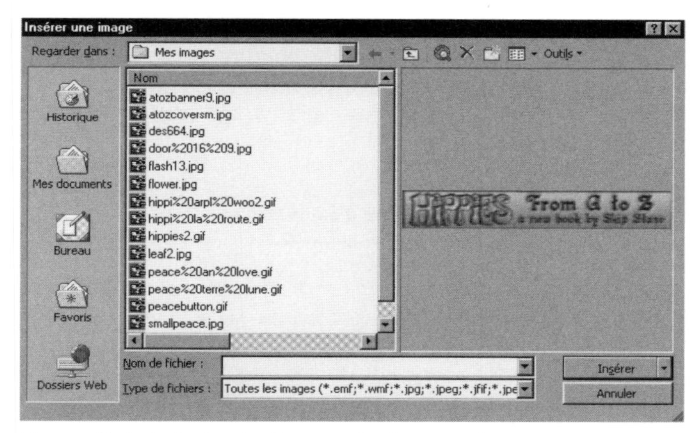

Figure 18.1 : La boîte de dialogue Insérer une image permet de sélectionner le fichier contenant l'image à insérer.

Si vous avez choisi une diapositive avec une zone d'image, double-cliquez dans cette zone pour lancer le ClipArt.

Pour insérer une image du ClipArt, reprenez les procédures indiquées dans la Partie II de cet ouvrage.

Pour modifier une image, utilisez la barre d'outils Image (voir Note précédente).

Pour redimensionner une image, cliquez dessus pour la sélectionner, puis faites glisser l'une des poignées dans le sens voulu.

Pour supprimer une image, cliquez dessus pour la sélectionner, puis pressez la touche **Suppr**.

La barre d'outils Image

La barre d'outils Image permet de retoucher une image. Elle s'affiche automatiquement lorsque vous sélectionnez une image.

C'est, en quelque sorte, une application graphique intégrée. Elle propose un certain nombre de boutons pour modifier le contraste, la luminosité, encadrer, ou afficher l'image en noir et blanc, etc. Reportez-vous au Tableau 18.1, qui décrit l'usage de ses différents boutons.

Tableau 18.1 : Les boutons de la barre d'outils Image

Bouton	Description
	Insère un fichier graphique à partir de votre disque dur.
	Ouvre un menu déroulant pour transformer une image couleurs en dégradés de gris, en noir et blanc ou en filigrane (image transparente placée au-dessus du texte sans le masquer).
	Augmente le contraste de l'image.
	Diminue le contraste de l'image.
	Augmente la luminosité de l'image.
	Diminue la luminosité de l'image.
	Recadre l'image.
	Fait pivoter l'image.
	Ouvre un menu déroulant proposant des types de lignes pour encadrer l'image.
	Compresse l'image.

Tableau 18.1 : Les boutons de la barre d'outils Image ***(suite)***

Bouton	Description
	Permet de recolorer l'image.
	Ouvre une boîte de dialogue pour modifier l'image (taille, couleurs et traits, position, etc.).
	Rend transparente une des couleurs de l'image.
	Rétablit la mise en forme de l'image de départ.

Les diagrammes et les graphiques

Au cours de la réalisation de vos présentations, il arrivera très souvent que vous soyez obligé de présenter des séries de chiffres pour démontrer l'évolution d'un produit, la structure d'une clientèle, la répartition d'un ensemble de différents éléments, etc. Dans le cadre d'un diaporama, l'analyse de chiffres ne peut prendre trop de temps. La solution à ce type de problème consiste à utiliser un diagramme qui permettra à l'auditoire de visualiser rapidement l'ensemble des chiffres et de faire passer le message d'une manière percutante.

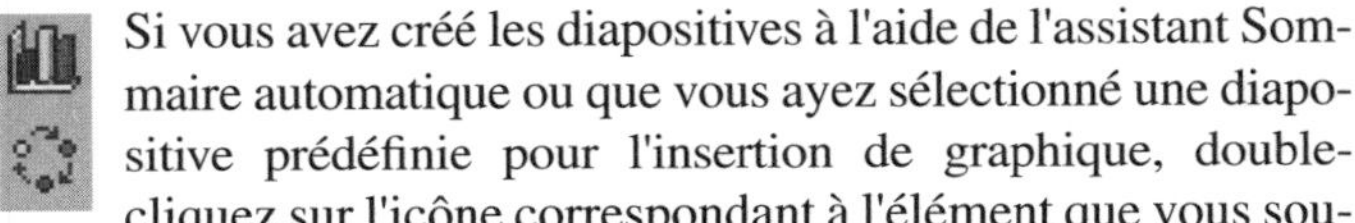

Si vous avez créé les diapositives à l'aide de l'assistant Sommaire automatique ou que vous ayez sélectionné une diapositive prédéfinie pour l'insertion de graphique, double-cliquez sur l'icône correspondant à l'élément que vous souhaitez insérer. Mais si vous avez choisi une diapositive vierge, ou que vous vouliez insérer un graphique dans une diapositive de type texte, vous devez cliquer sur le bouton **Insérer un diagramme** dans la barre d'outils Standard.

Quelle que soit la procédure utilisée, la fenêtre Présentation – Feuille de données s'affiche avec quelques données en exemples. Pour entrer les données que vous voulez mettre en forme, cliquez dans la cellule voulue, saisissez la donnée, puis pressez la touche **Entrée** pour valider la saisie. Vous devez utiliser les touches de direction pour vous déplacer dans les cellules du tableau. Par défaut, les données sont disposées en lignes ; les titres de colonnes apparaissent sous l'axe horizontal (X) dans le graphique. Si vous préférez une disposition en colonnes où les titres de lignes apparaissant sous l'axe X, cliquez sur le bouton **Par colonne** dans la barre d'outils Standard.

Figure 18.2 : Insérez un diagramme.

Référez-vous à la Partie III de cet ouvrage pour de plus amples informations sur la création des diagrammes.

Le menu Graphique

Au moment où vous avez ouvert la feuille de données, la barre de menus s'est modifiée pour intégrer le menu Graphique. Ce menu permet un certain nombre d'actions.

Pour choisir un autre type de graphique, procédez comme suit :

1. Cliquez sur **Graphique**, **Type de graphique**.
2. Sélectionnez le type de graphique :
   - **Aires.** Graphique à courbes cumulées et très colorées ; il n'est guère lisible dans un diaporama.
   - **Histogramme.** Graphique très courant. Sa version 3D se révèle très spectaculaire et convient parfaitement à un diaporama.
   - **Courbes.** Graphique à tout faire ; peu lisible.
   - **Anneau.** Graphique sectoriel.
   - **Radar.** Graphique à axes multiples.
   - **Nuages de points.** Parfait pour un diaporama.
3. Cliquez sur **OK** pour valider votre choix.

Pour modifier le graphique, utilisez la commande Options du graphique (voir Figure 18.3). Celle-ci permet d'ajouter ou de supprimer une légende, de donner un titre à un graphique, de modifier l'aspect des axes, de modifier la couleur d'un objet, etc. Il suffit, pour cela, de naviguer entre les différents onglets.

Pour modifier le graphique, vous pouvez aussi cliquer du bouton droit sur l'objet à modifier, puis sélectionner l'option de mise en forme voulue.

Valider un diagramme

Quand vous avez terminé de réaliser le graphique et de le modifier, cliquez n'importe où, excepté dans la fenêtre Feuille de données ou dans le graphique. PowerPoint insère votre graphique dans la diapositive. Vous pouvez le déplacer ou le redimensionner, selon les mêmes procédures que pour le déplacement ou le redimensionnement d'une image.

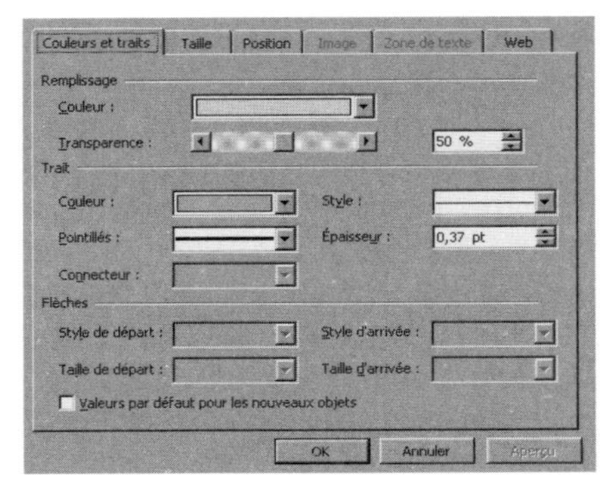

Figure 18.3 : Ouvrez la boîte de dialogue pour faire vos modifications.

Une fois le graphique validé, pour le modifier de nouveau, double-cliquez dessus. PowerPoint ouvre la fenêtre Présentation – Feuille de données. Une fois les modifications réalisées, cliquez en dehors du graphique et de la feuille de données.

Le multimédia

Le multimédia permet d'insérer dans un document, ou dans une présentation, du son, de l'animation, un clip animé, etc. PowerPoint permet l'insertion de tous ces éléments.

Le son

Le son est l'un des éléments les plus faciles à insérer dans une présentation ; il suffit, pour l'utiliser, de posséder une carte son. PowerPoint permet d'insérer plusieurs types de fichiers son : fichiers WAV, qui proviennent d'une numérisation du son à l'aide d'une carte ; fichiers MIDI — norme d'enregistrement de la musique ; ou encore la lecture de plages de CD audio à partir d'un lecteur de CD-ROM.

Pour insérer un son, affichez la diapositive concernée en mode Diapositive. Sélectionnez **Insertion**, **Films et sons**. Ensuite, sélectionnez l'option voulue dans le menu en cascade **Son de la bibliothèque multimédia**, **A partir d'un fichier audio**, **Lire une piste de CD audio** ou **Enregistrer un son**. Les procédures suivantes sont fonction de l'option sélectionnée. Les options Son de la bibliothèque et A partir d'un fichier audio sont simples : sélectionnez le fichier son ou le clip audio, puis cliquez sur **Insérer**. Si vous avez opté pour Lire une piste de CD audio, utilisez la boîte de dialogue Options d'activation pour choisir les première et dernière pistes que doit jouer PowerPoint durant la présentation.

Si vous avez choisi l'option Enregistrer un son, le processus est le suivant : dans la boîte de dialogue Enregistrer un son, vérifiez que votre micro est connecté et allumé. Faites glisser le pointeur sur la zone de texte **Nom**, puis saisissez un nom pour l'enregistrement. Une fois prêt à parler, cliquez sur le bouton **Enregistrer** et parlez dans le micro. Dès que vous avez terminé, cliquez sur le bouton **Stop**, puis validez par **OK**. PowerPoint insère une petite icône illustrant un haut-parleur qui permet, en cliquant dessus, d'écouter l'enregistrement.

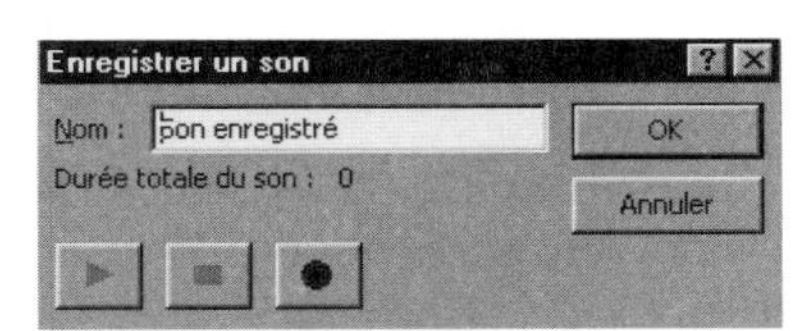

Figure 18.4 : La boîte de dialogue Enregistrer un son.

Lorsque vous présentez le diaporama sur un écran, il suffit de double-cliquer sur l'icône dans la diapositive concernée pour que le son soit audible par les spectateurs. Cette procédure peut être

automatisée. Pour cela, sélectionnez **Diaporama**, **Personnaliser l'animation**. Dans le volet Office, cliquez sur **Ajouter un Effet** (voir Figure 18.5) puis sélectionnez **Actions de sons, Lecture**. Ensuite, dans la zone de gestion des effets, cliquez sur la flèche du son et sélectionnez **Démarrer avec le précédent** ou **Démarrer après le précédent**.

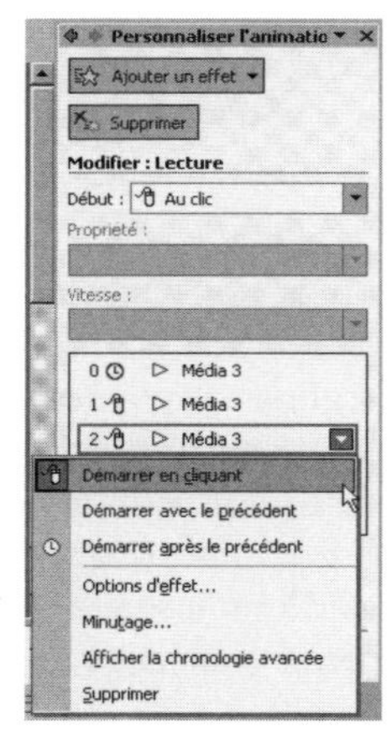

Figure 18.5 : Configurer les options d'effets de son.

La narration

Vous venez d'apprendre à insérer un son dans une seule diapositive, mais PowerPoint permet aussi d'enregistrer un commentaire sonore pour la totalité du diaporama. Avant de vous lancer dans l'enregistrement de tout votre laïus, apprenez à utiliser les différents boutons. Pour faire une pause durant le diaporama, cliquez du bouton droit n'importe où dans la diapositive active, puis sur **Interrompre la narration**. Pour reprendre l'enregistrement, cliquez du bouton droit, puis choisissez **Reprendre la narration**.

Pour enregistrer une narration pour le diaporama, procédez comme suit :

1. Allumez votre micro et vérifiez la connexion. Sélectionnez **Diaporama**, **Enregistrer la narration** (voir Figure 18.6). Cliquez sur **OK**.

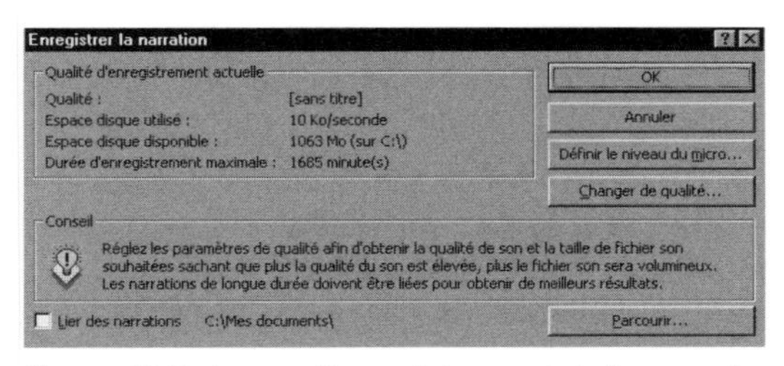

Figure 18.6 : Lancez l'enregistrement de la narration du diaporama.

2. Dans le diaporama, cliquez pour passer à la suivante, sans interrompre le commentaire.

   A la fin du diaporama, un message s'affiche, demandant si vous voulez enregistrer le minutage du diaporama en même temps que le commentaire.

3. Pour accepter, cliquez sur **Oui**. Pour enregistrer uniquement le commentaire sans le minutage, cliquez sur **Non**.

Lorsque vous ferez défiler votre diaporama, le commentaire sera automatiquement lancé, et votre auditoire en bénéficiera. Pour ne pas lancer le commentaire, cliquez sur **Diaporama**, **Paramètres du diaporama**. Cliquez sur **Afficher sans narration**, puis sur **OK**.

Les clips vidéo

PowerPoint permet d'insérer des clips vidéo dans votre diaporama. Affichez la diapositive voulue en mode Diapositive. Sélectionnez **Insertion**, **Films et sons**. Sélectionnez **Film de la bibliothèque multimédia** dans le menu en cascade, ou **Film en provenance d'un fichier** si vous avez stocké des fichiers de clips vidéo sur votre disque dur.

Si vous avez choisi l'option Film de la bibliothèque, suivez les mêmes procédures que pour insérer une image à partir du ClipArt. Si vous avez choisi l'option A partir d'un fichier vidéo, sélectionnez le dossier contenant le fichier dans la boîte de dialogue Insérer un film, puis double-cliquez sur le fichier adéquat pour l'insérer dans votre diapositive.

L'Organigramme hiérarchique

Une présentation offre parfois l'occasion d'annoncer une restructuration de la société ou bien la modification de l'organisation existante. L'organigramme est l'outil de prédilection pour créer rapidement la structure hiérarchique de votre entreprise. PowerPoint 2002 propose un module qui permet de réaliser simplement des organigrammes.

Créer un organigramme hiérarchique

Deux procédures sont proposées : soit vous choisissez une diapositive prédéfinie avec un organigramme et vous n'avez qu'à double-cliquer dessus pour ouvrir le module de création d'organigramme ; soit vous sélectionnez **Insertion**, **Image**, **Organigramme hiérarchique**.

Quelle que soit la méthode utilisée, la barre d'outils Organigramme hiérarchique s'affiche (voir Figure 18.7). Vous devez saisir les différentes informations. Employez le zoom pour bien voir les différentes cases.

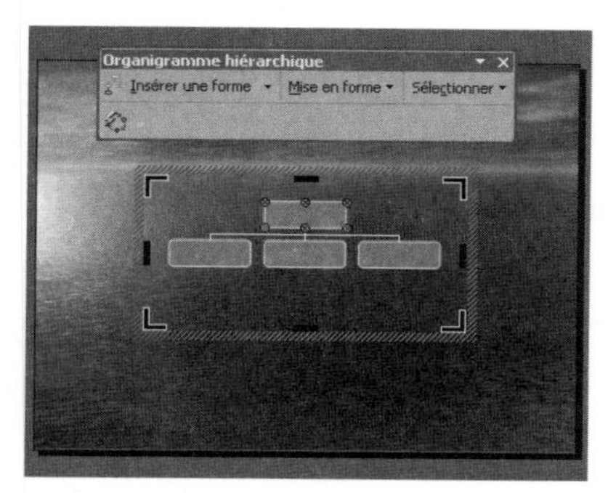

Figure 18.7 : La barre d'outils Organigramme hiérarchique.

Chaque case permet de saisir un nom, un prénom, une fonction, et propose deux lignes supplémentaires pour d'éventuelles remarques. Pressez la touche **Entrée** après chaque saisie.

Pour se déplacer d'une case à l'autre, cliquez dans la case ou utilisez les touches de direction.

Pour ajouter des cases, cliquez sur le type de case à insérer dans la barre d'outils spécifiques (Subordonné, Directeur, etc.), puis cliquez sur la case à laquelle vous voulez la rattacher.

Copier, coller, déplacer et supprimer des cases

Etant donné la rapidité du "Turn-over" dans les sociétés, il est préférable de savoir rapidement copier, coller, déplacer, voire... "supprimer" des personnes.

Pour supprimer une case avec son contenu, sélectionnez-la, puis cliquez sur **Edition**, **Couper**.

Pour déplacer une case avec son contenu, sélectionnez-la, puis cliquez sur **Edition**, **Couper**. Cliquez dans la case à laquelle vous voulez désormais la rattacher, puis cliquez sur **Edition**, **Coller**.

Pour copier une case avec son contenu, sélectionnez-la, puis cliquez sur **Edition**, **Copier**. Cliquez dans la case à laquelle vous voulez la coller, puis cliquez sur **Edition**, **Coller**.

Sélectionner un ou plusieurs niveaux

Pour modifier ou compléter un organigramme, vous devez savoir sélectionner les cases sur lesquelles vous devez travailler. Voici les procédures à utiliser :

- Pour sélectionner une case, cliquez dedans.
- Pour sélectionner plusieurs cases, tout en maintenant la touche **Maj** enfoncée, cliquez dans chaque case concernée.
- Pour sélectionner un groupe de cases de même niveau, cliquez sur **Sélectionner**, **Branche**.
- Pour sélectionner un niveau spécifique de l'organigramme, cliquez sur **Sélectionner, Niveau**. Saisissez le niveau concerné.

Modifier la présentation de l'organigramme

Selon le contenu de l'organigramme, il peut être nécessaire d'en modifier le type. Utilisez le bouton **Mise en forme**, puis choisissez la mise en forme convenant à votre organigramme (Standard, Retraits des deux côtés, Retrait à gauche, etc.).

Pour les autres mises en forme, comme la police, la taille ou la couleur de l'organigramme, sélectionnez les cases à modifier. Sélectionnez ensuite le texte à l'intérieur des cases, puis utilisez les boutons et outils de mise en forme classiques.

Pour utiliser des modèles d'organigramme, cliquez sur le bouton **Mise en forme automatique** dans la barre d'outils Organigramme hiérarchique. Dans la boîte de dialogue qui s'affiche, sélectionnez le modèle voulu.

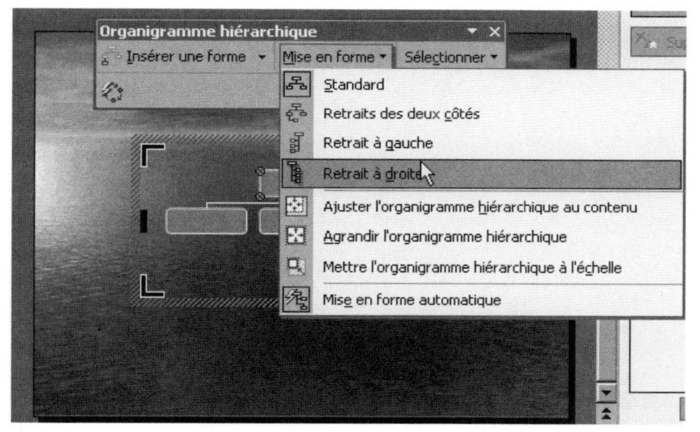

Figure 18.8 : Vous pouvez définir la mise en forme des boîtes de l'organigramme.

Chapitre 19

Dessiner et contrôler les éléments

Au sommaire de ce chapitre

- Le positionnement des objets
- Dessiner
- Ajouter des pages et des numéros
- Rechercher et remplacer
- Vérifier l'orthographe et la grammaire

Avant d'aborder la partie qui concerne la gestion et la création du diaporama, vous allez apprendre à dessiner dans PowerPoint. En effet, il arrive que les images ne soient pas suffisantes et que vous vouliez insérer un dessin plus parlant. Ensuite, vous effectuerez certains contrôles comme l'orthographe, la cohérence du style, etc.

Le positionnement des objets

Vous allez, tout au long de ce chapitre, vérifier votre présentation avant d'organiser le diaporama. Vous avez inséré certains objets dans vos diapositives. Au cours de vos vérifications, il est possible que vous ayez à modifier ces objets, à les déplacer, etc. Voici un rappel des différentes manipulations :

- Pour sélectionner un objet, cliquez dessus.
- Pour déplacer un objet, faites glisser son cadre.
- Pour redimensionner un objet, faites glisser l'une de ses poignées.
- Pour supprimer un objet, sélectionnez-le, puis pressez la touche **Suppr**.
- Pour couper ou copier un objet, sélectionnez-le, puis cliquez sur le bouton **Copier** ou **Couper** dans la barre d'outils Standard.

Les règles

Pour positionner précisément un objet, la règle est pratique. Bien sûr, si vous êtes un virtuose du déplacement d'objets, cet outil ne vous est d'aucune utilité ; sinon, la règle est idéale.

Pour activer la règle, cliquez sur **Affichage**, **Règle**. Lorsque vous faites glisser votre objet, une ligne pointillée apparaît dans les règles, indiquant la position exacte des bords de l'objet. Relâchez quand vous êtes exactement à l'endroit voulu (voir Figure 19.1).

Les repères et la grille

Dans le même esprit, PowerPoint propose les repères et la grille. Les repères sont des traits horizontaux ou verticaux que vous positionnez à l'endroit voulu pour y aligner les objets. Quant à la grille, elle affiche un quadrillage dans la diapositive, qui aide au

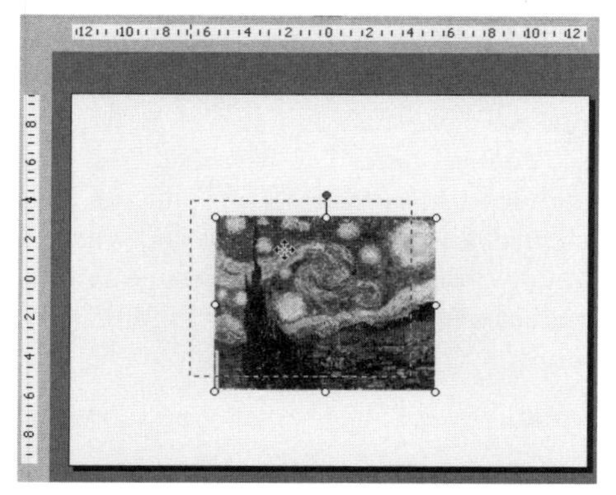

Figure 19.1 : Placez votre objet précisément à l'aide de la règle.

positionnement des objets. Pour activer la grille et les repères, cliquez sur **Affichage**, **Grille et repères**. Dans la boîte de dialogue (voir Figure 19.2), cliquez sur l'option **Afficher la grille à l'écran**, puis sur **Aligner les objets sur la grille** et enfin sur **Afficher les repères de dessin à l'écran**. La grille fonctionnera dès lors comme un aimant et les objets se colleront à celle-ci lorsque vous les positionnerez.

Par défaut, les carrés de la grille ont une taille de 0,2 cm. Vous pouvez modifier ce paramètre en cliquant sur la flèche de l'option Espacement dans la boîte de dialogue Grille et repères.

Figure 19.2 : La grille et les repères permettent de placer correctement les objets. La grille peut être personnalisée à votre convenance.

L'ordre d'empilement des objets

A mesure de vos créations, vous empilez des objets sur les diapositives, et certains d'entre eux finissent au bas de la pile : vous ne les voyez plus... Pour modifier l'un des objets enfouis, vous devez le faire "remonter à la surface". S'il est encore visible, vous n'avez qu'à cliquer dessus ; mais s'il est impossible à atteindre, cliquez du bouton droit sur l'un des objets de la pile, puis sélectionnez **Ordre**. Dans le sous-menu (voir Figure 19.3), cliquez sur le choix voulu :

- **Mettre au premier plan.** Place l'objet sélectionné au-dessus de la pile.
- **Mettre en arrière-plan.** Place l'objet sélectionné au bas de la pile.
- **Avancer.** Remonte l'objet sélectionné d'un niveau dans la pile.
- **Reculer.** Descend l'objet sélectionné d'un niveau dans la pile.

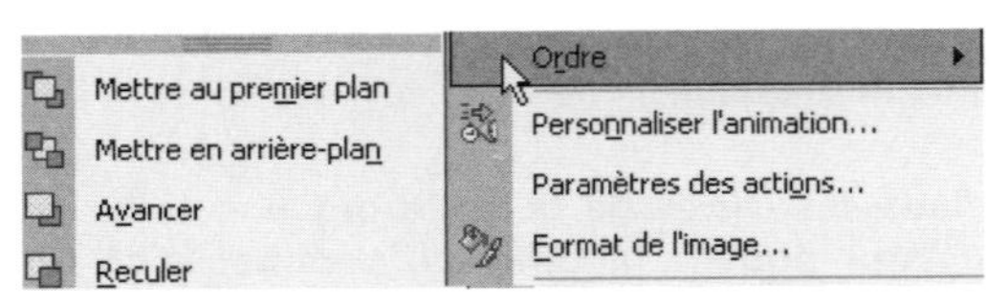

Figure 19.3 : Les options d'empilement des objets.

Dessiner

PowerPoint permet d'insérer des formes, des flèches, de dessiner, et même de créer des tableaux dans les présentations.

La barre d'outils Dessin

Les différents outils de dessin sont accessibles *via* la barre d'outils Dessin, située au bas de l'écran. Vous pouvez dessiner des traits, des formes et des flèches, ou sélectionner des formes automatiques. Reportez-vous au Chapitre 15 pour connaître l'utilisation des boutons de la barre d'outils Dessin. Il suffit de cliquer sur l'outil, puis d'insérer l'objet dans la diapositive. Ensuite, utilisez les différents boutons pour colorer, modifier le style de trait, etc.

La création de tableaux

Depuis la version 2000, vous n'avez plus besoin, pour créer un tableau dans une présentation, de l'insérer à partir d'une autre application ; désormais, créer des tableaux dans PowerPoint est d'une simplicité enfantine.

Pour créer un tableau, cliquez sur **Insertion**, **Tableau**. Dans la boîte de dialogue, définissez le nombre de colonnes et de lignes. Cliquez sur **OK** pour valider. Le tableau apparaît dans la diapositive.

Pour insérer de nouvelles lignes ou colonnes, utilisez le pointeur qui s'est transformé en crayon, et dessinez.

Toutes les procédures pour passer d'une cellule à l'autre, insérer du texte, modifier la couleur, etc., sont identiques à celles utilisées dans les tableaux de Word. Reportez-vous à la Partie II de cet ouvrage.

Ajouter des pages et des numéros

Lorsque vous créez un diaporama à l'aide de l'assistant Sommaire automatique ou d'un modèle, le masque de diapositive propose un pied de page qui permet d'insérer la date, un numéro de diapositive et une petite zone de texte. Vous pouvez masquer

ou modifier ces informations *via* le menu **Affichage**, **En-tête et pied de page** (voir Figure 19.4). Faites vos modifications dans l'onglet **Diapositive**, puis cliquez sur le bouton **Appliquer partout**, ou **Appliquer**, selon que vous vouliez appliquer le choix à toutes les diapositives ou à la diapositive active. Les options proposées dans l'onglet Diapositive sont les suivantes :

- **Date et heure.** Cochée, cette option insère la date et l'heure dans le pied de page. Cliquez sur **Mise à jour automatique** pour que la date se modifie en fonction de l'horloge de l'ordinateur. Pour conserver toujours la même date, cliquez sur **Fixe**, puis saisissez la date que vous voulez inscrire sur toutes les diapositives.
- **Numéro de diapositive.** Permet de numéroter chaque diapositive dans l'ordre de création.
- **Pied de page.** Permet d'insérer un commentaire dans le pied de page. Choisissez cette option et saisissez le texte.
- **Ne pas afficher sur la diapositive de titre.** Empêche ce pied de page d'apparaître sur la première diapositive.

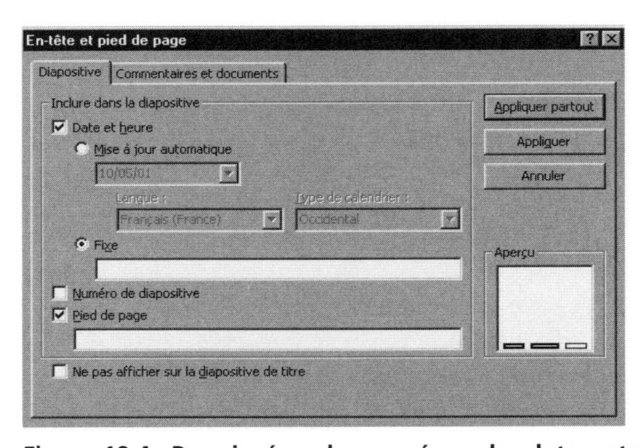

Figure 19.4 : Pour insérer des numéros, des dates, etc., utilisez la boîte de dialogue En-tête et pied de page.

Rechercher et remplacer

Lorsque vous travaillez sur une présentation, il arrive que certains termes doivent être modifiés. Pour éviter d'avoir à vérifier toutes les diapositives les unes après les autres, il est préférable d'utiliser la commande Rechercher et Remplacer. Les procédures d'utilisation de cette fonction ont été étudiées dans la Partie I de l'ouvrage.

Vous pouvez aussi remplacer les polices de votre présentation. Cliquez sur **Format**, **Remplacer les polices**. Cliquez sur la flèche de la liste **Remplacer**, puis sélectionnez la police à rechercher. Cliquez ensuite sur la flèche de la liste déroulante **Par**, puis sélectionnez la police de remplacement. Cliquez sur le bouton **Remplacer**. PowerPoint remplace tous les caractères concernés dans le diaporama, sans changer leur taille. Vous devez modifier la taille diapositive par diapositive si besoin.

Figure 19.5 : Vous pouvez rapidement remplacer une police par une autre.

Vérifier l'orthographe et la grammaire

PowerPoint propose plusieurs outils pour aider à parfaire une présentation. Ces outils étant communs aux autres applications d'Office, ils ont été étudiés au cours de la Partie I. Vous devez vous y référer pour voir comment vérifier l'orthographe et la grammaire de vos présentations.

La cohérence du style

PowerPoint propose un outil de vérification du style de la présentation et de la cohérence de celui-ci. Ainsi, vous pouvez contrôler l'harmonisation de votre diaporama. Pour activer la vérification du style, sélectionnez **Outils**, **Options**, puis cliquez sur l'onglet **Orthographe et style**. Dans la zone Style, cochez l'option **Vérifier le style**.

Pour définir le style à utiliser, procédez comme suit :

1. Dans l'onglet Orthographe et style, cliquez sur le bouton **Options de style** (voir Figure 19.6).
2. Définissez les options (taille des titres, casse, etc.) dans les deux onglets proposés. Cliquez sur **OK** pour valider.

Désormais, si la présentation réalisée présente des incohérences par rapport au style défini, PowerPoint l'indiquera dans une boîte de dialogue qui listera les éventuels problèmes.

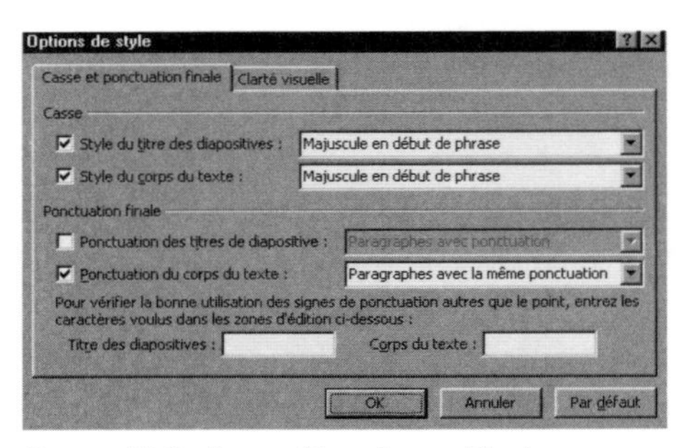

Figure 19.6 : Paramétrez les outils de vérification de la cohérence du style.

Chapitre 20

Le tri et la présentation du diaporama

Au sommaire de ce chapitre

- Classer, organiser et adapter les diapositives
- Les animations
- Le lancement du diaporama
- Le transfert du diaporama
- Les notes du conférencier
- Imprimer une présentation
- Déplacer un diaporama

Vous allez enfin aborder la partie la plus passionnante de la présentation : le diaporama. Celui-ci consiste à faire défiler l'ensemble des diapositives. Avant la "première", vous devez vous astreindre à un peu d'autocritique et avoir sur votre travail un regard sans concession.

Au cours de la vérification, il est probable que certaines diapositives paraissent superflues, ou qu'il soit indispensable de réorganiser leur ordre d'apparition. Potassez ce chapitre : quand vous aurez suivi tous les conseils et fait toutes les modifications, vous serez fin prêt à recevoir le prix du Meilleur diaporama.

Classer, organiser et adapter les diapositives

Dans le dessein de parfaire le diaporama, vous devez classer vos diapositives. Le mode le mieux adapté est le mode Trieuse de diapositives, avec lequel vous pouvez réorganiser aisément l'ensemble de vos diapositives et les classer. Cliquez sur **Mode Trieuse de diapositives**, au bas de l'écran (voir Figure 20.1).

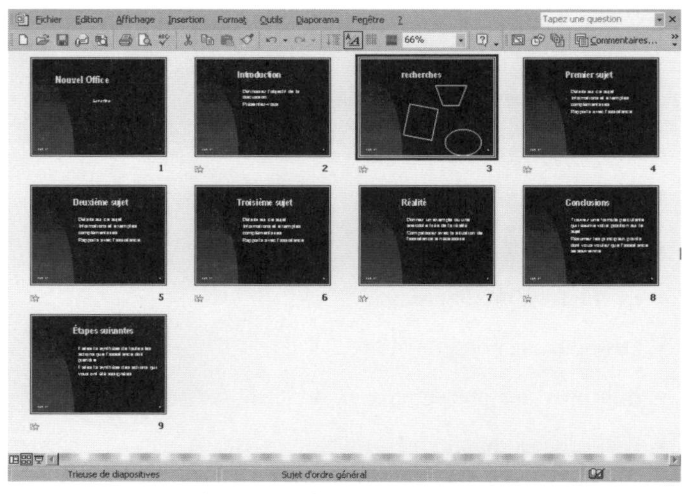

Figure 20.1 : Le mode Trieuse de diapositives.

Pour copier une diapositive, cliquez sur celle-ci, pressez la touche **Ctrl** et maintenez-la enfoncée. Faites glisser ; un trait vertical s'affiche et se déplace en même temps que le glisser-déplacer. Il permet d'indiquer l'endroit où la copie va s'insérer lorsque vous relâcherez la touche (voir Figure 20.2).

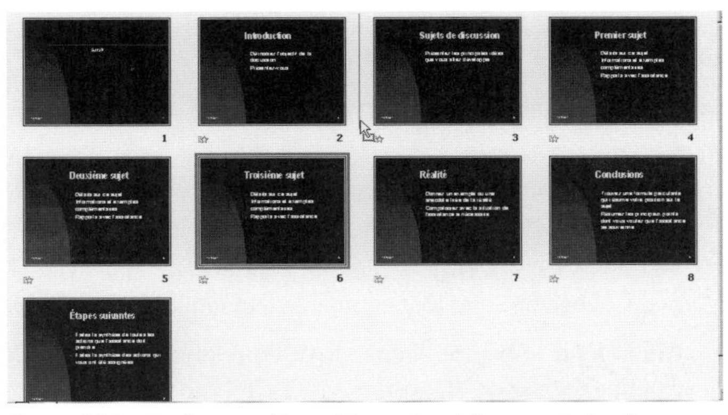

Figure 20.2 : Copier une diapositive est extrêmement simple.

Pour déplacer une diapositive, reprenez les procédures précédentes, mais sans presser la touche **Ctrl**.

Pour supprimer une diapositive, cliquez dessus, puis pressez la touche **Suppr**.

Pour déplacer les diapositives, vous pouvez aussi utiliser le mode Plan. Dans ce mode, pensez auparavant à réduire au niveau de titre la totalité des diapositives. Vous pouvez ensuite déplacer une diapositive en faisant glisser son icône vers le haut ou le bas du plan. Un trait horizontal s'affiche et se déplace en même temps, indiquant l'endroit où va s'insérer la diapositive lorsque vous relâcherez le bouton de la souris. Vous pouvez aussi déplacer la diapositive en utilisant les boutons **Vers le haut** ou **Vers le bas** dans la barre d'outils Plan.

Organiser un diaporama à l'aide des diapositives de résumé

Lorsque vous créez un diaporama destiné à s'exécuter sur un ordinateur ou sur le Web, vous pouvez utiliser, comme point de départ, une diapositive de résumé contenant une liste à puces représentant la totalité des titres de toutes les diapositives de la présentation (c'est, en quelque sorte, un sommaire). Au moment où sera lancé le diaporama, vous choisirez ainsi la direction à suivre à partir de la diapositive de résumé.

Pour créer une diapositive de résumé, procédez comme suit :

1. En mode Trieuse de diapositives, cliquez sur la première diapositive du diaporama vers laquelle doit pointer la diapositive de résumé.
2. Pressez la touche **Maj**, puis cliquez sur la deuxième diapositive, et ainsi de suite tout en maintenant la touche enfoncée.
3. Cliquez sur le bouton **Diapositive de résumé** dans la barre d'outils Trieuse de diapositives ou Plan (voir Figure 20.3).

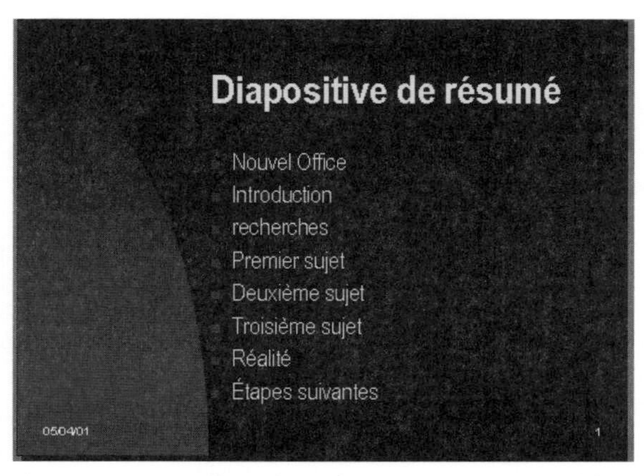

Figure 20.3 : Une diapositive de résumé est appréciable pour afficher le contenu de la présentation.

La diapositive de résumé devient la première diapositive de la présentation. Elle affiche la liste de toutes les diapositives sélectionnées.

Créer un signet

Pour naviguer plus rapidement dans la présentation, vous pouvez créer des signets à partir de la diapositive de résumé, qui permettront d'accéder directement à la diapositive voulue.

Pour créer un signet, dans la diapositive de résumé, sélectionnez le titre de la diapositive, puis cliquez sur le bouton **Lien hypertexte** dans la barre d'outils Standard. Dans la boîte de dialogue qui s'affiche, cliquez sur le bouton **Signet**. Cliquez sur le nom de la diapositive (voir Figure 20.4). Cliquez sur **OK** dans les deux boîtes de dialogue.

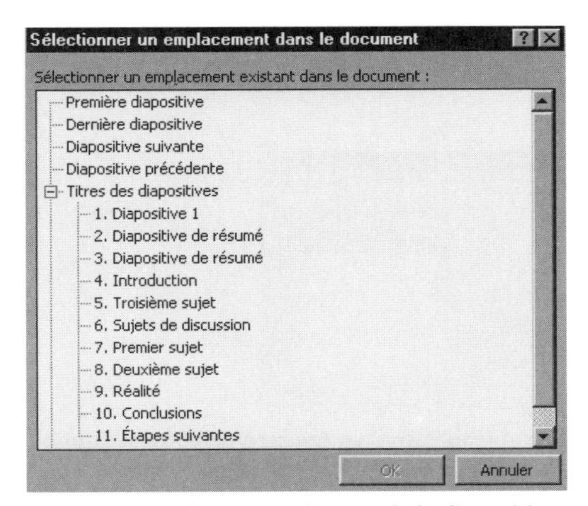

Figure 20.4 : Sélectionnez le nom de la diapositive.

Adapter le diaporama à l'auditoire

Un diaporama peut contenir des informations sur l'entreprise que certains spectateurs ne doivent pas connaître. PowerPoint permet d'adapter le diaporama en fonction des personnes qui le visualiseront.

Pour personnaliser un diaporama, procédez comme suit :

1. Sélectionnez **Diaporama**, **Diaporamas personnalisés**, puis cliquez sur le bouton **Nouveau**. Dans la boîte de dialogue Définir un diaporama personnalisé (voir Figure 20.5), nommez le diaporama dans l'option Nom du diaporama.
2. Dans la liste gauche, cliquez sur la première diapositive à insérer, puis sur le bouton **Ajouter**. Recommencez pour chaque diapositive que vous voulez insérer. Pour les organiser dans un ordre différent, cliquez sur le nom de la diapositive concernée dans le volet droit, puis cliquez sur le bouton fléché vers le haut ou vers le bas.
3. Cliquez sur **OK** pour enregistrer le diaporama personnalisé.

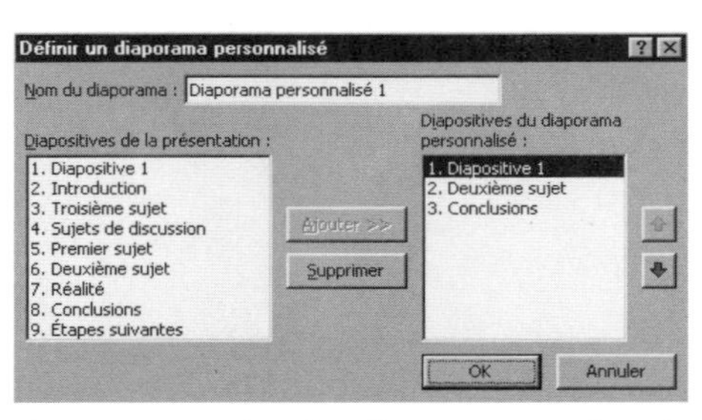

Figure 20.5 : Créez des diaporamas en fonction de votre auditoire.

Désormais, pour lancer le diaporama personnalisé, sélectionnez **Diaporama**, **Diaporamas personnalisés**. Sélectionnez le diaporama, puis cliquez sur le bouton **Afficher** pour le lancer.

Les animations

Nous allons maintenant aborder une fonction un peu plus amusante : la création d'effets d'animation. Sachez que la nouvelle version propose de nouveaux effets d'animation, tels que les animations d'ouverture et de fermeture, ainsi que des trajectoires pour l'animation et un minutage amélioré.

Animer les transitions entre les diapositives

Nous avons tous assisté, au moins une fois, à une projection de diapositives. Entre chacune d'elles, le commentateur doit presser un bouton ou une petite poire pour passer à la diapositive suivante. Il faut bien avouer le côté ennuyeux de la technique, d'autant plus que les commentaires en voix off sont souvent déphasés par rapport aux images. Avec PowerPoint, oubliez tous ces inconvénients, car vous pouvez minuter les transitions entre les diapositives et créer des animations amusantes.

Pour gérer les transitions entre les diapositives, procédez comme suit :

1. En mode Trieuse de diapositives, cliquez sur la diapositive à animer. Ensuite, cliquez sur le bouton **Transition** dans la barre d'outils Trieuse de diapositives.
2. Dans la zone Appliquer..., sélectionnez l'effet de transition (voir Figure 20.6).
3. Ensuite, définissez la vitesse de transition dans la zone Modifier la transition (**Lent**, **Moyen** ou **Rapide**). Dans la zone Passer à la diapositive suivante, indiquez si vous voulez que le contrôle d'avancement du diaporama soit réalisé par vous (**Manuellement**) ou automatiquement (**Automatiquement après __ secondes**).

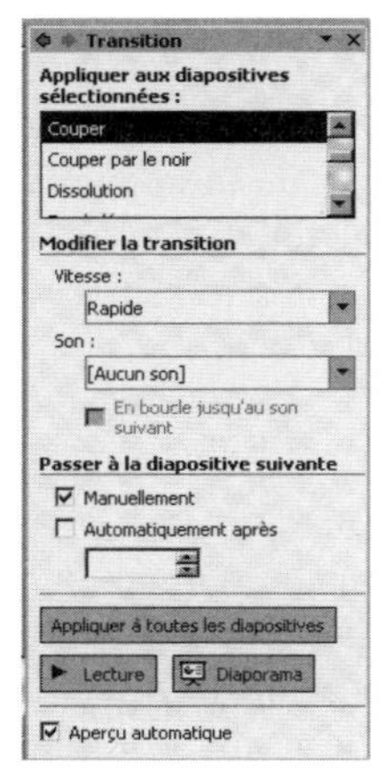

Figure 20.6 : C'est dans le mode Trieuse de diapositives du volet Office que vous créez les effets de transition.

4. Pour sonoriser la transition, cliquez sur la flèche de la liste déroulante **Son**, puis sélectionnez le son voulu. Pour que le son se prolonge jusqu'au début du son suivant, cliquez sur **En boucle jusqu'au son suivant**. Si vous cliquez sur **Appliquer à toutes les diapositives**, les effets définis seront effectifs pour toutes les diapositives.

L'animation dans les diapositives

Vous pouvez également animer les objets (image, texte, liste à puces, etc.) contenus dans la diapositive. Ces différentes animations sont accessibles depuis la barre d'outils Effets d'animation affichée dans le mode Diapositive :

1. Ajouter un effet La diapositive concernée étant affichée en mode Normal, cliquez sur **Diaporama**, **Personnaliser l'animation**. Le volet s'affiche.

2. Dans la diapositive, sélectionnez l'objet à activer (texte, image, dessin, etc.). Ensuite, cliquez sur le bouton **Ajouter un effet**. Le menu s'affiche. Cliquez sur la catégorie d'effet à créer puis, dans le menu en cascade, sélectionnez l'effet. Le bouton Autres effets ouvre une boîte de dialogue contenant de multiples effets supplémentaires.

Une fois qu'un objet est animé, un carré s'affiche avec le numéro de l'effet. Pour supprimer un effet, cliquez dessus, puis sur le bouton Supprimer dans le volet Office.

Vous venez de voir que, lorsque vous créez des effets dans les objets, chaque effet a un numéro d'ordre. Ainsi, le premier effet apparaîtra d'abord, puis le deuxième, et ainsi de suite. Vous pouvez modifier l'ordre des effets. Pour cela, dans la liste des effets du volet, cliquez sur celui à déplacer, puis sur le bouton **Monter** ou **Descendre**.

Pour paramétrer l'effet, cliquez sur sa flèche dans le volet, puis sélectionnez l'option voulue. Vous pouvez choisir le mode de démarrage de l'effet (au moyen d'un clic, par rapport à l'effet précédent, etc.), définir le sens de l'effet, sa sonorisation, sa durée et d'autres choses.

Dans la version 2002, vous pouvez créer un effet de déplacement et indiquer sa trajectoire. C'est une petite incursion dans l'animation de type Flash ! Voici comment procéder :

1. Après avoir sélectionné l'objet à animer, ouvrez le menu du bouton **Ajouter un effet**. Cliquez sur **Trajectoires**, puis choisissez la trajectoire.
2. Pour dessiner vous-même cette trajectoire, cliquez sur **Tracer une trajectoire...**, puis choisissez le mode de dessin de la trajectoire. Dans la diapositive, et ce à partir de l'objet,

dessinez la trajectoire. Celle-ci s'affiche sous forme de trait en pointillés avec une flèche. Pour déplacer la trajectoire, cliquez dessus, puis faites-la glisser.

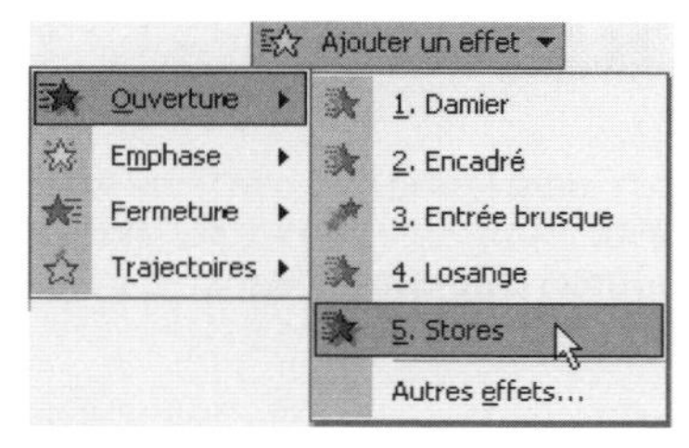

Figure 20.7 : Animez les objets des diapositives.

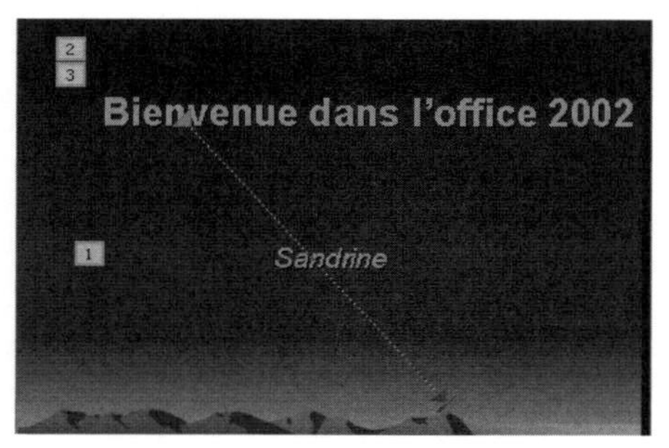

Figure 20.8 : Vous pouvez indiquer la trajectoire de déplacement d'un objet.

Le lancement du diaporama

Vous allez maintenant voir réellement à quoi ressemble le diaporama et vérifier qu'il fonctionne bien.

Pour lancer le diaporama, affichez la première diapositive, puis cliquez sur le bouton **Diaporama**, au bas de l'écran. Vous pou-

vez aussi sélectionnez **Affichage**, **Diaporama**. La diapositive s'affiche sur la totalité de l'écran. Pour faire défiler le diaporama, suivez les procédures suivantes :

- Pour faire défiler le diaporama diapositive après diapositive, cliquez n'importe où dans l'écran, ou pressez les touches de direction droite ou bas de votre clavier.
- Le diaporama défile automatiquement si vous avez défini une durée de transition.
- Pressez la touche **Echap** pour sortir du diaporama.
- Pour afficher le menu des contrôles du diaporama, dans celui-ci, cliquez sur le bouton masqué situé dans l'angle inférieur gauche de la diapositive.
- Double-cliquez sur les icônes des clips audio ou vidéo pour les déclencher.

Le transfert du diaporama

Pour l'instant, nous n'avons évoqué que le déroulement du diaporama sur un écran. Cependant, vous pouvez transférer vos diapositives sur des transparents ou des diapositives 35 mm, ou encore... sur du papier.

Vous devez indiquer le support prévu pour la présentation. Sélectionnez **Fichier**, **Mise en page** (voir Figure 20.9). Pour ajuster les diapositives au support que vous allez utiliser, cliquez sur la flèche de la liste déroulante **Diapositives dimensionnées pour**, et sélectionnez l'option correspondant à votre support. Sachez que :

- **Format US.** Correspond au format 21,6 × 27,9 cm.
- **Format A4.** Correspond au format classique 21 × 29,7 cm.

- **Diapositives 35 mm.** Correspond au format des diapositives photo.
- **Transparent.** Concerne les transparents à projeter.
- **Bannière.** Sert à l'impression sur du papier en continu.
- **Personnalisé.** Sert à ajuster la taille des diapositives à la zone d'impression de votre imprimante.

Vous pouvez aussi modifier l'orientation des diapositives, qui, par défaut, est Paysage.

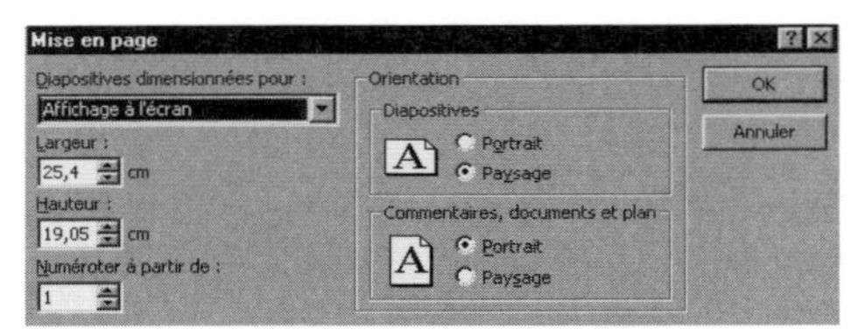

Figure 20.9 : La boîte de dialogue Mise en page permet de spécifier les options de la présentation.

Les notes du conférencier

Pour éviter les trous de mémoire et autres désagréments au moment du diaporama, il est préférable de créer des commentaires. Vous les saisissez dans le volet inférieur droit du mode Normal (voir Figure 20.10).

Les commentaires que vous insérez ne sont pas vus par les spectateurs.

Pour imprimer vos commentaires, cliquez sur **Fichier**, **Imprimer**. Dans la boîte de dialogue Imprimer, cliquez sur la flèche de la liste déroulante **Imprimer**, puis sélectionnez **Pages de commentaires**. Cliquez sur **OK** pour lancer l'impression.

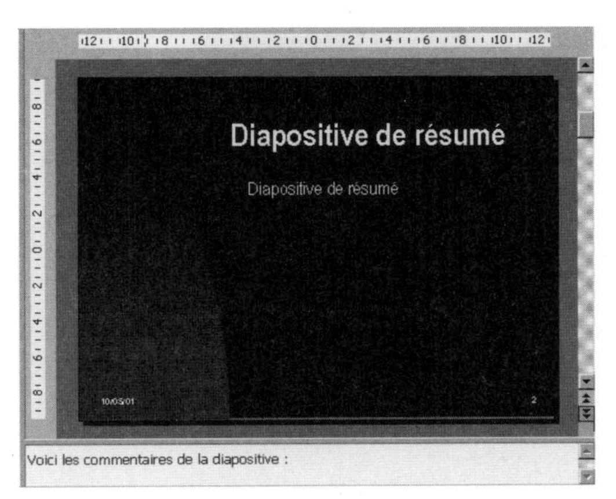

Figure 20.10 : Insérez les commentaires dans le volet inférieur droit du mode Normal.

Imprimer une présentation

Même si vous faites défiler votre diaporama sur un écran, il peut être nécessaire d'en fournir une version papier à votre auditoire.

Pour imprimer votre présentation, procédez comme suit :

1. Placez-vous dans la présentation et cliquez sur **Fichier**, **Imprimer** (voir Figure 20.11).
2. Cliquez sur la flèche de la liste déroulante **Imprimer**, puis sélectionnez l'option correspondant à votre choix, en sachant que :
   - **Diapositives.** Permet d'imprimer une diapositive par page.
   - **Documents.** Permet d'imprimer plusieurs diapositives par page.
3. Indiquez les diapositives à imprimer dans la zone **Etendue**. Cliquez sur **OK** pour lancer l'impression.

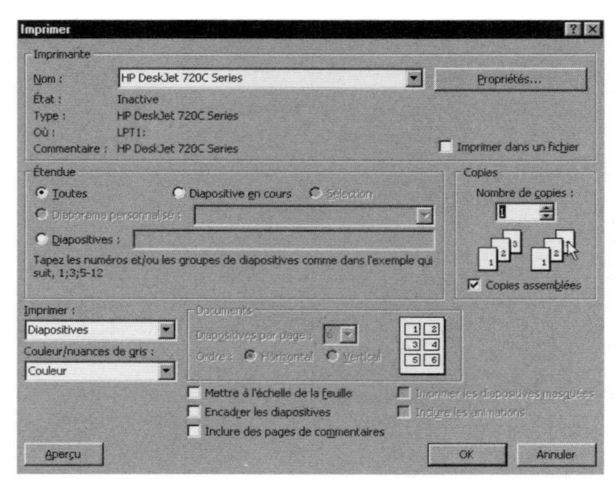

Figure 20.11 : La boîte de dialogue Imprimer.

Vous pouvez utiliser la fonction Masque des diapositives pour définir éventuellement une mise en pages (en-tête, pied de page, etc.).

Enregistrer un diaporama sur disquette

Il peut être nécessaire de transférer votre diaporama sur disquette. PowerPoint propose un assistant qui aide à charger sur des disquettes la totalité d'une présentation, ainsi que tous les fichiers qui lui sont attachés. Procédez comme suit :

1. Pour lancer l'assistant Présentation, cliquez sur **Fichier**, **Présentation à emporter**. L'assistant s'affiche (voir Figure 20.12).
2. Cliquez sur le bouton **Suivant** pour afficher la deuxième fenêtre de cet assistant. Sélectionnez la présentation que vous voulez transférer. Cliquez sur le bouton **Suivant** pour continuer. Indiquez sur quelle unité vous voulez sauvegarder votre présentation. Cliquez sur le bouton **Suivant**.

3. Vous devez maintenant inclure les fichiers liés ou incorporer les polices TrueType dans votre présentation. Vos choix faits, cliquez sur le bouton **Suivant**.

4. L'assistant propose ensuite de charger une visionneuse PowerPoint, au cas où PowerPoint ne serait pas installé sur l'ordinateur sur lequel la présentation sera faite. Cliquez sur le bouton **Suivant**. Cliquez sur le bouton **Fin**. L'assistant charge vos données sur la disquette insérée dans le lecteur. Prévoyez éventuellement plusieurs disquettes.

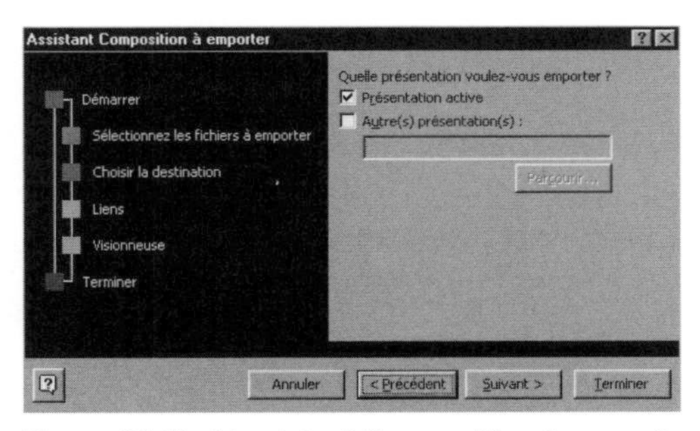

Figure 20.12 : L'assistant Composition à emporter permet d'enregistrer un diaporama sur une disquette.

Partie V

Outlook, ou la secrétaire virtuelle

Si vous n'avez jamais oublié l'anniversaire de votre conjoint, jamais raté un rendez-vous, si vous êtes capable de connaître l'heure et la date de vos prochaines réunions commerciales sans vous plonger dans votre agenda, si vous connaissez parfaitement l'adresse et le numéro de téléphone de tous vos prospects ou clients, bref, si vous avez une mémoire digne d'un troupeau d'éléphants... ce logiciel n'est pas fait pour vous !

Dans le cas contraire, Outlook vous est destiné. En effet, Microsoft a réalisé l'impossible, en intégrant dans Office 2002 une secrétaire virtuelle toujours efficace et disponible. En quelques saisies, ponctuées de quelques clics, vous voyez apparaître toutes les coordonnées de vos clients, vous visualisez l'ensemble de vos rendez-vous du mois, vous organisez vos réunions, invitez les participants, recevez des messages électroniques, etc. Pour conclure, Outlook est votre nouveau collaborateur ; il vous assistera fidèlement dans toutes vos tâches quotidiennes. Quant à sa mémoire, elle est prodigieuse !

Chapitre 21

Découverte d'Outlook

Au sommaire de ce chapitre

- L'interface
- Outlook Aujourd'hui
- Le Calendrier
- Les Contacts
- Les Tâches
- Le Journal
- Les Notes
- La Boîte de réception
- Lutter contre les virus

Outlook est un logiciel de groupware très puissant. Dans ce chapitre, vous allez faire connaissance avec son interface et ses différents dossiers.

L'interface

Avec Outlook, vous allez échanger des messages électroniques, partager des informations avec les autres programmes d'Office et gérer les différentes informations nécessaires à votre activité (rendez-vous, réunions, clients, tâches, etc.).

Pour lancer Outlook, cliquez sur **Démarrer**, **Programmes**, **Microsoft Outlook**. Il est possible que vous ayez à configurer l'installation d'Outlook ainsi que la connexion à Internet. Suivez les étapes de l'assistant (voir Figure 21.1).

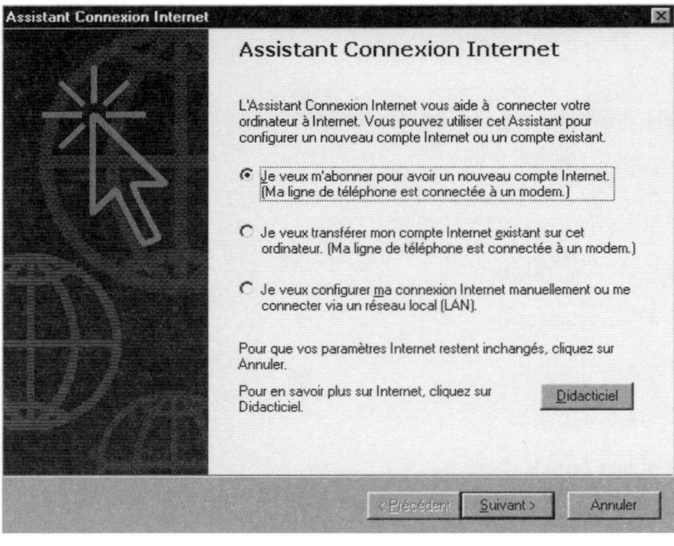

Figure 21.1 : Configurez la connexion à Internet.

La barre Outlook

La barre Outlook, située dans la partie gauche de l'écran, permet de naviguer entre les dossiers du logiciel dont vous trouverez une description plus bas. Si elle n'apparaît pas, cliquez sur **Affichage**, **Barre Outlook**. Dans cette barre, pour afficher le dossier voulu, cliquez sur son raccourci ; il s'affiche alors dans le volet central (voir Figure 21.2).

Figure 21.2 : La barre Outlook.

En bas de la barre Outlook apparaissent deux boutons qui permettent d'accéder aux autres barres de groupes. Pour ouvrir l'un de ces groupes, cliquez sur le bouton correspondant :

- **Mes raccourcis.** Propose des dossiers qui aident à gérer, organiser et classer vos messages électroniques, envoyés ou reçus.
- **Autres raccourcis.** Propose un accès rapide aux dossiers ou aux fichiers présents dans une autre application.

Outlook Aujourd'hui

Le dossier Outlook Aujourd'hui liste les activités du jour et permet d'accéder aux dossiers de la messagerie. A mesure que vous créerez des tâches, recevrez des messages, etc., ceux-ci s'afficheront dans ce dossier. C'est, en quelque sorte, le pense-bête de votre activité.

Personnaliser Outlook Aujourd'hui

Par défaut, ce dossier affiche toutes les tâches à effectuer ainsi que le contenu de votre boîte de réception. Vous pouvez personnaliser les options de ce dossier ; par exemple demander que soit affiché le dossier par défaut.

Pour personnaliser Outlook Aujourd'hui, procédez comme suit :

1. Dans le dossier Outlook Aujourd'hui, cliquez sur l'option **Personnaliser Outlook Aujourd'hui**.
2. Dans les options de personnalisation (voir Figure 21.3), définissez vos choix. Lorsque vous avez terminé, cliquez sur **Enregistrer les modifications**.

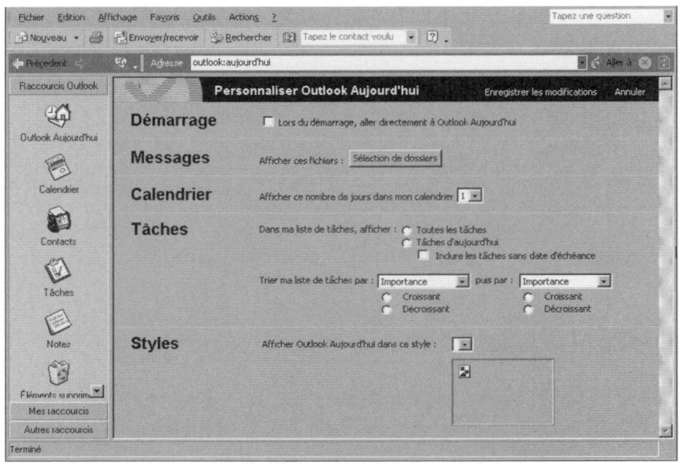

Figure 21.3 : Personnalisez le dossier Outlook Aujourd'hui.

Le Calendrier

Le dossier Calendrier est le planning de votre activité. Il permet de gérer votre emploi du temps, de noter vos rendez-vous, de planifier vos réunions, d'établir une liste de vos tâches quotidiennes, etc. Pour l'afficher, cliquez sur **Calendrier** dans la barre Outlook. Le calendrier propose trois éléments fondamentaux : Emploi du temps, Navigateur de dates et Liste des tâches (voir Figure 21.4).

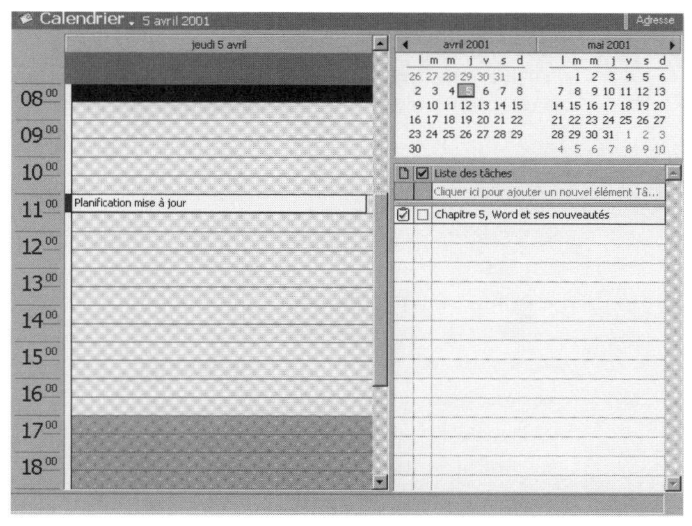

Figure 21.4 : Le dossier Calendrier.

Vous étudierez au Chapitre 22 les différents usages de ce dossier.

Les Contacts

Le dossier Contacts est, en fait, votre carnet d'adresses. Pour l'afficher, cliquez sur l'icône **Contacts** dans la barre Outlook (voir Figure 21.5).

Vous pouvez composer rapidement un numéro de téléphone à partir de ce dossier, expédier un message électronique, et même atteindre la page Web de l'un de vos correspondants. Pour apprendre tout cela, rendez-vous au Chapitre 23.

Le dossier Contacts constitue votre carnet d'adresses. A ce titre, il est disponible dans toutes les applications d'Office pour envoyer des messages, passer un coup de téléphone à partir d'une application, etc.

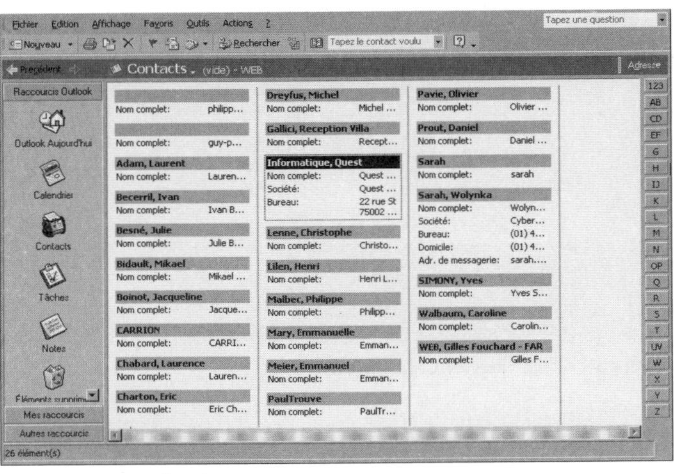

Figure 21.5 : Le dossier Contacts.

Les Tâches

Une tâche est une mission professionnelle ou personnelle que vous souhaitez suivre jusqu'à son terme (rapport, prospection, etc.). Le dossier Tâches permet de créer vos différentes tâches, de suivre l'état de leur réalisation, de les affecter à une autre personne, etc. Pour afficher ce dossier, cliquez sur l'icône **Tâches** dans la barre Outlook (voir Figure 21.6).

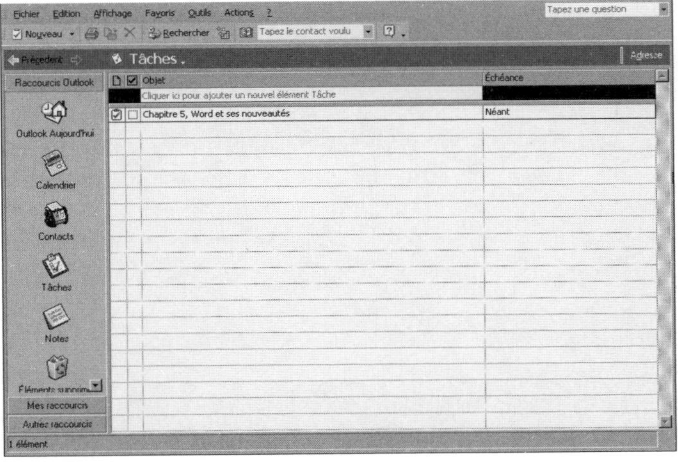

Figure 21.6 : Le dossier Tâches.

Pour connaître les procédures de création, de suppression et de suivi des tâches, référez-vous au Chapitre 23.

Le Journal

Le dossier Journal est le journal de bord de votre activité. Vous pouvez y enregistrer les interactions avec vos clients, mémoriser des éléments, des messages, etc. Vous pouvez aussi créer une entrée de journal sans rapport avec un élément. Pour afficher ce dossier, cliquez sur **Mes raccourcis** dans la barre Outlook, puis sur **Journal** (voir Figure 21.7).

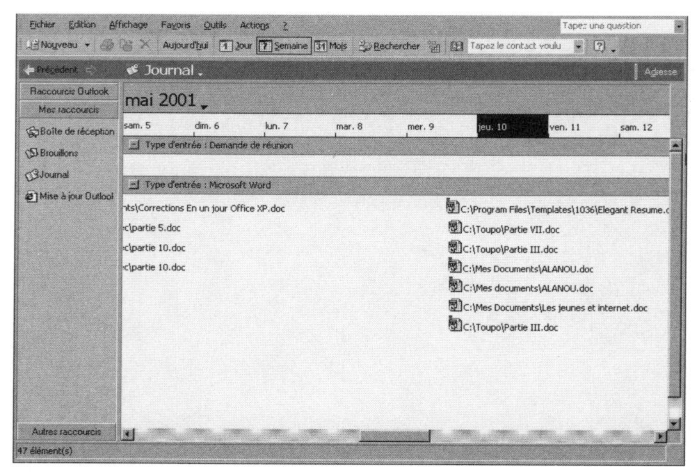

Figure 21.7 : Le dossier Journal.

La création d'entrées de journal

Vous pouvez créer deux types d'enregistrements dans le journal : automatique et manuel.

Pour créer manuellement une entrée de journal sans lien avec un élément quelconque, procédez comme suit :

1. Dans le dossier Journal, cliquez sur le bouton **Nouveau** dans la barre d'outils Standard (voir Figure 21.8).

2. Dans la zone **Objet**, saisissez le libellé de votre entrée. Cliquez sur la flèche de l'option Type d'entrée, et sélectionnez le type voulu. Dans la zone **Société**, saisissez éventuellement le nom de la société concernée. Dans la zone **Début**, indiquez la date.
3. Cliquez sur le bouton **Catégories** si vous voulez préciser une catégorie. Saisissez vos commentaires dans la zone de texte.
4. Cliquez sur le bouton **Enregistrer et fermer** lorsque vous avez terminé.

Dans le dossier Journal, cliquez sur l'icône + en regard du type d'entrée voulue pour afficher la liste des entrées de ce type.

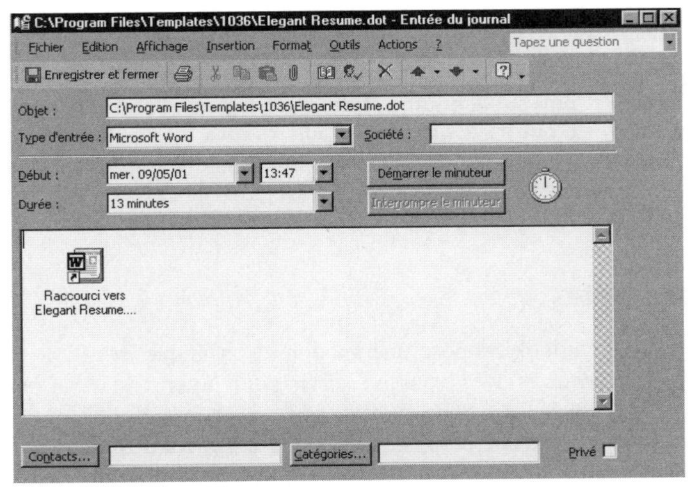

Figure 21.8 : Créez une entrée de journal.

Pour créer automatiquement des entrées de journal, procédez comme suit :

1. Dans le dossier Journal, sélectionnez **Outils**, **Options**. Dans la boîte de dialogue qui s'affiche, cliquez sur le bouton **Options du journal**. Cochez la case des éléments que vous voulez enregistrer dans le journal. Cliquez sur le contact concerné.
2. Pour enregistrer dans le journal tous les éléments d'une application, cliquez sur sa case dans la zone **Enregistrer aussi les fichiers à partir de**. Cliquez sur **OK**. Désormais, toutes les activités en rapport avec les applications, le contact ou la tâche que vous avez sélectionnés seront enregistrées dans le dossier Journal.

Pour supprimer l'enregistrement automatique d'une activité, d'un contact, etc., cliquez sur Outils, Options, puis sur le bouton Options du journal. Pointez le type d'entrée à supprimer, puis cliquez du bouton droit. Sélectionnez Supprimer dans le menu contextuel qui s'affiche. Cliquez sur OK pour valider votre suppression.

Les Notes

Outlook propose une version électronique des Post-it. Vous pouvez vous en servir pour noter vos idées ou stocker des bouts de texte que vous pourrez utiliser lors de l'exécution d'une prochaine tâche ou de l'envoi d'un message électronique.

Pour créer une note, cliquez sur **Notes** dans la barre Outlook. Ensuite, cliquez sur le bouton **Nouvelle note**, puis saisissez le texte de votre note (voir Figure 21.9). Quand vous avez terminé, cliquez sur le bouton **Fermer**.

Figure 21.9 : Une très jolie note.

Pour personnaliser une note, cliquez sur l'icône de la note dans l'angle supérieur gauche de la fenêtre Note, pointez sur **Couleur**, puis choisissez une couleur.

Pour ouvrir une note, double-cliquez dessus. Elle s'affiche par-dessus toutes les autres fenêtres du bureau. Si vous changez de fenêtre, la note passe à l'arrière-plan. Pour la retrouver, il suffit de cliquer dessus dans la barre des tâches de Windows.

La Boîte de réception

Boîte de réception

Le dossier Boîte de réception permet d'organiser votre courrier électronique et d'afficher les messages reçus (voir Figure 21.10). C'est le dossier qui s'affiche par défaut au lancement d'Outlook. Pour lire un message, double-cliquez dessus dans la liste. Vous pouvez aussi y répondre et envoyer vos propres messages. Vous étudierez plus précisément ce dossier au Chapitre 23.

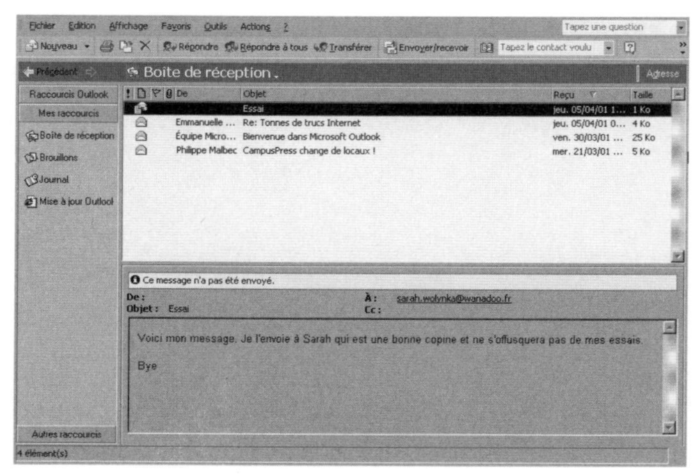

Figure 21.10 : Le dossier boîte de réception liste les messages électroniques reçus et envoyés.

Lutter contre les virus

Après les catastrophes causées par certains virus, comme ILOVEYOU, Microsoft a jugé utile d'intégrer dans Outlook un système de blocage des messages à risque. Voici une brève description de ces différentes sécurités :

- Outlook bloque désormais les fichiers joints à risque tels que les fichiers .bat, .exe, .vbs et .js. Si vous recevez un tel message, vous ne pouvez pas afficher la pièce jointe, ni y accéder. L'icône du trombone s'affiche tout de même dans la colonne **Pièce jointe**.
- Dans le même esprit, l'envoi de messages avec ce type de fichiers joints est filtré par Outlook qui vous demande de confirmer l'envoi d'un fichier à risque.

- La protection contre les macrovirus est active par défaut, à un niveau élevé. De ce fait, vous pouvez exécuter uniquement les macros signées par des sources fiables. Les autres sont désactivées.
- Enfin, pour vous protéger des virus contenus dans les messages HTML, les scripts ne s'exécutent pas et les contrôles ActiveX sont désactivés quel que soit votre paramètre de zone de sécurité.

Chapitre 22

Planifier

Au sommaire de ce chapitre

- Organiser son travail à l'aide du Calendrier
- Le dossier Contacts

Le moins que l'on puisse dire est que, de nos jours, notre rythme de vie est trépidant. Nos activités professionnelles occupent le plus clair de notre temps ; il est malheureusement évident que le *droit à la paresse* n'est pas encore dans l'air du temps, et que nous avons intérêt à organiser le plus rationnellement possible notre emploi du temps. Outlook est donc fait pour nous tous, les "Yuppies" débordés ! Grâce à Outlook, vous allez pouvoir assurer sereinement un suivi précis de tous vos rendez-vous et réunions, et tenir parfaitement à jour votre carnet d'adresses.

Organiser son travail à l'aide du Calendrier

Outlook met à votre disposition un calendrier pour noter vos rendez-vous, planifier vos réunions, organiser votre planning et prévoir vos vacances. Vous pouvez aussi lui demander de vous rappeler un rendez-vous un peu avant l'heure prévue.

Avant de découvrir les différentes procédures pour noter et planifier tout votre emploi du temps, faites connaissance avec les différents termes utilisés dans Outlook :

- Un rendez-vous a une incidence sur votre temps de travail, mais ne concerne que votre propre emploi du temps.
- Une réunion a une incidence sur votre temps de travail, mais aussi sur l'emploi du temps des personnes qui y sont conviées.
- Un événement est une activité qui couvre la totalité d'une journée, mais qui n'a pas de répercussion sur votre emploi du temps. Un événement peut survenir périodiquement.

Vous pouvez personnaliser votre emploi du temps en fonction de vos différentes activités. Par exemple, vous faites un parcours de golf tous les vendredis après-midi. Bien sûr, vous connaissez ces petites plages de temps libre, et il est inutile de vous les rappeler. Mais, dans le cadre d'une implantation en réseau, si l'un de vos collaborateurs souhaite vous convier à une réunion, il n'est pas censé connaître cette information.

Pour personnaliser votre emploi du temps, cliquez sur **Outils**, **Options**. Cliquez sur le bouton **Options du calendrier**. Définissez les choix proposés (vos jours de travail, le premier jour de votre semaine de travail, vos horaires de travail, etc., voir Figure 22.1).

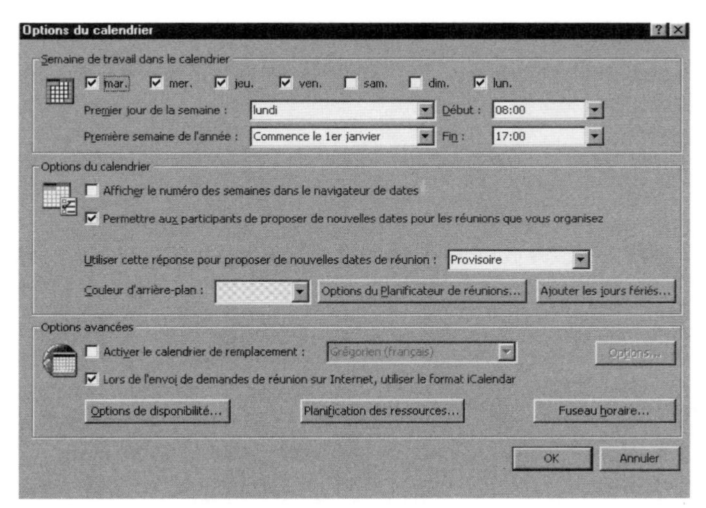

Figure 22.1 : Vous pouvez personnaliser votre emploi du temps dans la boîte de dialogue Options du calendrier.

L'affichage

Outlook permet de modifier l'affichage du Calendrier : sélectionnez **Affichage**, **Affichage actuel**. Dans le sous-menu, sélectionnez l'affichage voulu.

Par défaut, une seule journée est affichée dans le calendrier. Pour modifier ce paramètre, cliquez sur l'un des boutons proposés dans la barre d'outils (Aller à ce jour, Semaine de travail, etc.), comme le montre la Figure 22.2.

Noter un rendez-vous

Pour noter un rendez-vous, vous avez deux possibilités : l'une est rapide et simple, l'autre est un peu longue, mais plus précise.

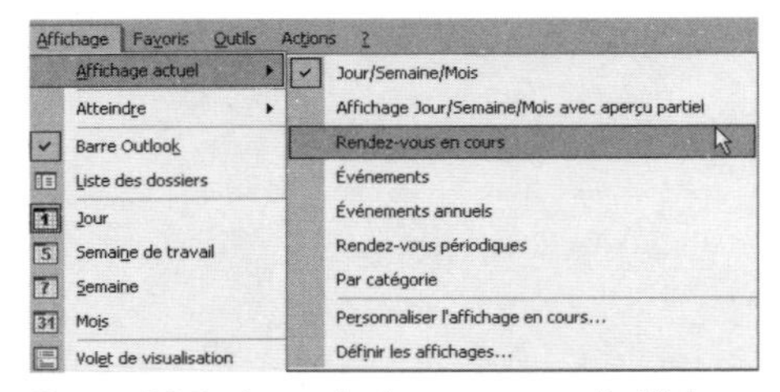

Figure 22.2 : Les principaux types d'affichage.

Pour créer rapidement un rendez-vous, cliquez sur le jour concerné dans le Navigateur de dates. Le jour sélectionné s'affiche dans l'emploi du temps. Cliquez sur la tranche horaire requise. Saisissez le libellé de votre rendez-vous, puis appuyez sur la touche **Entrée** pour le valider.

Pour créer un rendez-vous plus détaillé, cliquez sur le bouton **Nouveau** dans la barre d'outils Standard. La boîte de dialogue Sans titre – Rendez-vous s'affiche (voir Figure 22.3). Au besoin, cliquez sur l'onglet **Rendez-vous**. Définissez les options suivantes :

- **Objet.** Permet de saisir la description du rendez-vous.
- **Emplacement.** Permet de préciser le lieu du rendez-vous.
- **Début.** Ouvre une liste déroulante avec les dates et heures. Si le rendez-vous doit durer toute la journée, cochez la case **Journée entière** pour l'activer.
- **Fin.** Ouvre une liste déroulante qui permet de préciser la date et l'heure de fin prévues pour le rendez-vous.
- **Rappel.** Permet d'activer ou de désactiver un signal sonore et de définir combien de temps avant le rendez-vous vous souhaitez être prévenu.

- **Disponibilité.** Permet de préciser le statut d'une tranche horaire donnée. Par exemple, lorsque vous êtes en stage de formation, notez cette journée avec l'option "Absent du bureau".
- **Zone de texte.** Permet de saisir d'autres informations relatives à ce rendez-vous.

Une fois les options définies, cliquez sur le bouton **Enregistrer et fermer**. Votre rendez-vous s'affiche dans l'emploi du temps (voir Figure 22.4). Selon les options choisies, un certain nombre de symboles s'affichent, permettant de visualiser plus rapidement les options du rendez-vous (voir Annexe 1).

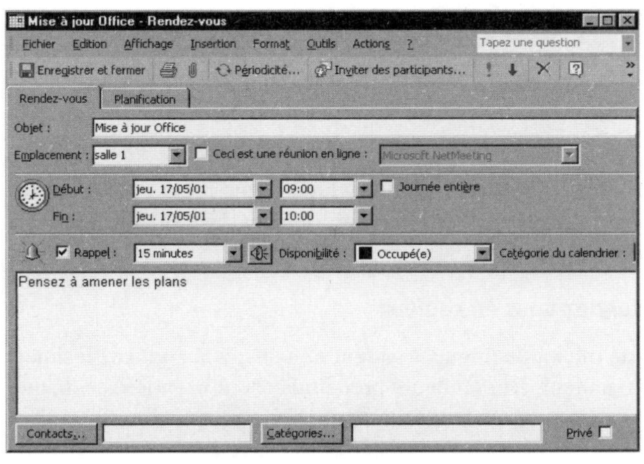

Figure 22.3 : La boîte de dialogue Rendez-vous.

Pour décaler un rendez-vous dans la même journée, cliquez sur le cadre de la tranche horaire le contenant, maintenez le bouton de la souris enfoncé, puis faites glisser dans la nouvelle tranche horaire.

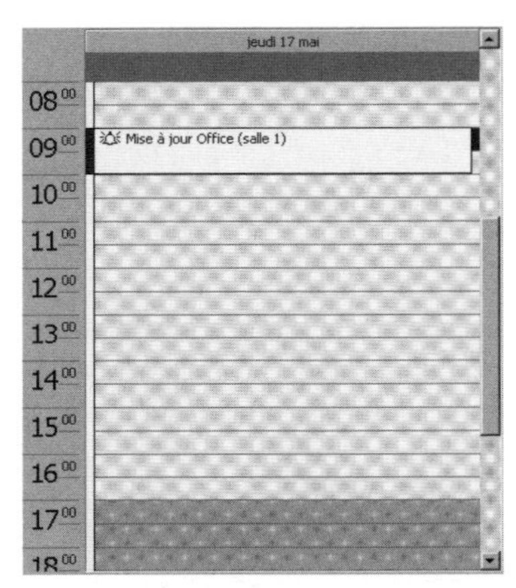

Figure 22.4 : Votre nouveau rendez-vous s'affiche.

Pour supprimer un rendez-vous, cliquez du bouton droit sur la tranche horaire du rendez-vous, puis sélectionnez **Supprimer**.

Pour allonger ou diminuer la durée d'un rendez-vous, faites glisser les traits supérieur ou inférieur de la tranche horaire le contenant.

Des rendez-vous en couleur

Afin de mieux distinguer vos rendez-vous, vous pouvez les mettre en couleur. Dix couleurs prédéfinies sont proposées. Chaque couleur est associée à une étiquette. Vous pouvez donc organiser vos rendez-vous en fonction de celles-ci. Vous pouvez aussi définir une mise en forme automatique qui applique la même couleur à tous les rendez-vous remplissant une même condition.

Pour mettre un rendez-vous en couleur, sélectionnez-le, puis cliquez sur **Couleurs du calendrier** dans la barre d'outils. Dans le menu qui se déroule, sélectionnez une couleur.

Pour créer une mise en forme conditionnelle d'un rendez-vous, dans le menu du bouton Couleurs du Calendrier, sélectionnez **Mise en forme automatique**. Cliquez sur le bouton **Ajouter**. Nommez la règle. Définissez-la en cliquant sur le bouton **Condition**. Choisissez le type d'étiquette, le nom, etc. Validez par **OK**.

Les rendez-vous périodiques

Lorsqu'un rendez-vous se répète plusieurs fois dans le mois ou dans l'année (par exemple, la réunion marketing du vendredi), Outlook permet de ne saisir qu'une fois ce rendez-vous et d'indiquer qu'il est périodique.

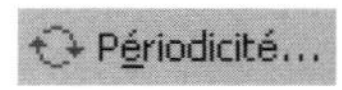

Pour créer un rendez-vous périodique, procédez comme suit :

1. Double-cliquez sur le cadre du rendez-vous à définir comme étant périodique, ou cliquez sur le bouton **Nouveau**. Cliquez sur le bouton **Périodicité** dans la barre d'outils de la boîte de dialogue (voir Figure 22.5).
2. Définissez la fréquence, la durée, la périodicité, etc. Cliquez sur **OK** pour valider vos choix dans la boîte de dialogue Périodicité. Cliquez sur le bouton **Enregistrer et fermer** dans la boîte de dialogue du rendez-vous.

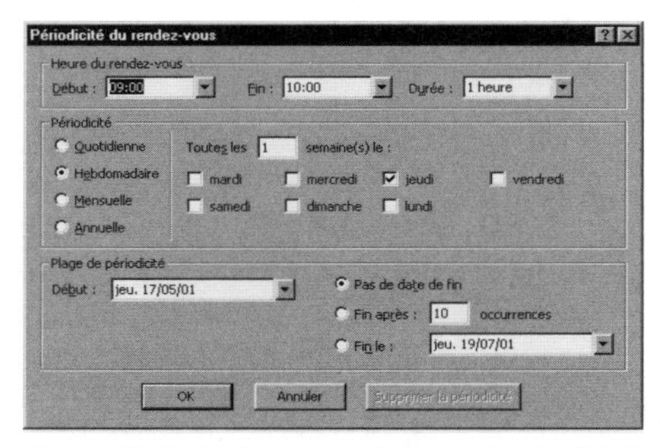

Figure 22.5 : La boîte de dialogue Périodicité.

Planifier une réunion

Avec Outlook, fini les appels téléphoniques répétitifs pour connaître les dates de disponibilité de vos collaborateurs. Outlook met à votre disposition le Gestionnaire de réunions, qui permet de définir la plage horaire susceptible de convenir à tous. Les seuls impératifs, pour le bon fonctionnement de cet outil, sont que vos collaborateurs utilisent tous Outlook et qu'ils aient mis à jour leur emploi du temps.

Pour organiser une réunion, procédez comme suit :

1. Sélectionnez **Actions**, **Nouvelle demande de réunion**. Définissez la réunion (date, heure, etc.). Cliquez sur l'onglet **Planification**, puis sur le bouton **Ajouter d'autres personnes, A partir du carnet d'adresses**. La boîte de dialogue Sélectionner les participants et les ressources s'affiche ; elle liste les différents contacts créés dans le Carnet d'adresses (voir Figure 22.6).

2. Au besoin, cliquez sur la flèche de la liste déroulante **Afficher les noms de**, puis sur le Carnet d'adresses à utiliser pour choisir les noms des différents participants : **Contacts**, **Carnet d'adresses Outlook** ou **Carnet d'adresses personnel**. Pour inviter quelqu'un à la réunion, cliquez sur son nom dans la liste, puis sur l'un des boutons proposés (Obligatoire, Facultatif et Ressources). Cliquez sur **OK** quand vous avez terminé.

3. Pour vérifier la disponibilité de chaque participant, cliquez sur son nom, puis utilisez la barre de défilement située sous la zone de planning pour sélectionner une heure qui convienne à tout le monde, ou cliquez sur le bouton **Sélection automatique suivante** pour atteindre la prochaine tranche horaire disponible pour tous les participants. Une fois que vous avez trouvé une heure qui convienne, faites glisser les barres verticales qui marquent le début et la fin de la réunion.

Cliquez du bouton droit sur chaque participant, et sélectionnez **Envoyer la réunion à ce participant**. Cliquez sur **Envoyer** et fermez la boîte de dialogue.

Outlook envoie la convocation à toutes les personnes invitées. Les réponses arriveront dans votre dossier Boîte de réception.

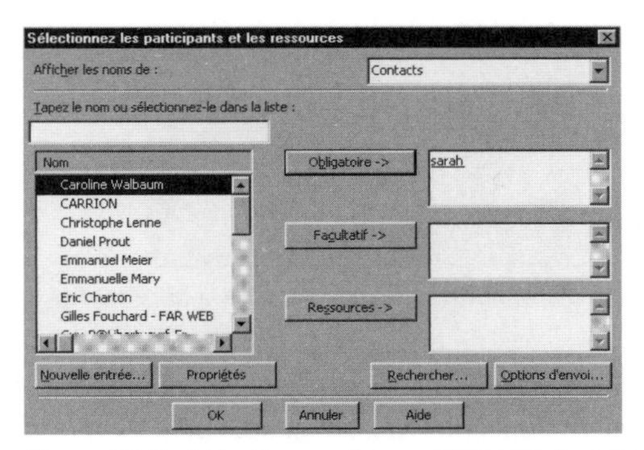

Figure 22.6 : Sélectionnez les participants à votre réunion.

Vous pouvez permettre aux destinataires de vos convocations à une réunion de proposer un autre horaire. Pour cela, sélectionnez Outils, Options, Options du calendrier. Activez l'option Permettre aux participants de proposer de nouvelles dates.... Validez par OK.

Noter un événement

Les événements permettent de mémoriser les dates importantes ; ils vous éviteront de regrettables oublis.

Pour noter un événement, sélectionnez **Actions**, **Nouvel événement d'une journée entière** (voir Figure 22.8). Indiquez l'objet de l'événement. Saisissez le lieu de l'événement dans l'option **Emplacement**. Cliquez sur la flèche de l'option **Début**, puis

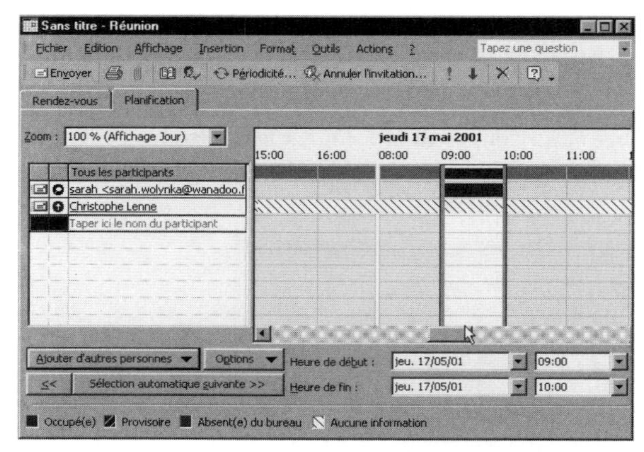

Figure 22.7 : Vérifiez la disponibilité des participants à la réunion.

sélectionnez un jour. Cliquez sur la flèche de l'option **Fin**, puis sélectionnez le jour concerné. Si nécessaire, cochez l'option **Journée entière**. Si vous le souhaitez, cochez la case **Rappel**, puis cliquez sur la flèche et sélectionnez la durée avant laquelle vous voulez qu'Outlook émette le signal sonore. Au besoin, indiquez votre disponibilité, notez des commentaires et sélectionnez une catégorie. Une fois terminé, cliquez sur le bouton **Enregistrer et fermer**.

L'événement s'affiche en tête de l'emploi du temps du jour concerné dans une partie grisée.

Pour supprimer un événement, cliquez dessus dans l'emploi du temps, puis sur le bouton **Supprimer** dans la barre d'outils Standard.

Pour modifier un événement, double-cliquez sur celui-ci dans l'emploi du temps. Faites vos modifications dans la boîte de dialogue qui s'affiche, puis cliquez sur le bouton Enregistrer et fermer.

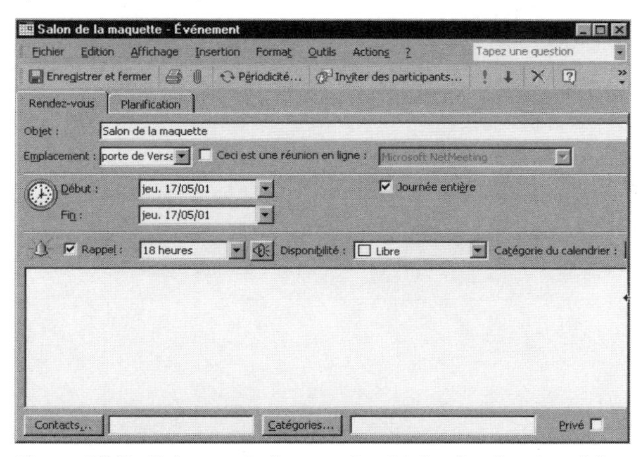

Figure 22.8 : Créer un événement est très simple et rapide.

Le dossier Contacts

Le dossier Contacts permet de lister la totalité de vos clients, collaborateurs et prospects, avec leurs adresses, numéros de téléphone et autres e-mails. Dès que vous aurez créé l'ensemble des cartes de visite, vous pourrez les consulter à tout moment pour vos courriers, ou téléphoner directement à l'un de vos contacts par l'intermédiaire de ce dossier (si vous possédez un modem).

Nouveau Pour créer une carte de visite, cliquez sur le bouton **Nouveau** dans la barre d'outils (Figure 22.9). Cliquez sur le bouton **Nom complet**, puis saisissez le titre, le nom, le prénom de la personne concernée, puis cliquez sur **OK**. Renseignez toutes les autres options voulues. Cliquez sur le bouton **Enregistrer et nouveau** pour enregistrer votre carte de visite et ouvrir une nouvelle carte vierge, ou cliquez sur le bouton **Enregistrer et fermer** si vous ne souhaitez pas saisir d'autres cartes de visite.

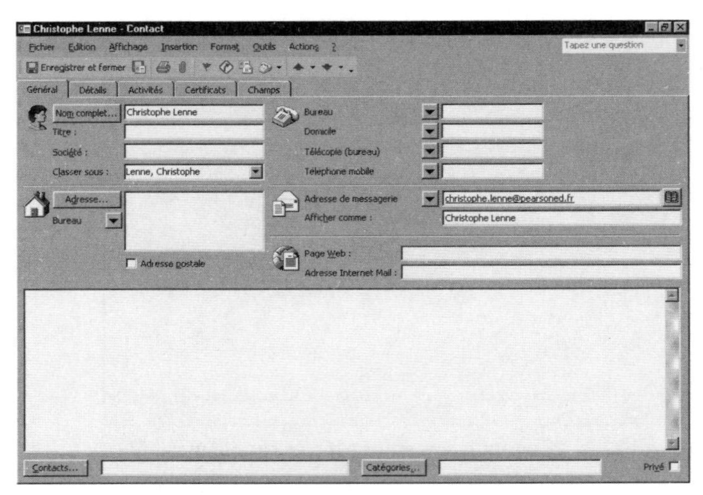

Figure 22.9 : La boîte de dialogue qui permet de créer une carte de visite.

Les cartes de visite s'affichent dans le dossier Contacts. Elles sont classées par ordre alphabétique. Pour accéder à une de ces cartes de visite, cliquez sur la lettre initiale du nom du contact dans l'onglet alphabétique.

Pour sélectionner une carte de visite, cliquez dessus. Pour afficher toutes les informations qu'elle contient, double-cliquez sur celle-ci.

Téléphoner à partir d'une carte de visite

Vous allez pouvoir transformer votre ordinateur en téléphone programmable grâce à Outlook. Pour cela, vous devez posséder un modem connecté à votre ordinateur et à votre ligne téléphonique.

Pour téléphoner, cliquez sur la carte de visite de la personne que vous voulez appeler, puis sur le bouton **Numérotation** dans la barre d'outils Standard (voir Figure 22.10). Cliquez sur le numéro à appeler. La boîte de dialogue Nouvel appel s'affiche. Cliquez sur le bouton **Début de l'appel**. Outlook compose le numéro de votre correspondant et affiche une boîte dialogue qui vous invite à décrocher votre téléphone. Cliquez sur le bouton **Parler** lorsque vous obtenez votre correspondant. Cliquez sur **Raccrocher** une fois la conversation terminée.

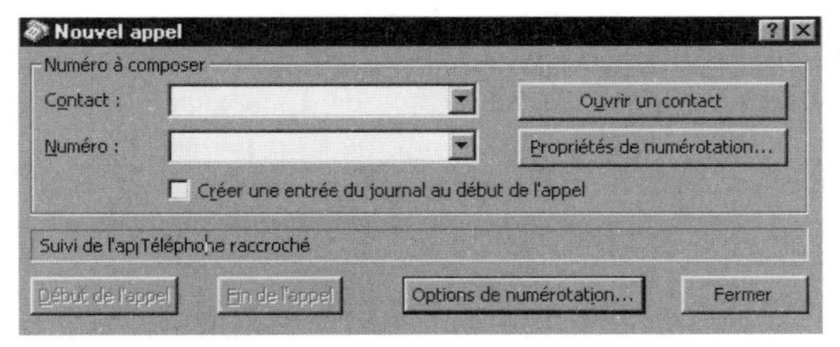

Figure 22.10 : Appelez un client à partir d'Outlook.

Envoyer des messages électroniques à vos contacts

Si votre contact possède une adresse de messagerie électronique, vous pouvez lui expédier un message à partir du dossier Contacts.

Pour envoyer un message électronique, cliquez sur une carte de visite, puis sur le bouton **Nouveau message au contact** dans la barre d'outils Standard. Une boîte de dialogue s'affiche, avec un nouveau message contenant l'adresse de la personne que vous avez sélectionnée. Saisissez un titre dans la zone de texte **Objet**, saisissez le message complet dans la grande zone de message située dans la partie inférieure de la boîte de dialogue, puis cliquez sur le bouton **Envoyer**.

Le dossier Tâches

Nouveau Pour créer une tâche, procédez comme suit :

1. Cliquez sur l'icône du dossier Tâches dans la barre Outlook, puis sur le bouton **Nouveau** dans la barre d'outils Standard (voir Figure 22.11). Au besoin, cliquez sur l'onglet **Tâche** pour l'afficher.
2. Dans la zone **Objet**, saisissez le sujet ou la définition de votre tâche. Dans la zone **Echéance**, cochez la case de l'option **Aucune** si vous ne souhaitez pas dater la fin de votre tâche, ou la case de l'option **Echéance** dans le cas contraire. Indiquez, si nécessaire, le début de l'échéance dans les options **Début** et **Echéance**. L'option **Etat** permet de sélectionner un choix d'avancée dans la réalisation de la tâche. Vous pouvez aussi indiquer un niveau de priorité, un pourcentage de réalisation, un signal de rappel, une catégorie, etc.
3. Vos choix définis, cliquez sur le bouton **Enregistrer et fermer**. La tâche que vous venez de créer s'affiche dans la liste des tâches du dossier Tâches, ainsi que dans celle du dossier Calendrier.

Lorsqu'une tâche est terminée, cliquez sur la case à cocher qui la précède dans la liste des tâches. Une coche s'affiche dans la case, et Outlook la raye pour indiquer que vous l'avez terminée. Pour la supprimer, sélectionnez-la, puis cliquez sur le bouton **Supprimer** dans la barre d'outils Standard.

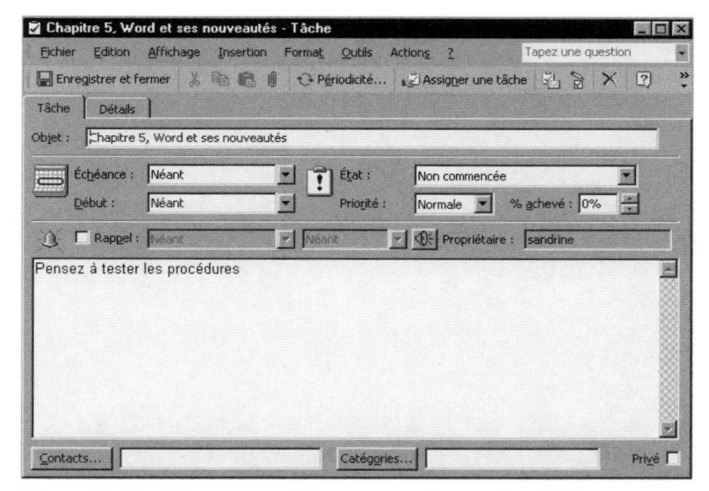

Figure 22.11 : Créez votre tâche en renseignant les différentes zones et options.

Chapitre 23

La messagerie électronique

Au sommaire de ce chapitre

- La Boîte de réception
- Configurer la messagerie
- La création de messages
- La réception de messages
- La gestion de la Boîte de réception

Les concepteurs d'Outlook sont vraiment des gens charmants qui font tout pour nous simplifier la vie. Non contents de nous proposer un logiciel pour gérer nos rendez-vous, nos réunions, nos tâches diverses, et de nous permettre d'accéder rapidement aux coordonnées de nos clients, ils ont jugé qu'il est plus pratique d'envoyer ou de recevoir des messages à partir du même logiciel. Dans ce chapitre, vous apprendrez à utiliser le dossier Boîte de réception pour consulter le courrier arrivé, classer vos messages, y répondre, etc.

La Boîte de réception

Quand vous lancez Outlook la première fois, la Boîte de réception contient un seul message, celui de Microsoft qui vous souhaite la bienvenue. Par la suite, vos messages s'afficheront dans ce dossier. Par défaut, le dossier Boîte de réception s'affiche lorsque vous lancez Outlook. Si vous travaillez dans Outlook depuis un moment et que vous souhaitiez visualiser vos messages, cliquez sur l'icône de raccourci **Boîte de réception**, dans la barre Outlook.

Pour mieux gérer les messages, regardez les indicateurs qui s'affichent en tête des colonnes dans le haut de la zone de consultation (voir Figure 23.1) :

- **Importance.** Affiche une icône qui signale si l'expéditeur a donné un ordre d'importance pour son message.
- **Icône.** Représente une enveloppe fermée. Quand vous double-cliquez sur un message pour le lire, l'enveloppe s'affiche ouverte.
- **Etat de l'indicateur.** Affiche un drapeau si vous avez choisi de marquer le message pour le relire plus tard ou pour y répondre.
- **Pièce jointe.** Spécifie que l'expéditeur a lié un ficher au message. Dans ce cas, soit vous visualisez ce fichier, soit vous l'enregistrez sur votre disque dur.
- **De.** Affiche le nom de l'expéditeur.
- **Objet.** Affiche un court descriptif du message.
- **Reçu.** Affiche la date et l'heure de réception du message.

Pour lire un message, double-cliquez dessus dans la liste.

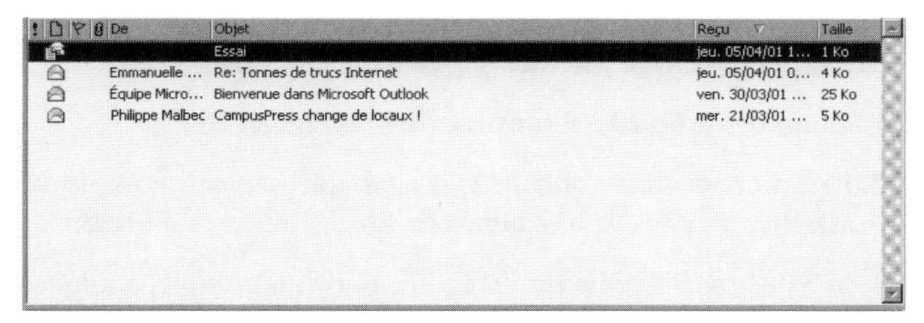

Figure 23.1 : La Boîte de réception affiche les messages que vous avez reçus.

Pour trier les messages en fonction de leur objet, de leur importance, etc., cliquez sur l'en-tête correspondant à l'indicateur à partir duquel vous souhaitez trier vos messages. Par exemple, si vous voulez trier vos messages par importance, cliquez sur **Importance**.

Si vous voulez que les indicateurs s'affichent dans un ordre différent, cliquez sur l'en-tête à déplacer, puis faites-le glisser à l'endroit voulu. Pour supprimer l'un des en-têtes, cliquez dessus, puis faites-le glisser en dehors de la barre.

Le bouton Mes raccourcis, situé au bas de la barre Outlook, propose d'autres dossiers pour la messagerie. Ce groupe permet de classer vos messages envoyés, ceux que vous enverrez plus tard, ainsi que les divers messages que vous avez supprimés.

Configurer sa messagerie

Il est bien évident que, pour qu'Outlook affiche votre courrier, il doit savoir avec quel service de messagerie vous travaillez. En effet, le compte de messagerie constitue, en quelque sorte, votre facteur virtuel. Sans facteur, pas de courrier !

Une fois que vous avez installé le logiciel de service d'informations, ajoutez-le à la liste des services qu'Outlook sait utiliser :

1. Cliquez sur **Outils**, **Comptes de messagerie**.
2. Indiquez si vous souhaitez ajouter un nouveau compte ou afficher un compte existant. Ensuite, cliquez sur **Suivant**.
3. Si vous avez choisi de créer un nouveau compte, indiquez maintenant quel type de connexion vous voulez utiliser (POP, IMAP, etc.). Cliquez sur **Suivant**. Précisez les paramètres de connexion (fournis par votre fournisseur d'accès). Cliquez sur **Suivant**, puis sur **Terminer**.

   Ou

   Si vous avez choisi d'utiliser un compte existant, cliquez sur le bouton **Ajouter**, puis indiquez les paramètres de connexion. Cliquez sur **Terminer**.

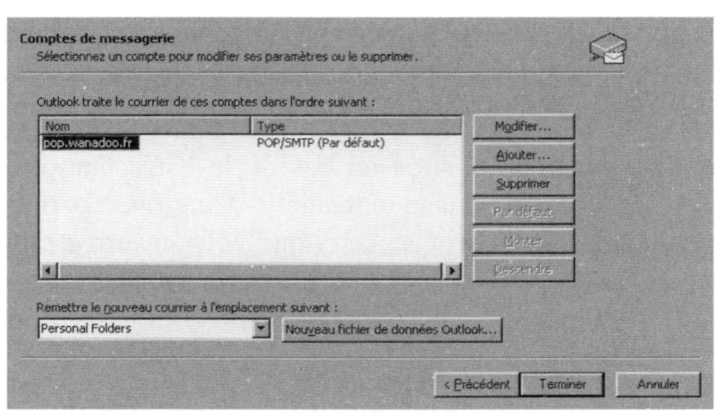

Figure 23.2 : Pensez à créer un compte de messagerie pour recevoir votre courrier !

Désormais, les modes Internet et Exchange ne sont plus séparés. Vous pouvez créer plusieurs types de comptes de messagerie (POP3, IMAP, HTTP) dans un seul et même profil.

Si vous avez ajouté plusieurs comptes à un profil de connexion, il est possible de choisir quel compte utiliser quand vous envoyez un message. Pour cela, cliquez sur Comptes dans la barre d'outils du message, puis sélectionnez le compte dans la liste qui se déroule.

La création de messages

Pour créer un message, cliquez sur le bouton **Nouveau** dans la barre d'outils Standard (voir Figure 23.3). Dans la zone de texte **A**, saisissez l'adresse de messagerie du destinataire. Si vous l'avez enregistrée dans le dossier Contacts, vous n'avez pas à saisir l'adresse ; il suffit de cliquer sur le bouton **A**, puis de sélectionner le nom de la personne dans la liste de la boîte de dialogue qui s'affiche. Pour envoyer une copie de ce message à une autre personne, cliquez sur le bouton **Cc**, puis sélectionnez la personne concernée dans la liste, ou bien saisissez son URL (adresse de messagerie) dans la zone de texte. Lorsque vous devez saisir plusieurs adresses, séparez-les par un signe deux-points (:).

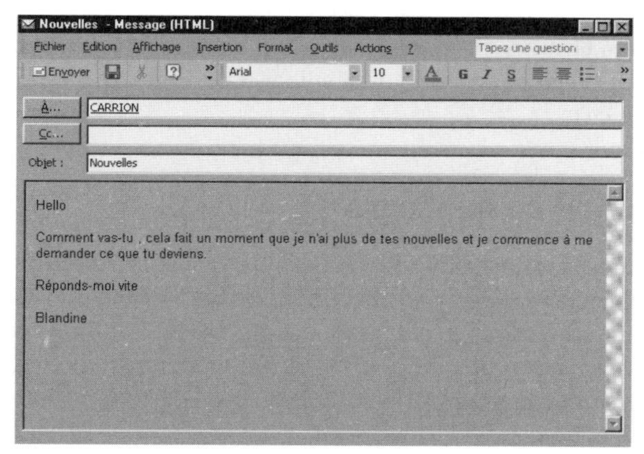

Figure 23.3 : Créez votre message.

Une fois que vous avez renseigné les zones pour les destinataires, vous devez impérativement renseigner la zone **Objet**. Ensuite, dans la partie inférieure de la fenêtre, saisissez votre message. Si vous n'envoyez que ce texte, cliquez sur le bouton **Envoyer**. Par contre, pour joindre un fichier à votre message ou bien indiquer une option quelconque, comme l'importance, choisissez l'une des procédures suivantes :

- Pour mettre en forme votre texte, faites glisser votre pointeur sur le texte concerné, puis choisissez une police, une taille et des attributs dans la barre d'outils.
- Pour joindre un fichier à votre message, cliquez sur le bouton **Insérer un fichier**, puis sélectionnez le fichier à joindre dans la boîte de dialogue qui s'affiche.
- Pour marquer le message, cliquez sur le bouton **Indicateur de message**. Dans la boîte de dialogue qui s'affiche, spécifiez les options voulues (**Assurer un suivi**, **Corriger**, **Date d'échéance**, etc.).
- Pour indiquer le degré d'importance du message, cliquez sur les boutons **Importance Haute** ou **Importance Faible**.
- Le bouton **Options** propose d'autres choix pour, par exemple, créer des boutons de vote, d'acceptation de refus, etc. (voir Figure 23.4).

La réception de messages

Lorsque vous travaillez dans Outlook et que vous voulez consulter vos nouveaux messages, sélectionnez **Outils**, **Vérifier l'arrivée de nouveau courrier**, ou pressez la touche **F5**. Outlook se connecte alors à tous les serveurs que vous avez paramétrés, récupère les messages, puis les affiche dans la liste de votre Boîte de réception.

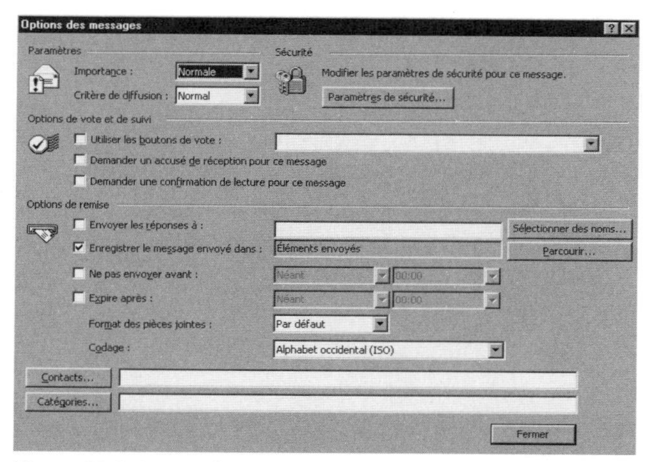

Figure 23.4 : Les options proposées pour les messages.

Pour prendre connaissance du message, double-cliquez dedans. Outlook l'affiche alors dans une fenêtre de message. Cette fenêtre propose différents boutons :

- **Répondre.** Permet d'envoyer un message de réponse à l'expéditeur. Cliquez sur ce bouton pour ouvrir une fenêtre de message qui donne d'emblée l'adresse du destinataire (en fait, l'expéditeur du message). De plus, le texte du message d'origine s'affiche dans la zone de texte. Vous pouvez soit l'effacer, soit le conserver. Saisissez votre réponse, puis cliquez sur le bouton **Envoyer**.
- **Répondre à tous.** Permet d'adresser une réponse à toutes les personnes figurant dans les listes **A** ou **Cc**.
- **Transférer.** Permet d'envoyer directement le message à une autre personne.
- **Elément précédent** ou **Elément suivant.** Permettent de naviguer dans la totalité de vos messages.

La gestion de la Boîte de réception

Selon le type d'activités que vous pratiquez, vous ne recevrez que quelques messages par semaine ou vous serez rapidement débordé. Bien sûr, vous pouvez supprimer vos messages, mais il est parfois dangereux de jeter trop rapidement son courrier.

Pour supprimer un message, cliquez dessus dans la liste de la Boîte de réception, puis sur le bouton **Supprimer** dans la barre d'outils Standard.

Partie VI

Office 2002 et Internet

Vous l'avez sans doute déjà compris : Internet n'est pas un effet de mode, mais sans doute le mode de communication du 3e millénaire. Monsieur Bill Gates prétendait il n'y a pas si longtemps qu'Internet n'avait aucun avenir ; il a bien vite compris son erreur. Pour se rattraper, Microsoft propose dans Office 2002 de multiples fonctions pour publier sur le Web, envoyer des messages électroniques, etc. Découvrez vite cette partie pour entrer dans le club des internautes.

Chapitre 24

Office et Internet

Au sommaire de ce chapitre

- Internet dans tous ses états
- Les ressources d'Internet
- Se connecter
- Surfer
- Office 2002 et le Web
- La publication

Office 2002 contient toute sorte de fonctions pour l'enregistrement au format HTML, pour naviguer sur le Web, envoyer des messages électroniques, etc. Bref, Office 2002 est de plain-pied dans son époque : celle d'Internet.

Internet dans tous ses états

Internet est devenu une notion incontournable en ce début de troisième millénaire. Les concepteurs de Microsoft l'ont bien compris puisqu'ils proposent de multiples outils pour naviguer sur le Web, créer et publier des pages, voire des sites Web, et utiliser la messagerie électronique de façon optimale. Dans les sections qui suivent, vous allez découvrir tout ce qu'il faut savoir sur Internet et ses ressources. En quelques minutes, vous allez devenir un "pro" de d'Internet et serez incollable sur ce sujet.

L'histoire d'Internet

L'histoire a parfois de drôles de façons de transformer une crise en pain bénit. Cette constatation est particulièrement vraie en ce qui concerne la création d'Internet. Ses débuts remontent au temps de la guerre froide, lorsque les militaires, confrontés à l'espionnage, commencèrent à s'inquiéter de la fragilité de leurs réseaux ; en effet, il aurait suffi aux "ennemis" de placer une bombe dans l'ordinateur central pour que tout le réseau soit anéanti. Ils décidèrent donc de rendre chaque ordinateur du réseau autonome, puis de scinder les données par "paquets", chacun contenant son origine et sa destination. A l'arrivée, les données étaient réunies ; les risques de piratage étaient ainsi fortement réduits. Ce premier réseau s'appelait Arpanet. Par la suite, ce système de réseaux s'est élargi et les utilisateurs du monde entier ont pu y accéder.

J.C.R. Licklider est considéré comme étant la première personne à avoir imaginé un réseau global d'ordinateurs, le futur Internet. En 1962, des hommes tels que Léonard Kleinrock (inventeur du principe du découpage des données en paquets) et Laurent Roberts (inventeur du principe de liaison entre ordinateurs par l'intermédiaire des lignes téléphoniques) rejoignent Licklider, du réseau Arpanet. Ce sont les visionnaires des autoroutes de l'information.

Quelques chiffres plus qu'éloquents au sujet d'Internet : à ce jour, les estimations du nombre d'internautes de par le monde varient entre 65 et 100 millions. Les prévisions sont de 177 millions d'internautes en l'an 2003 !

Le principe du réseau

Littéralement, Internet est une contraction de *International Network*, que l'on traduit par *réseaux interconnectés*. Tout d'abord, afin que vous compreniez bien ce qu'est un réseau, faisons un parallèle avec notre Histoire de France. La Résistance était constituée d'individus qui avaient chacun une mission bien définie et communiquaient entre eux en utilisant des procédés plus ou moins complexes. X donnait une information à Y, qui la transmettait à Z, et ainsi de suite. Dans le cas d'Internet, c'est la même chose : des ordinateurs communiquent entre eux au moyen de "passeurs" que sont les lignes téléphoniques, permettant ainsi la libre circulation des données, des fichiers, des messages, etc.

Afin que les informations circulent entre les différents ordinateurs du monde entier, les données sont découpées en paquets, auxquels sont associés des renseignements de service, tels que l'identité du destinataire, celle de l'émetteur, etc. Des routeurs récupèrent ces informations et les acheminent à destination. Pour que la circulation se fasse sans encombre entre les ordinateurs, un protocole commun à tous les ordinateurs connectés a été créé, permettant ainsi de réglementer la circulation. En ce qui concerne Internet, c'est le protocole TCP/IP qui est en vigueur.

Les ressources d'Internet

En fin de compte, Internet n'est qu'un "principe virtuel", à savoir un réseau mondial d'ordinateurs interconnectés. L'intérêt d'Internet réside donc, non dans son principe, mais dans les services qu'il rend. C'est l'objet de cette section.

Le Web, ou le monde entier à partir de son fauteuil

Ressource la plus utilisée d'Internet, le World Wide Web — appelé plus communément Web — est en fait un gigantesque annuaire contenant des millions de sites reliés entre eux par des liens hypertexte. Un site contient une ou plusieurs pages. Tous les sujets imaginables y sont traités : art, sociologie, cinéma, peinture, automobile, sport, Histoire, etc.

Le Web est la ressource d'Internet qui a le plus "explosé" : deux millions de pages sont créées par jour à travers le monde ainsi que 4 400 sites. Le nombre de sites est estimé à ce jour à 3,6 millions, et leur croissance est de plus en plus rapide !

La messagerie électronique

Tout comme pour l'envoi de courrier postal, vous devez rédiger un message à l'attention de votre destinataire en indiquant son adresse électronique, l'objet du message et son contenu. Vous pouvez aussi joindre des fichiers. Vous devez ensuite vous connecter, et pff ! c'est parti. Quels sont les avantages par rapport au courrier postal ? Tout d'abord, la transmission est quasi instantanée : un message électronique ne prend que quelques minutes pour parvenir à un destinataire perdu au fin fond des Galápagos ; par ailleurs, cela ne coûte que le prix d'une communication téléphonique de quelques secondes, en local (voir Partie V).

Téléphoner, se voir... en quelques clics

Même allégement des factures et même effacement des distances et des frontières pour ce qui est de la communication téléphonique, sans parler des conférences à plusieurs ou de la possibilité de voir son interlocuteur et d'être vu de lui. Le tout pour le prix d'une communication locale, où que se trouve

l'interlocuteur en question, et le coût minime d'un logiciel de téléphonie (Pagoo, Netmeeting, etc.) apte à transformer votre machine en terminal téléphonique. Le plus difficile consiste, en fait, à se défaire de certain blocage "culturel" et de commencer à préférer son PC (avec casque et écouteurs) à son bon vieux combiné téléphonique.

La communication directe, ou comment dialoguer avec le monde entier

Parler et parler encore, pour échanger des idées, pour pallier le manque d'échanges que nous impose le fonctionnement d'une société où, paradoxe des paradoxes, se sentir seul et anonyme dans la foule est plus fréquent qu'être assailli d'attentions trop prévenantes.

Les principaux logiciels de communication directe sont les suivants :

- **IRC.** *Internet Relay Chat* désigne littéralement des "relais Internet de bavardage", et plus précisément un protocole conçu pour dialoguer à plusieurs sur des serveurs spécifiques, en temps réel.
- **ICQ.** Traduisez "*I seek you*" (je te cherche). Ce logiciel offre également toutes les possibilités de dialogue en temps réel au moyen du clavier, mais y adjoint d'autres fonctions, telles que le lancement automatique de la communication et, surtout, la possibilité d'être informé à tout moment de la connexion au réseau de n'importe quel internaute utilisant ce logiciel. De la même façon, l'ensemble de vos amis, relations, connaissances (et même les personnes que vous ne connaissez pas... encore !) savent à tout moment si vous êtes vous-même en train de surfer, et peuvent ainsi entrer en contact direct avec vous.

Les groupes de discussion, ou comment échanger des points de vue avec le monde entier

Il existe sur Internet d'immenses "dazibaos" planétaires, à l'instar de ces journaux muraux chinois, souvent manuscrits, affichés dans les lieux publics, et sur lesquels les citoyens font part de leurs doléances, critiques ou autres dénonciations. Semblables à ces espaces de libre parole — ces murs où exprimer frustrations et enthousiasmes —, les lieux virtuels constituent l'un des aspects les plus intéressants d'Internet. Les groupes de discussion fonctionnent comme des abonnements à des magazines : on sélectionne une liste traitant d'un sujet précis, on s'y abonne, et on reçoit ensuite toutes les informations concernant ce sujet qui ont été postées par des personnes du monde entier. Le petit plus de ce type de listes est que vous pouvez y ajouter vos propres commentaires, retransmis aussitôt à tous les abonnés de la liste, où qu'ils soient. Ainsi, Internet permet de dépasser le simple stade du consommateur passif et de devenir à son tour créatif et coauteur d'une liste. Celles-ci existent en deux versions : "modérée" et "non modérée". Dans les premières, une ou plusieurs personnes vérifient les messages avant de les redistribuer, histoire de faire un peu le ménage et d'aboutir à une liste de qualité. Dans les secondes, les messages sont plus nombreux, mais contiennent souvent davantage d'informations inutiles. Ces derniers font partie du réseau Usenet. Ce sont des espaces où des personnes partagent toute sorte d'informations : postez votre message et, en quelques secondes, il aura fait le tour du monde !

Les bonnes adresses pour le bon service

La notion d'adresse nous est familière. Sur Internet, pour recevoir du courrier ou vous rendre à un endroit précis, vous devez indiquer une adresse. La particularité d'Internet est que le type d'adresse varie selon le service que vous utilisez.

Voici la liste des différentes adresses :

- **Adresse Web ou URL.** Se décompose de la façon suivante : http://www.untel.fr. http correspond au protocole ; www correspond au World Wide Web ; untel correspond au service, à l'entreprise ; fr correspond au nom de domaine. On peut traduire cette adresse de la façon suivante : se rendre à l'aide du protocole http chez l'entreprise Untel qui se trouve en France.
- **Adresse de téléchargement.** Se décompose de la façon suivante : **ftp://univ.rennes1.fr**. ftp *(File Transfert Protocol)* correspond au protocole utilisé pour le transfert de fichier ; univ.rennes1 correspond à l'université proposant ce téléchargement ; fr correspond au nom de domaine. On peut traduire cette adresse de la façon suivante : télécharger à l'aide du protocole ftp, à partir de l'université de Rennes qui se trouve en France.
- **Adresse de messagerie.** Se décompose de la façon suivante : **sandrine@trucnet.fr**. sandrine correspond au nom du destinataire (appelé aussi login) ; @ signifie "chez" ; trucnet correspond au fournisseur d'accès du destinataire ; fr correspond au nom de domaine. On peut traduire cette adresse de la façon suivante : message à l'attention de Sandrine, par l'intermédiaire de Trucnet qui se trouve en France.
- **Adresse de groupe de discussion.** Se décompose de la façon suivante : **news/fr.rec.cuisine**. news correspond au protocole des groupes de discussion ; fr correspond à la France ; rec.cuisine correspond au thème du groupe de discussion. On peut traduire cette adresse de la façon suivante : se rendre à l'adresse du groupe de discussion français traitant des recettes de cuisine.
- **Adresse UIN.** Correspond à votre numéro d'appartenance à ICQ. A l'instar d'un numéro de téléphone, le numéro ICQ sert à vous joindre.

Se connecter

Pour vous connecter à Internet, vous devez posséder un ordinateur équipé d'un modem qui permettra l'accès aux lignes téléphoniques. Ensuite, vous devez souscrire un abonnement à un FAI (fournisseur d'accès Internet). Sachez toutefois que vous pouvez vous passer d'un modem si vous avez opté pour les lignes numériques, mais il vous faudra tout de même un adaptateur.

Autres éléments indispensables pour la connexion à Internet :

- carte modem, ou modem branché sur le PC et relié à une ligne téléphonique ;
- abonnement auprès d'un fournisseur d'accès Internet.

Une fois en possession de ces différents éléments, vous devez configurer le PC afin qu'il établisse la connexion. Il est indispensable de comprendre le fonctionnement de cette connexion. Comparons avec la réception du satellite sur votre téléviseur : pour pouvoir accéder aux chaînes du satellite, vous devez contracter un abonnement (correspondant au FAI), installer une antenne de réception (correspondant au modem), posséder un décodeur (correspondant au navigateur) et une télévision (correspondant à l'ordinateur). Le satellite bascule les informations vers l'antenne, qui les envoie au décodeur, qui retranscrit le langage et l'affiche sur votre télévision. En ce qui concerne Internet, les informations sont envoyées au FAI, qui les envoie sur votre ordinateur par l'intermédiaire du modem. Les informations sont transcrites en image, texte, son, etc., par le navigateur. Voilà, c'est aussi simple que cela, pour ce qui est du principe.

Mais, dans les faits, c'est un peu plus complexe. En effet, pour que les informations circulent entre tous les ordinateurs, il est impératif d'utiliser un protocole de circulation commun à toutes les machines connectées. Sans ce protocole, pas de circulation !

Sur Internet, c'est le protocole TCP/IP qui fait loi. Par ailleurs, pour que le modem se connecte à votre FAI, il est indispensable d'utiliser un protocole de connexion (nommé PPP) en plus du numéro d'appel. C'est au travers du kit de connexion que vous renseignez ces différents paramètres.

Le bon fournisseur pour le bon service

Les FAI sont des sociétés disposant de modems, de lignes spécialisées et d'un accès permanent à Internet. Ils sont ainsi à même d'assurer la liaison entre votre PC, votre modem et le réseau des réseaux. Le FAI est donc l'intermédiaire indispensable entre Internet et vous.

Les différents types d'abonnements proposés sont les suivants :

- **Abonnement gratuit.** Un certain nombre de providers, comme Liberty Surf, Freesurf, Lokace online, Fnac.net, etc., permettent d'accéder gratuitement à Internet, de disposer d'une ou plusieurs adresses électroniques, et ce, entièrement gratuitement.
- **Abonnement payant.** Ces abonnements proposent, pour une somme variant entre 20 et 50 F par mois, un kit de connexion, des adresses de courrier électronique et un support technique.
- **Abonnement avec forfait.** Ces abonnements proposent, pour une somme variant entre 30 et 200 F par mois, un accès à Internet, un kit de connexion, des adresses de courrier électronique, ainsi qu'un certain nombre d'heures de communication. Citons LibertySurf, Wanadoo, AOL, etc. Le forfait est la solution idéale pour éviter les surprises au moment où vous recevrez votre facture téléphonique.

Si vous dépassez le temps de connexion prévu par le forfait, vous recevez tous les mois un détail précis de ces connexions, qui sont facturées en sus.

Vous avez donc l'embarras du choix, en fonction du type d'utilisation que vous souhaitez faire d'Internet.

Pour une liste des FAI classés par catégories (particuliers et entreprises, villes, régions, etc.), rendez-vous sur le site www.abside.com/friap/. Vous y trouverez, en plus, une foule d'informations pour bien choisir votre FAI et une simulation du coût d'une connexion de 15 minutes, une heure, etc. Si vous ne disposez pas encore d'Internet, pensez à vous rendre dans l'un des nombreux cybercafés existants, et connectez-vous.

Se connecter à l'aide d'un kit

La pièce maîtresse du petit nécessaire de l'internaute en puissance est le fameux kit de connexion. Où se le procurer sans se ruiner ? Dans "toutes les bonnes librairies", on trouve un rayon informatique pourvu de livres traitant du sujet, accompagnés d'un CD-ROM permettant de passer de la théorie à la pratique. Mieux encore : les kiosques de la presse regorgent de revues ou magazines mensuels, accompagnés de CD-ROM qui proposent une série de kits d'abonnement aux principaux FAI, et ce, pour quelques dizaines de francs seulement.

La première étape concerne l'installation des fichiers contenus dans le kit. Procédez comme suit :

1. Insérez le CD-ROM dans votre lecteur. Soit il s'exécute automatiquement, soit vous devez cliquer sur l'icône **Poste de travail**, puis sur celle de votre lecteur de CD.
2. Cliquez ensuite sur le bouton **Installation du Kit de Connexion**, et confirmez. Certains prestataires donnent le choix entre les deux grands navigateurs que sont Netscape Communicator et Internet Explorer. D'autres ne vont pas jusque-là et vous imposent l'un ou l'autre.

3. Après avoir installé le navigateur et procédé au redémarrage de votre ordinateur (pour prendre en compte les nouveaux fichiers), le programme vous demandera vos **coordonnées personnelles** sommaires.
4. Cliquez sur **OK** pour valider et accéder à la deuxième étape.

La deuxième étape consiste en l'inscription proprement dite auprès d'un fournisseur d'accès. L'ordre des questions de la procédure pouvant varier, nous ne numéroterons pas les manipulations suivantes :

- Entrez le **numéro de série** permettant de bénéficier de la période gratuite, en respectant scrupuleusement les majuscules et les minuscules.
- Entrez vos **coordonnées personnelles** de façon détaillée cette fois, les renseignements précédés d'un astérisque rouge étant obligatoires.
- Précisez les **caractéristiques techniques** de votre machine.
- Lisez attentivement les **conditions de l'offre commerciale** qui vous est faite : c'est le contrat qui vous liera à votre FAI dorénavant.
- Choisissez un **nom d'utilisateur** (ou *login*) et un mot de passe strictement personnel et confidentiel.
- Choisissez également une **formule d'abonnement** qui vous convienne.
- Récapitulez vos **coordonnées bancaires**. Informez-vous sur le paiement de l'abonnement une fois que la période d'essai gratuite sera terminée.

La troisième et dernière étape vous engagera alors à lancer votre première connexion.

France Télécom permet, depuis plusieurs années déjà, d'émuler un signal d'appel : lorsque vous êtes déjà en ligne, vous êtes averti qu'un autre correspondant tente de vous joindre. Ce signal d'appel a un défaut : il coupe la connexion à Internet en cas d'un autre appel. Il est donc préférable de le désactiver. Pour désactiver le signal d'appel, sélectionnez Démarrer, Paramètres, Panneau de configuration. Double-cliquez sur le module Téléphonie. Cliquez sur l'option Désactiver le signal d'appel... Dans la zone de texte, pressez une touche de fonction ou un raccourci clavier. Cliquez sur OK pour valider. Désormais, il vous suffira de presser le raccourci clavier défini pour désactiver le signal d'appel.

Une fois que vous avez terminé de naviguer sur le Web, d'envoyer vos messages, etc., vous devez vous déconnecter. Cette procédure est très simple, il suffit de double-cliquer sur l'icône du modem dans la barre des tâches, puis de cliquer sur Déconnecter. Vous pouvez aussi activer une déconnexion automatique.

Surfer

Naviguer sur le Web comme on respire, simplement, naturellement, se déplacer d'un clic de souris d'une page à l'autre, d'un continent à l'autre, sont des gestes simples, à condition de disposer de l'outil incontournable pour accéder à Internet : un navigateur, la planche du surfeur. Le navigateur (*browser*, en anglais) est un programme informatique utilisé pour explorer le Web et surfer dans les meilleures conditions possibles. Ce n'est ni plus ni moins qu'un logiciel capable d'envoyer une requête à un serveur et de décoder le langage HTML afin que les données soient lisibles à l'écran. Chez Microsoft, le navigateur est Internet Explorer.

Certains fournisseurs d'accès, comme AOL, CompuServe, etc., proposent leur propre navigateur.

Le premier navigateur, Mosaïque, a été créé par Marc Andreessen, de la société NCSA. Ce navigateur a ensuite été vendu à la Netscape Corporation qui l'a amélioré et commercialisé sous le nom de Navigator. Pendant quelques années, Navigator fut le meilleur navigateur, jusqu'à ce que Microsoft sorte le sien...

Comme pour l'électricité, le téléphone ou les autoroutes, il y a des heures de fréquentation à respecter si l'on veut économiser son temps et son argent ! Evitez les heures de pointe, car sur le Web aussi les embouteillages existent. Etant donné le succès grandissant du Web, les difficultés d'accès, les coupures de liaison et la lenteur des téléchargements, mieux vaut se connecter aux heures creuses. Le plus gros de la troupe des internautes se trouvant aux Etats-Unis, il est préférable de naviguer lorsqu'il fait nuit chez eux ! Pour bien faire, connectez-vous le matin entre 4 h et 12 h, à l'heure où la circulation est la plus fluide. Malheureusement, ce sont aussi les heures les plus chères. L'idéal, c'est encore le week-end.

La mise en route d'Internet Explorer

Internet Explorer a été installé sur votre ordinateur par l'administrateur d'un réseau local, ou bien vous avez utilisé le kit de connexion d'un fournisseur d'accès Internet. Vous êtes prêt à vous connecter à Internet. Dans le cas contraire, l'assistant de connexion Internet est un guide appréciable. Avant de le lancer, vous devez avoir sous la main certaines informations qui vous auront été fournies soit par votre administrateur réseau, soit par votre fournisseur d'accès Internet.

Les renseignements indispensables pour la connexion à Internet sont les suivants :

- Le nom de votre compte et votre mot de passe pour vous connecter *via* un fournisseur d'accès Internet.
- Le nom du serveur proxy et le numéro du port pour vous connecter *via* un réseau local. Demandez aussi à l'administrateur de votre réseau les éventuels paramètres spécifiques afin de configurer votre navigateur pour votre réseau d'entreprise.

Ensuite, lancez-le en double-cliquant sur son icône de raccourci, sur le Bureau.

Les principes de la navigation

Lorsque vous lisez un livre, vous pouvez passer facilement de la page 40 à la page 150. Sur le Web, ce n'est pas aussi simple ! En effet, il est important de comprendre que le Web n'a pas de structure hiérarchique et que vous pouvez passer, par exemple, de la page 1 d'un site à sa page 24, puis à la page 2 d'un autre site. Il y a fort à parier qu'au bout d'un moment, vous vous demandiez où vous êtes. Voici, brièvement, quelques principes fondamentaux de navigation :

- Tous les sites et toutes les pages ont une adresse qui leur est propre. Une façon rapide de se repérer est de lire celle-ci dans la barre d'adresses.
- Chaque fois que vous cliquez sur un lien hypertexte, vous naviguez et vous vous rendez dans une autre page ou un autre site. Cliquez donc avec modération lors de vos premières navigations !
- Pour accéder à une page précise, saisissez son adresse dans la barre d'adresses, puis pressez la touche **Entrée** ou cliquez sur **OK**.

- Les deux principaux navigateurs proposent deux icônes permettant de vous rendre rapidement à la page précédente et à la page suivante. Mais quelle page suivante ? Celle du site ou une autre page ?

Les icônes Précédente et Suivante listent les dernières pages visitées. Pour afficher la liste déroulante de ces icônes, cliquez sur la petite flèche placée à leur droite et sélectionnez la page voulue.

Où indiquer l'adresse ?

Tout site Web a une adresse, chaque page a la sienne, de même que chaque cadre (ou *frame*), voire chaque image ! Le déplacement depuis un lien hypertexte vers un autre se fait donc d'adresse en adresse. Mais comment et où indiquer l'adresse au navigateur ?

Sur un navigateur, il existe un endroit précis où mentionner l'adresse de la page ou du site recherché : c'est une zone de texte appelée "Adresse", avec, à son extrémité, une flèche de menu déroulant. Le menu déroulant stocke les dernières adresses (ou URL) visitées, ce qui permet d'y retourner sans avoir à les saisir à nouveau.

Recourir à l'Historique

L'Historique est un outil extrêmement intéressant puisqu'il permet de retrouver tous les sites que vous avez visités et ainsi d'y revenir rapidement. Internet Explorer y mémorise les pages que vous avez consultées. Il suffit de sélectionner les adresses pour y accéder rapidement.

Pour sélectionner une adresse déjà visitée, cliquez sur la flèche de la zone d'adresses, puis sur l'adresse voulue et enfin sur **OK**.

Si vous êtes déjà connecté et que vous vouliez retourner sur une page visitée au cours de votre navigation, cliquez sur le bouton **Retour** dans la barre d'outils. Si la page a été visitée il y a longtemps, toujours au cours de cette même navigation, cliquez sur la flèche du bouton **Retour**, puis sur l'adresse du site à afficher.

Vous pouvez aussi cliquer sur **Historique**. Dans le volet gauche qui s'affiche, cliquez sur le jour, la semaine... pour lesquels vous voulez visualiser les sites visités. Ensuite, vous n'avez plus qu'à cliquer sur le site concerné afin qu'il s'affiche dans le volet central.

Pour accéder rapidement au site précédemment visité sans utiliser le bouton Retour, pressez la touche Retour arrière.

Marquer une adresse

Dans Internet Explorer, ce sont les Favoris qui font office de marque-page. Ce qui permet ensuite de consulter ces pages hors connexion. Pour créer un Favori, cliquez du bouton droit dans la page consultée, puis sélectionnez **Ajouter aux Favoris** dans le menu contextuel qui s'affiche. Une boîte de dialogue s'affiche, demandant les modalités de l'abonnement à ce Favori (voir Note plus loin). Cliquez sur votre choix, puis sur **OK** pour valider. Ces procédures sont à réaliser en cours de connexion.

Si vous souhaitez consulter votre favori hors connexion, vous devez cocher l'option Rendre disponible hors connexion pour l'activer. Par ailleurs, comme vous le savez, le Web est en constante évolution. Les pages évoluent donc elles aussi très vite. Pour être tenu informé des changements apportés à l'un de vos sites favoris, vous devez vous y abonner. Chaque modification du site sera répercutée dans votre Favori, selon la modalité choisie (information e-mail ou directement sur le Web).

Pour visualiser un Favori, cliquez sur l'icône **Favoris**. Dans le volet qui s'affiche, à gauche de l'écran, cliquez sur le favori.

Une fois votre liste de Favoris créée, vous pouvez y accéder rapidement à partir d'Internet Explorer. Pour cela, cliquez sur Favoris dans la barre de menus, puis sélectionnez la page voulue. Pour organiser au mieux vos Favoris, créez des dossiers de la façon suivante :

1. Dans Internet Explorer, cliquez sur **Favoris**, **Ajouter aux Favoris**.
2. Cliquez sur le bouton **Créer :** la liste des dossiers déjà existants s'affiche. Cliquez sur **Nouveau**.
3. Nommez votre nouveau dossier, puis cliquez sur **OK** pour valider.

Il ne vous reste plus qu'à ranger vos Favoris dans les dossiers adéquats.

Pour supprimer un dossier de Favoris, cliquez sur **Favoris**, **Organiser les Favoris**. Sélectionnez le dossier voulu, puis cliquez sur le bouton **Supprimer**. Cliquez sur **OK** pour valider.

Pour renommer un dossier de Favoris, cliquez sur **Favoris**, **Organiser les Favoris**. Sélectionnez le dossier concerné, puis cliquez sur le bouton **Renommer**. Saisissez le nouveau nom, puis cliquez sur **OK** pour valider.

Pour déplacer un dossier de Favoris, cliquez sur **Favoris**, **Organiser les Favoris**. Sélectionnez le dossier, puis cliquez sur **Déplacer**. Sélectionnez le nouvel emplacement de votre dossier et cliquez sur **OK** pour valider. Cliquez sur **OK** pour fermer la boîte de dialogue Organiser les Favoris.

La sécurité

Qu'en est-il exactement de la sécurité sur Internet ? On entend tout et n'importe quoi à ce propos. Il faut savoir que le fonctionnement d'Internet est fondé sur l'envoi d'informations d'un ordinateur à un autre, et que chaque ordinateur qui se trouve sur le chemin de l'envoi peut voir ce qui est envoyé, d'où effectivement des problèmes de confidentialité. L'autre danger vient des virus : si vous recevez des fichiers et des programmes porteurs de virus *via* un site Web, ils contaminent votre ordinateur et les informations qui y sont stockées (voir Partie V). Pour répondre à ces problèmes vitaux de sécurité, Internet Explorer permet d'affecter les fichiers que vous ouvrez ou que vous téléchargez à des "zones de sécurité" dans lesquelles vous pouvez définir des niveaux en fonction de la provenance et de la fiabilité des informations du Web. Il est exact que de nombreux sites Internet sont équipés pour empêcher les personnes non autorisées de voir les données envoyées vers ou à partir de ces sites. Ces sites sont dits "sécurisés". Pour les repérer facilement, Internet Explorer affiche une icône représentant un verrou dans la barre d'état. Vous pouvez alors envoyer vos informations en toute sécurité. *A contrario*, Internet Explorer vous avertit lorsque vous êtes sur le point d'effectuer une action risquée en termes de sécurité, par exemple envoyer des informations vers un site non sécurisé. Par ailleurs, chaque fois que vous vous connectez à un site, Internet Explorer en vérifie les paramètres de sécurité.

Recherchez dans la barre d'état les indices de degré de sécurité :

- **Intranet.** Niveau de sécurité moyen.
- **Zone des sites de confiance.** Constitue l'étendue des sites dans lesquels vous avez confiance, c'est-à-dire les sites à partir desquels vous estimez pouvoir télécharger ou exécuter des fichiers sans risque d'endommager votre ordinateur ou vos données. Ce niveau de sécurité est donc **Bas**, puisque vous n'avez indiqué aucun paramètre de sécurité.

- **Zone des sites sensibles.** Le niveau de sécurité par défaut des sites sensibles est **Haut**.
- **Zone Internet.** Contient tout ce qui n'est pas sur votre ordinateur, l'intranet de votre société ou sur toute autre zone. Le niveau de sécurité par défaut de la zone Internet est **Moyen**.
- **Icône verrou.** Indique que le site est sécurisé.
- **Message d'alarme.** Indique que vous prenez des risques. Tenez-en compte et réfléchissez-y à deux fois.

Pour sécuriser Internet Explorer, procédez comme suit :

1. Cliquez sur **Outils**, **Options Internet**, puis sur l'onglet **Sécurité**.
2. Cliquez sur la flèche de l'option **Zone** pour sélectionner la zone à paramétrer, puis sur l'option de sécurité retenue dans la zone **Définir le niveau de sécurité...** Cliquez sur **OK** pour valider.

Pour filtrer l'accès au Web à l'aide d'un mot de passe, cliquez sur Démarrer, Paramètres, Panneau de configuration. Double-cliquez sur l'icône Internet. Cliquez sur l'onglet Contenu. Dans la zone Gestionnaire d'accès, cliquez sur Paramètres. Saisissez le mot de passe du superviseur pour votre ordinateur, puis cliquez sur OK pour valider. Cliquez sur l'onglet Général, puis activez la case à cocher Le superviseur peut taper un mot de passe pour permettre aux utilisateurs de visualiser le contenu de pages à accès limité. Cliquez sur OK pour valider.

Office 2002 et le Web

Office 2002 contient Internet Explorer 5, l'un des principaux navigateurs du Web. Lorsque vous avez installé Office, ce navigateur a été installé lui aussi. Si vous êtes équipé d'un modem et d'une connexion à Internet, vous pouvez vous connecter directement au Web à partir d'Office.

Naviguer sur le Web à partir d'Office

Si vous disposez d'une connexion à un fournisseur d'accès et utilisez Microsoft Internet Explorer comme navigateur, vous pouvez ouvrir directement des pages Web à partir des applications d'Office en utilisant la barre d'outils Web. Pour afficher cette barre d'outils, cliquez du bouton droit sur l'une des barres d'outils actives, puis cliquez sur **Web**. Utilisez ensuite les différents boutons.

Ouvrir des documents dans Internet Explorer

Désormais, la compatibilité entre les fonctions d'Office et celles d'Internet Explorer 5 permet, une fois qu'un document a été transcrit au format HTML, de récupérer toutes les données dans le navigateur. Ainsi, la complexité de tableaux croisés dynamiques ne posera aucun problème au navigateur : il conservera les qualités d'origine du document !

Pour ouvrir un document dans Internet Explorer, une fois qu'il a été enregistré au format HTML, sélectionnez **Fichier**, **Ouvrir**. Sélectionnez un fichier, puis cliquez sur **Ouvrir**.

L'Aperçu Web

Une fois qu'un document ou une présentation ont été enregistrés au format HTML, vous pouvez les visualiser dans l'Aperçu Web pour voir l'aspect qu'ils auront lorsqu'ils seront publiés sur le Web.

Pour afficher l'Aperçu Web d'un document ou d'une présentation, sélectionnez **Fichier**, **Aperçu de la page Web**.

Les réunions en ligne

Pour faire une réunion en ligne à partir de l'une des applications Office, connectez-vous à Internet. Ensuite, sélectionnez **Outils**, **Collaboration en ligne**, **Réunion maintenant**. Sélectionnez le service d'annuaire dans l'option du même nom. Netmeeting est lancé, vous pouvez commencer à converser.

Utiliser la messagerie électronique à partir d'une application

Vous pouvez maintenant envoyer un document *via* la messagerie électronique, et ce, à partir de n'importe quelle application Office. Utilisez le bouton **Message électronique**, accessible *via* la barre d'outils Standard de toutes les applications. Une fois cette commande activée, la boîte de rédaction d'un message s'affiche (voir Partie V). Renseignez les différentes options, puis envoyez le message.

Créer des liens hypertexte

Une page Web n'est pas complète si elle ne contient pas quelques liens hypertexte. Un lien hypertexte permet de diriger le visiteur, à partir d'un simple clic, vers une autre partie de la page ou vers une autre page du site. Toutes les applications d'Office 2002 proposent une icône permettant d'insérer rapidement des liens hypertexte vers d'autres documents, fichiers ou pages.

Une bonne note à PowerPoint. Sa version 2000 permet de créer automatiquement un cadre de sommaire dans la partie gauche du site. Après avoir affiché la présentation dans le navigateur, il suffit de cliquer sur l'un des points du sommaire pour afficher directement son contenu dans le cadre droit.

Pour les personnes qui publient fréquemment des données Excel sur le Web, la nouvelle fonctionnalité Republication automatique leur permet de publier à nouveau automatiquement des éléments dans des pages Web chaque fois qu'ils enregistrent un classeur contenant des éléments déjà publiés.

Quelques indications avant de publier

Si vous avez créé votre site avec FrontPage, vous devez faire appel à un FAI dont le serveur est équipé des extensions serveur FrontPage. Il est également nécessaire de connaître l'emplacement du serveur Web où vous allez publier votre site ainsi que vos nom d'utilisateur et mot de passe.

Pour savoir quels fournisseurs d'accès Internet utilisent les extensions serveur FrontPage, visitez la page d'accueil de Microsoft FrontPage, ou cliquez sur Publier le site Web dans le menu Fichier, puis sur le bouton Fournisseurs. Voici tout de même quelques bonnes adresses : http://freeflight.cockpit.be, www.thgnet.com et www.citeglobe.com.

Pourquoi publier avec les extensions serveur FrontPage ? Voici les raisons :

- Votre site, lorsqu'il sera publié, disposera de toutes les fonctionnalités de FrontPage. Sans ces extensions, certaines fonctions seraient inopérantes (traitement de formulaire, formulaire de recherche, compteur d'accès, composants, etc.).
- FrontPage sera à même de gérer vos fichiers et vos liens hypertexte. Chaque fois que vous publierez (mettrez à jour) le site, le logiciel comparera les fichiers installés sur votre ordinateur avec ceux du serveur Web et tiendra compte de ces vérifications.

- Une fois que vous aurez publié le site, vous pourrez le modifier directement sur le serveur Web du FAI.
- Enfin, vous pourrez publier votre site sans recourir à un logiciel de transfert FTP spécifique.
- Une fois que votre site sera publié, n'oubliez pas de le mettre à jour régulièrement. Il suffit de modifier les pages et de reprendre les procédures de publication pour les pages modifiées.

Si vous avez créé votre site à l'aide d'un autre logiciel, vous devrez transférer vos fichiers au moyen d'un logiciel de transfert FTP.

Dans le cas où votre FAI limite l'espace disque dont vous disposez pour publier votre site sur son serveur, il est impératif que vous gériez convenablement vos fichiers, par exemple, en supprimant régulièrement les fichiers inutilisés ou anciens. Ainsi, vous conserverez la bonne taille pour votre site.

La publication

Avant de passer à l'étape finale, à savoir la publication de votre site sur un serveur afin qu'il soit disponible sur le Web, penchons-nous un peu sur les procédures et les impératifs de la publication.

Voici les différentes étapes de la publication (elles seront traitées en détail plus loin) :

- **Dépôt du nom de domaine.** Consiste à fournir à un site Web une adresse Web (*URL*) qui vous identifie. Cette notion concerne tout particulièrement les entreprises.
- **Renseignez les moteurs.** Consiste à insérer des balises META, à indiquer des mots clés... afin que les moteurs de recherche puissent aisément vous référencer.

- **Choix d'un hébergement.** L'hébergement consiste à placer sur un serveur le contenu de vos pages, afin qu'elles soient publiées sur le Web. La plupart des fournisseurs d'accès à Internet proposent un certain nombre de mégaoctets d'espace disque pour publier des pages personnelles. Vous pouvez donc publier vos pages Web auprès de votre fournisseur d'accès.

Pour publier des pages qui dépassent le nombre de mégaoctets proposés, recourez à un hébergeur gratuit. Voici une liste de quelques-uns de ceux-ci : Chez : www.chez.com ; Multimania : www.multimania .com ; MyWeb : http://myweb.vector.ch ; Geocities : www.geocities.com/homestead ; Tripod : www.tripod .com ; Yellow Internet : www.yi.com ; Respublica : www.respublica.fr.

- **Préparation des fichiers.** Vérifiez les noms des fichiers de vos pages ainsi que leur extension (pas plus de huit caractères), organisez les fichiers du site (texte, images, son, etc.) en les regroupant dans un seul et même dossier, vérifiez les liens hypertexte, ainsi que l'orthographe et la grammaire de vos pages.
- **Transfert de fichiers.** Pour télécharger les différents fichiers de votre site sur le serveur qui publiera vos pages, vous devez utiliser le protocole FTP. A cette fin, vous devez vous procurer une application FTP. Voici les logiciels le plus couramment utilisés :
  - pour Macintosh : Fetch, à l'adresse : **www.darthmouth.edu/pages/softdev/fetch.htm**.
  - pour PC : WS_FTP, à l'adresse : **www.ipswitch.com**.
- **Faire connaître le site.** Tout un programme ! comme vous pourrez le constater à la fin de ce chapitre.

Transférer les fichiers (publier)

Une fois la connexion activée et testée, vous allez pouvoir publier votre site sur le serveur du FAI. Les procédures de publication suivantes concernent les utilisateurs dont le FAI possède les extensions FrontPage.

Pour publier votre site Web FrontPage, c'est-à-dire l'envoyer sur le serveur du FAI, vous devez suivre une procédure précise que FrontPage a voulue la plus simple possible. Cette publication se fait à partir du module Dossiers :

1. Ouvrez le site, puis cliquez sur **Publier le site Web FrontPage**. Vous pouvez aussi cliquer sur **Fichier**, **Publier le site Web FrontPage**. La boîte Publier le site s'affiche.
2. Cliquez sur la flèche de la zone de texte. Le nom générique du serveur de votre FAI s'affiche. Cliquez sur celui-ci.
3. Cliquez dans la zone de texte, supprimez le nom actuel du site, puis saisissez le nouveau nom. Cliquez sur **OK**.

   FrontPage envoie l'ensemble des fichiers constituant votre site chez le fournisseur d'accès Internet.

   Vous pouvez suivre le protocole de transmission dans la barre d'état qui affiche son évolution.

   Lorsque le processus de transmission est terminé, une boîte s'affiche.

Pour publier à l'aide d'un logiciel de transfert FTP, la procédure de publication n'est pas la même. Vous devez utiliser un logiciel de transfert de fichiers (FTP). Le FTP ftp32.zip employé dans la procédure qui suit est utilisable avec Windows 95, 98 ou Windows NT. Vous devez donc télécharger ce logiciel. Pour cela, lancez votre navigateur. Dans la zone Adresse, saisissez **ftp://ftp.sct.fr/pub/pc/windows98/ftp/ws ftp32.zip**.

Le navigateur télécharge le logiciel. Ce programme étant compressé, vous devez le décompresser pour l'utiliser. Pour télécharger le logiciel de décompression, lancez votre navigateur. Dans la zone Adresse, saisissez **ftp://ftp.sct.fr/pub/pc/windows98/compression/winzip95.exe**. Le navigateur télécharge le logiciel.

Ces logiciels sont en shareware, c'est-à-dire qu'ils sont disponibles en utilisation libre pendant un certain temps seulement. Vous devez ensuite rémunérer leurs auteurs si vous voulez les conserver.

Une fois le logiciel de transfert décompressé, vous allez pouvoir l'utiliser pour publier votre site. La première étape consiste à lancer le logiciel de transfert de la manière suivante :

1. Lancez l'Explorateur Windows. Cliquez sur le dossier contenant le logiciel. Double-cliquez sur **WS_FTP32**.
2. Cliquez sur **Cancel** (**Annuler**). Dans la fenêtre supérieure gauche, double-cliquez sur les deux points.
3. Cliquez sur la flèche de défilement pour rechercher le dossier contenant le site. Double-cliquez sur le dossier.

   Dans la fenêtre inférieure, la liste des fichiers contenus dans votre site s'affiche.
4. Cliquez sur **Connect** (**Se connecter**). Dans la zone Host Name, saisissez le nom du domaine fourni par votre FAI. Dans la zone User Id, saisissez votre login de connexion (fourni par le FAI). Dans la zone Password, saisissez votre mot de passe (fourni par le FAI). Dans la zone Remote Host, saisissez le chemin de l'espace alloué par votre FAI. Cliquez sur **OK**.
5. La boîte de connexion à Internet s'affiche. Cliquez sur **Se connecter**.

   Le transfert de votre site s'exécute : il est publié sur le Web.

Se faire référencer

Pour se faire connaître, tout webmaster sait combien il est important de référencer correctement son site auprès du plus grand nombre de moteurs de recherche. En effet, on estime que, pour 70 %, le trafic d'un site provient d'une consultation d'annuaires ou de moteurs de recherche.

Voici quelques conseils pour réussir cette étape cruciale :

- S'inscrire soi-même auprès des moteurs ou des annuaires. Tous prévoient un espace pour l'autoréférencement. Le problème est que c'est long, fastidieux et pas forcément très efficace.
- Contacter des services gratuits qui, à partir d'un formulaire unique, vous référencent automatiquement auprès d'un grand nombre de moteurs de recherche. Le site est alors référencé dans le monde entier en quelques minutes.
- Demander l'aide des sites spécialisés qui redoublent d'ingéniosité et intègrent les nouvelles technologies pour vous permettre le référencement le plus efficace (voir Tableau 24.1).
- Utiliser la nouvelle génération de logiciels "référenceurs" qui, comme *AddWeb* (Ajouter au Web), référencent votre site auprès de plus de trois cents moteurs de recherche, et ce, en quelques minutes.
- Faire une bonne promotion de son site en privilégiant les liens transversaux avec des sites amis. Si vous indiquez sous la rubrique "Mes liens préférés" quelques sites remarquables et remarquablement visités, vous aurez de grandes chances de bénéficier d'un digne retour d'ascenseur : le référencement de votre site sur celui dont vous avez fait la promotion. Echangez donc des bannières publicitaires !
- Utilisez le bouche-à-oreille. Parlez de votre site à vos amis, joignez votre adresse Web à vos courriers électroniques, etc.

Tableau 24.1 : Les bonnes adresses du référencement

Nom	URL (adresse Internet)
France Hyperbanner	**www.france.hyperbanner.net**
Sam le référenceur	**www.sam.acorus.fr/referenceur**
Search Engine Watch	**www.serachenginewatch.com**
Submit Hit	**www.submit-hit.eurodiacom.com/index1.html**
Web site garage	**www.websitegarage.com**
Liste de diffusion	**www.makelist.com**

Pour en apprendre encore plus sur le référencement, les méthodes, les astuces, etc., rendez-vous sur le site Abondance, à l'adresse : www.abondance.com.

Des outils pour vous aider

Certains logiciels aident au référencement. Si vous êtes convaincu de l'utilité des logiciels de référencement automatique, nous vous invitons à faire un tour sur les sites de la sélection de produits suivants :

- **www.addme.com**
- **www.add-url.com**
- **www.register-it.com**
- **www.selpromotion.com**
- **www.site-see.com**
- **www.submit-it.com**
- **www.webperformance.com**
- **www.webpromote.com**
- **www.worldsubmit.com**

Déclarez-vous dans un moteur

Vous avez la possibilité de "déclarer" votre site aux principaux moteurs de recherche. La procédure est assez simple, il suffit de se rendre sur le site du moteur, de cliquer sur le lien hypertexte proposant de déclarer un site et de remplir le formulaire qui est proposé. Par la suite, vous serez informé si le moteur de recherche décide, ou non, de vous référencer dans son site.

Voici la liste des principaux moteurs de recherche francophones :

- Yahoo! : **www.yahoo.fr**. Pionnier des annuaires Internet, il reste la référence. Aujourd'hui, à lui seul, Yahoo! génère un bon tiers du trafic sur les sites.
- Voila : **www.voila.fr**. Lancé par France Télécom, il est devenu un annuaire majeur en France.
- Nomade : **www.nomade.fr**. Bien que ne générant pas le trafic de Yahoo! ou de Voilà, il n'en reste pas moins que ce moteur a de nombreux adeptes et que son référencement est d'excellente qualité.
- Altavista : **www.altavista.fr**. Il connaît de temps en temps quelques faiblesses, mais c'est un gros générateur de trafic.
- Infoseek : **www.infoseek.com**. Bon moteur de recherche, quelque peu en perte de vitesse.

Voici une liste de ce que les moteurs n'aiment pas :

- les pages avec des scripts ;
- les pages sans les extensions .html ou htm ;
- les images non accompagnées de l'attribut `alt`.

Et de ce qu'ils aiment :

- l'organisation des pages avec des balises `<HX>` ;
- les mots clés ;
- les premières pages qui présentent convenablement les autres pages.

Annexe

Les raccourcis clavier

Dans cette annexe, vous trouverez tous les raccourcis clavier et les symboles proposés dans les différents logiciels d'Office 2002.

Sont d'abord présentés les raccourcis clavier propres à chaque application, puis ceux qui sont communs à toutes les applications, dans un contexte général.

Les raccourcis d'Outlook

Tableau A.1 : Les raccourcis clavier d'Outlook

Commande	Raccourci clavier
Carnet d'adresses : afficher	Ctrl+Maj+B
Contact : créer	Ctrl+Maj+C
Journal : créer une entrée	Ctrl+Maj+J
Message : créer	Ctrl+Maj+M
Message, après sélection, marquer comme lu	Ctrl+Q
Message, après sélection, répondre à tous	Ctrl+Maj+R

Tableau A.1 : Les raccourcis clavier d'Outlook *(suite)*

Commande	Raccourci clavier
Message, après sélection, répondre	Ctrl+R
Note : créer	Ctrl+Maj+P
Paragraphe : aligner à gauche	Ctrl+A
Paragraphe : centrer	Ctrl+E
Puces : ajouter	Ctrl+Maj+L
Rechercher un élément	Ctrl+Maj+F
Rendez-vous : créer	Ctrl+Maj+A
Retrait : augmenter	Ctrl+T
Réunion : créer	Ctrl+F11
Tâche : créer une demande de	Ctrl+Maj+U
Tâche : créer	Ctrl+Maj+K
Retrait : diminuer	Ctrl+Maj+T

Les raccourcis de PowerPoint

Tableau A.2 : Les raccourcis clavier de PowerPoint

Commande	Raccourci clavier
Diaporama : aller à diapositive n° X	"X"+Entrée
Diaporama : diapositive précédente	Retour arrière
Diaporama : diapositive suivante	Barre d'espacement ou Entrée
Diaporama : masquer le pointeur	Ctrl+L
Diaporama : sortir	Echap
Diapositive : sélectionner	Ctrl+A

Les raccourcis du Compagnon Office

Tableau A.3 : Les raccourcis clavier du Compagnon Office

Commande	Raccourci clavier
Afficher le Compagnon	Alt+F6
Fermer un message du Compagnon	Echap

Les raccourcis de Word

Tableau A.4 : Les raccourcis clavier de Word

Commande	Raccourci clavier
Accéder à	Ctrl+B
Annuler une action	Ctrl+Z
Aperçu avant impression	Alt+Ctrl+I
Caractères : exposant	Ctrl+"+" (signe plus)
Caractères : indice	Ctrl+=
Casse : tout en majuscules	Ctrl+Maj+K
Casse : tout en minuscules	Ctrl+Maj+A
Commentaires : insérer	Alt+Ctrl+M
Date : insérer	Alt+Ctrl+D
Espace insécable	Ctrl+Maj+barre d'espacement
Heure : insérer	Alt+Maj+H
Insertion automatique : créer	Alt+F3
Interligne 1,5	Ctrl+S
Interligne double	Alt+Maj+L
Interligne simple	Ctrl+Maj+L
Liste à puces : créer	Alt+P

Tableau A.4 : Les raccourcis clavier de Word ***(suite)***

Commande	Raccourci clavier
Mise en forme : copier	Ctrl+Maj+C
Mise en forme : reproduire	Ctrl+Maj+V
Mode Normal	Alt+Ctrl+N
Mode Page	Alt+Ctrl+P
Mode Plan	Alt+Ctrl+O
Paragraphe : aligner à droite	Ctrl+Maj+D
Paragraphe : aligner à gauche	Ctrl+Maj+G
Paragraphe : aller à la ligne sans créer de nouveau	Maj+Entrée
Paragraphe : centrer	Ctrl+E
Paragraphe : insérer un nouveau	Entrée
Paragraphe : justifier	Ctrl+J
Paragraphe : supprimer mise en forme	Ctrl+Q
Police : ouvrir la boîte de dialogue	Ctrl+Maj+P
Refaire une action	Ctrl+Y
Retrait : gauche	Ctrl+H
Retrait négatif première ligne	Ctrl+T
Saut de colonne : insérer	Ctrl+Maj+Entrée
Saut de page : insérer	Ctrl+Entrée
Style : appliquer Normal	Ctrl+Maj+N
Style : appliquer Titre 1	Ctrl+Maj+1
Style : appliquer Titre 2	Ctrl+Maj+2
Style : appliquer Titre 3	Ctrl+Maj+3
Style : ouvrir	Ctrl+Maj+S
Trait d'union insécable	Ctrl+Maj+"–" (signe moins)

Les raccourcis d'Excel

Tableau A.5 : Les raccourcis clavier d'Excel

Commande	Raccourci clavier
Cellule : annuler saisie	Echap
Cellule : barré	Ctrl+Maj+F5
Cellule : format	Ctrl+1
Cellule : insérer	Ctrl+Maj+"+" (signe plus)
Cellule : valider	Entrée
Feuille de calcul : insérer	Alt+Maj+F1
Feuille graphique : insérer	Alt+F1
Fonction : somme automatique	Alt+=
Format monétaire	Ctrl+Maj+$
Format Numérique	Ctrl+Maj+!
Recopier vers la droite	Ctrl+R
Recopier vers le bas	Ctrl+D
Répéter dernière action	F4

Les déplacements

Tableau A.6 : Les raccourcis clavier pour les déplacements

Commande	Raccourci Clavier
Aller À La Fin Du Document	Ctrl+fin
Aller De Cellule En Cellule	Tab
Aller Au Début Du Document	Ctrl+home Ou Origine
Page Précédente	Page Up
Page Suivante	Page Down

Les raccourcis communs aux applications

Tableau A.7 :
Les raccourcis clavier communs à toutes les applications d'Office

Commande	Raccourci clavier
Aide	F1
Atteindre	F5
Caractères : changer la casse	Maj+F3
Coller une sélection	Ctrl+V
Copier une sélection	Ctrl+C
Couper une sélection	Ctrl+X
Enregistrer	Ctrl+S
Enregistrer sous	F12
Fichier : fermer	Ctrl+W
Fichier : ouvrir	Ctrl+O
Imprimer	Ctrl+P
Orthographe : lancer la vérification	F7
Quitter l'application	Ctrl+Q
Rechercher un mot, une police, etc.	Ctrl+F
Remplacer un mot, une police, etc.	Ctrl+H
Sélection : en gras	Ctrl+G
Sélection : en italique	Ctrl+I
Sélection : mot souligné, mais pas espace	Alt+Maj+U
Sélection : souligné	Ctrl+U

Tableau A.7 :
Les raccourcis clavier communs à toutes les applications d'Office ***(suite)***

Commande	Raccourci clavier
Supprimer une sélection	Suppr
Synonyme : rechercher	Maj+F7

Index des fonctions communes

C

D

E

F

G

I

S

T

V

W

Z

Index d'Excel

D

E

F

G

O

P

R

S

T

U

V

X

Index d'Internet

R

S

T

V

W

Index d'Outlook

Index de PowerPoint

E

G

I

P

R

S

Index de Word

D

N

O

P

R

S